DANS LA MEME COLLECTION

Artaud, par Alain et Odette Virmaux

Beckett, par Alfred Simon

Breton, par Gérard Legrand

Céline, par Frédéric Vitoux

Freud, par Roger Dadoun

Roger Gilbert-Lecomte et le Grand Jeu,
par Alain et Odette Virmaux

Proust, par Jean-Yves Tadié

LES DOSSIERS BELFOND

Collection dirigée par Jean-Luc Mercié

MARCEL DUCHAMP

DU MEME AUTEUR

Masque à lame, illustré par Isabelle Waldberg. Editions Hémisphères, 1943.

Léonard de Vinci ou la fin de l'humilité, Le Soleil Noir, 1952. Réédition illustrée par Ipoustéguy. Le Soleil Noir, 1974.

Chantage de la beauté, Editions de Beaune, 1955.

Sur Marcel Duchamp, Editions Trianon, Paris, Londres, New York, 1959.

Géricault, ses ambitions monumentales et l'inspiration italienne, R. Legueltel, Editeur, 1961.

Anthologie des formes inventées, Un demi-siècle de sculpture, Editions du Cercle, 1962.

L'envers de la peinture : Mœurs et coutumes des tableauistes, Editions du Rocher, 1964.

La double vue, suivi de *L'inventeur du temps gratuit,* illustré par Alberto Giacometti et Marcel Duchamp, Le Soleil Noir, 1964. Prix du Fantastique, 1965.

Magritte, Editions Fernand Hazan, 1969.

L'oiseau caramel, illustré par Max Ernst, Le Soleil Noir, 1969.

Traité des passions par personne interposée, Eric Losfeld Editeur, 1972.

La Saint-Charlemagne, illustré par Max Ernst, Le Soleil Noir, 1976.

En collaboration :

Premier bilan de l'art actuel, Le Soleil Noir, 1953.

Léonard de Vinci, Hachette, 1959.

Le Surréalisme, dans L'Arte Moderna, Fabbri, Editeurs Milan, 1968-1969.

La civilisation surréaliste, Payot, 1976.

ROBERT LEBEL

MARCEL DUCHAMP

PIERRE BELFOND
216, boulevard Saint-Germain
75007 Paris

Si vous souhaitez recevoir notre catalogue
et être tenu au courant de nos publications,
envoyez vos nom et adresse, en citant ce livre,
aux Éditions Pierre Belfond,
216, bd Saint-Germain, 75007 Paris.
Et pour le Canada à
Edipresse (1983) Inc., 5198, rue Saint-Hubert,
Montréal, Québec H2J 2Y3, Canada.

ISBN 2.7144.1822.8

SOMMAIRE

Troisième partie

BILAN CRITIQUE

AVANT ET APRES PROPOS

Marcel Duchamp, dès mon adolescence, m'a intrigué, d'abord à travers ce qu'André Breton disait ou écrivait de lui. Je ne l'ai rencontré qu'en 1936 à New York chez Alfred Stieglitz et j'ai noté ailleurs l'effet de ce premier contact : « ... Il arrivait à New York pour restaurer le *Grand Verre*, accidentellement brisé. Loin de manifester la moindre amertume, il se déclarait comblé par cette collaboration du hasard. Je fus frappé par son rayonnement et sa capacité de mépris. Chaque fois que l'on prononçait devant lui le nom d'un artiste célèbre, il murmurait tristement : " Le pauvre... "[1] »

Je l'ai revu ensuite à Paris mais c'est à New York de nouveau, lorsque nous nous sommes retrouvés en exil avec Breton, Max Ernst, Matta et d'autres de 1942 à 1944, qu'une sorte de complicité s'instaura entre nous. Mon texte *L'inventeur du temps gratuit,* où j'ai tenté de tracer son portrait imaginaire, date de cette époque mais n'a été publié que quinze ans plus tard[2].

Au retour à Paris, tandis qu'il s'ingéniait à la mise en place de l'Exposition Surréaliste de 1947, nous fûmes avec André Breton, Patrick Waldberg, Jean Ferry, Georges

1. *Paris-New York et retour avec Marcel Duchamp, Dada et le surréalisme* dans *Paris-New York,* ouvrage collectif publié à l'occasion de l'exposition du Centre Pompidou, 1977.

2. *Le surréalisme, même* 2, Printemps 1957, texte repris dans *La double vue* suivi de *L'inventeur du temps gratuit,* illustré par Alberto Giacometti et Marcel Duchamp. Le Soleil Noir, 1964.

Bataille et Charles Duits les instigateurs du *Da Costa encyclopédique,* entreprise volontairement dissidente, marginale et très confidentielle, vouée à l'anonymat et à l'humour virulent. C'était peut-être trop demander aux participants qui, pour la plupart, bientôt se dispersèrent, Duchamp restant le seul à soutenir cette publication éphémère jusqu'à son troisième et dernier fascicule.

Il se bornait à nous encourager de loin, spécifions-le, car ses incessantes allées et venues entre Paris et New York, de son premier départ pour l'Amérique en 1915 à son dernier retour avant sa mort en 1968 et à l'exception des immobilisations forcées des années de guerre, faisaient de lui un interlocuteur souvent insaisissable. Quand vers 1949 germa le projet de lui consacrer un livre, je vis bien que ses apparitions espacées à Paris ne permettraient pas de développer suffisamment le dialogue que nous avions déjà engagé. Fort heureusement mes activités professionnelles me fournirent le prétexte d'assez fréquents voyages aux Etats-Unis et c'est ainsi que nous avons pu établir un rapport quasi continu et nous livrer pendant une dizaine d'années aux observations, déductions, supputations, élucidations, investigations et discussions d'où devait résulter mon livre paru en 1959.

Marcel Duchamp y était montré tel qu'on pouvait le définir alors : personnage complexe, rare, distant, ésotérique, retiré depuis longtemps de l'art et du monde après l'imprévisible éclat de l'Armory Show en 1913. Seuls quelques initiés éprouvaient pour lui une passion dont les mobiles échappaient au plus grand nombre.

Calvin Tomkins a écrit que la publication de mon ouvrage avait contribué à révéler Duchamp à la génération nouvelle [1]. C'est possible, bien que le livre présenté à Paris à « La Hune », à New York chez Sidney Janis et à Londres à

1. *The Bride and the Bachelors,* New York, 1965.

l'Institute of Contemporary Art ait été accueilli plutôt avec froideur et qu'il lui ait fallu plusieurs années pour faire son chemin presque clandestinement. La première exposition qui pouvait à bon droit se prétendre « rétrospective » n'eut lieu qu'en 1963, organisée par Walter Hopps et à Pasadena, c'est-à-dire en dehors des chemins fréquentés.

Puis, brusquement, l'engouement se déclencha. Les motifs de cette promotion sont contradictoires mais ils tiennent surtout au déferlement subit des sentiments « anti-art » ou, mieux encore, anti-esthétiques. Le mouvement commença aux Etats-Unis où les peintres du « Pop » s'attaquèrent durement à leurs prédécesseurs, jugés trop « artistes », de l'expressionnisme abstrait et Duchamp devint le précurseur désigné de cette nouvelle vague. En Europe, où l'école de Paris piétinait, une poignée de fanatiques scandinaves de Duchamp prirent une initiative dont on crut d'abord qu'elle allait à jamais le déconsidérer mais qui, finalement, consolida sa réputation. De 1960 à 1963, Pontus Hulten, Ulf Linde, P.O. Uldvedt et Magnus Wibom exécutèrent ensemble ou séparément des copies de ready-made et une réplique du *Grand Verre* que Duchamp, sans sourciller, signa. Sa désinvolture inquiéta certains de ses amis mais c'est précisément elle qui a suscité l'admiration de la plupart des jeunes artistes pour qui ce fut le signe des temps nouveaux.

Déjà la réplique du *Grand Verre* prit à Pasadena la place de l'original de Philadelphie mais les expositions suivantes devaient accueillir de plus en plus largement les multiples édités à Milan par Arturo Schwarz. A la Tate Gallery en 1966, Richard Hamilton, l'organisateur, tint à répéter lui-même quelques Duchamp célèbres, y compris une fois de plus le *Grand Verre*. En 1967, lors de la réédition de mon livre à New York, je dus consacrer aux répliques, copies, éditions ou pastiches un additif spécial au catalogue. Je n'y dénombrais pas moins d'une quarantaine d'œuvres récemment reproduites, certaines en séries. La quantité totale de ces « remake » dépassait de beaucoup celle des originaux conservés.

Aucun autre artiste contemporain ne se serait relevé d'un tel coup porté au prestige de l'œuvre unique mais pour Duchamp, qui ne dissimulait ni son amusement, ni son sarcastique plaisir, ce fut un triomphe. En France, où personne, sauf André Breton et ses amis dada ou surréalistes, ne l'avait vraiment compris, ni aimé, où en 1965 encore trois jeunes peintres choisissaient son assassinat pour sujet de leurs tableaux, Pierre Cabanne, l'année suivante, constata que Duchamp avait supplanté Picasso dans le rôle de catalyseur de l'avant-garde. En 1967, au seuil de son quatre-vingtième anniversaire, le musée de Rouen lui consacra enfin une exposition (partagée avec ses deux frères, Jacques Villon et Raymond Duchamp-Villon, et sa sœur Suzanne) et le musée national d'Art moderne condensa le quatuor familial en un duo de Marcel avec Duchamp-Villon.

Dans ma préface à la réédition américaine de mon livre en 1967, je prenais acte de la transformation spectaculaire de Duchamp, tiré de l'obscurité où il s'était si longtemps complu pour exercer, sans effort apparent, ce qu'il appelait lui-même le « métier d'homme public ». Je précisais que, dans cette fonction, il continuait à se conduire en « artiste défroqué », se bornant à recevoir calmement les hommages, à signer des multiples et à produire çà et là, comme à regret, un « original » aussi déconcertant que possible, un dessin, une illustration, un objet, un relief, une sculpture, un découpage, un pliage, voire un ouvrage de couture dont il était le premier à récuser le sérieux.

Cette impression d'apaisement consécutif à l'œuvre non seulement accomplie mais dépassée, il sut nous la transmettre plus que jamais, à Man Ray et à moi, au cours de ce qui fut sa dernière soirée le 1er octobre 1968. Une heure après notre départ, Teeny m'annonçait par téléphone qu'il venait de mourir.

En publiant deux mois plus tard le récit de ce coup de

théâtre, j'ignorais encore que Duchamp nous en avait réservé un autre. Depuis vingt ans, tout en affectant selon ses propres paroles la « non-activité », il travaillait secrètement à une « approximation démontable » d'une extraordinaire ampleur : *Etant donnés...* dont la révélation, lorsqu'elle fut dévoilée au musée de Philadelphie en juillet 1969, remit en question toutes les interprétations et toutes les analyses. Un autre Duchamp surgissait de cette provocation posthume.

Une reconsidération de son œuvre dans son ensemble devenait donc indispensable. Anne D'Harnoncourt et Kynaston McShine s'y employèrent et réussirent à organiser de septembre à novembre 1973 à Philadelphie une exposition qui fut et qui restera véritablement unique autour des originaux du *Grand Verre* et *d'Etant donnés...*, puisque ceux-ci furent remplacés par des simulacres dès les escales suivantes du Museum of Modern Art de New York, de l'Art Institute de Chicago et, plus récemment, de janvier à mai 1977, au Centre Pompidou, lorsque Duchamp fut la vedette d'une rétrospective inaugurale assemblée par Pontus Hulten et Jean Clair.

L'image publique de Duchamp en est-elle pour autant clarifiée ? Car la question se pose et je me suis efforcé d'y répondre pour ma part en récapitulant en ces termes sa situation particulière dix ans après sa mort : « Il détient le record absolu du parcours intégral du cycle, avec ses revirements successifs de la figuration à la non-représentation et vice versa, de la matière " painterly " au " rendu sec ", de l'évocation picturale du mouvement aux machines optiques et au cinéma, du ready-made à l'objet surréaliste et à l'assemblage, du subtil au banal, de l'évidence à l'énigme, du lyrisme à l'ironie, du flagrant à l'occulte, de la rareté aux multiples, du détachement à la virulence, de l'art de comportement au geste, de la manipulation du langage au " signe " et aux graffiti, du mental pur du *Grand Verre* au vérisme corporel d'*Etant donnés...*, chaque étape de cet itinéraire sinueux entre les extrêmes se ponctuant de trouvailles que ne se lassent pas de faire valoir des épigones, en Europe comme en Amérique et jusqu'au Japon [1]. »

Dois-je stipuler pour ce texte que mon propos n'était pas d'imputer à Duchamp une versatilité que certains jugent excessive mais de souligner son refus fondamental de se confiner dans le cadre d'une manière, d'une théorie ou d'une habitude, fussent-elles à l'origine scandaleuses, révolutionnaires ou, au contraire, transcendantales ou hermétiques ? Aussi la variété de ses approches n'exclut-elle pas, dans la pratique, une continuité qu'atteste, par exemple, *Etant donnés...* dont le projet de 1912-1913 ne fut réalisé qu'après une pause d'un demi-siècle.

De même son activité en apparence erratique pourrait se résumer en une seule courbe, depuis les *Descentes* dépressives des années 1911 et 1912 et la répudiation de la peinture de chevalet, consommée, semble-t-il, à Munich où il peignit ses chefs-d'œuvre, jusqu'au renversement de tendance que traduit graphiquement un dessin très figuratif de janvier 1914, intitulé *Avoir l'apprenti dans le soleil* et représentant « un cycliste étique montant une côte réduite à une seule ligne ». Le crescendo s'amorce, exigeant un effort épuisant qu'exprime aussi, dans les notes de la *Boîte verte,* « l'image d'une voiture auto qui monte une côte en 1re vitesse », pour parvenir, après une série de tableaux ou d'objets presque tous verticaux, à l'érection confirmée du *Grand Verre* que somme, en outre, « l'inscription du haut » sur *La Voie lactée.*

Ultérieurement, en dépit de quelques rechutes, l'escalade s'est poursuivie pour culminer dans l'indicible, invisible et inavouable *Etant donnés...* dont on ne peut guère mesurer l'altitude relative mais qui constitue pour le moins un *sommet* du sacrilège et de la dévastation. Ce qui est plus caractéristique encore, c'est que la jubilation de Marcel semble n'avoir pas cessé de croître à mesure qu'il édifiait

1. Dans l'article déjà cité pour l'exposition Paris-New York au Centre Pompidou, 1977.

en silence son œuvre terminale dont il n'ignorait pas que son achèvement coïnciderait avec la fin de sa vie.

Tout ceci justifiera peut-être la publication de ce nouveau livre, où sont réunies avec mon ouvrage de 1959 remis à jour des réflexions datant des dernières années de Duchamp et des années qui ont suivi son décès. Qu'on ne s'attende pas à ce que toutes les équivoques en soient éliminées d'un trait de plume.

Après une longue existence créative dont on a pu voir que, malgré sa nonchalance affichée, elle était animée d'une inépuisable force ascensionnelle, sa carrière posthume reste fertile en regains. Ses rapports jusqu'ici mal élucidés avec la photographie ont été mis en évidence par Jean Clair qui, au cours de la même année 1977, a dirigé un colloque Duchamp à Cerisy dont la moisson d'aperçus neufs est encourageante. A Rome, en décembre 1978, un pamphlet apocryphe : *La Politica messa a nudo dai suoi Scapoli anche...*, s'est prévalu de sa fausse signature, lui rendant ainsi à sa façon hommage. A Paris, le Centre Pompidou a peaufiné la publication d'un considérable reliquat de ses *Notes,* recueillies par Paul Matisse. A Tokyo, la construction d'une troisième réplique du *Grand Verre* a été annoncée par Yoshiaki Tono qui, peu après, nous faisait part de la disparition de Shuzo Takiguchi, le plus ancien exégète japonais de Duchamp. Consternante nouvelle qui s'est mitigée de l'éclatante célébration asiatique d'une rétrospective aux musées Seibu de Karuizawa et de Tokyo pendant l'été de 1981. En 1984, c'est à la fondation Miró de Barcelone et à la fondation Caja de Pensiones de Madrid qu'il incombait de révéler à l'Espagne l'habitué discret de Cadaquès et de le présenter ensuite à l'Allemagne au Ludwig Museum de Cologne. L'effet Duchamp continue sa percée dans l'époque dite « post-moderne » que son ironie prémonitoire n'a pas peu contribué à définir.

On a beaucoup répété ses mots incisifs et celui-ci, entre autres : « Il n'y a pas de solution parce qu'il n'y a pas de problème. » Qu'entendait-il signifier sinon son rejet insolent de toute solution, de toute *clé* qui lui soit applicable ? Mais les « regardeurs », qu'il a lui-même investis d'une hégémonie menaçante, en ont décidé autrement. Depuis sa consécration tardive par les procureurs culturels et les hagiographes, tant de sentences péremptoires, tant de déductions providentielles, bien limitatives souvent en regard de ses potentialités immenses, ont été prononcées sur ce qui demeure, malgré tout, son *énigme* et nous voilà réduits à inverser la formule et à l'énoncer désormais sous cette forme bâtarde : « Il y a trop de solutions parce qu'il y a trop de problèmes. »

Robert Lebel (1985)

Première partie

SUR MARCEL DUCHAMP [1]

1. Texte du livre de 1959 (éd. Trianon) révisé et augmenté en 1985.

1

LIENS ET RUPTURE

En consacrant une étude au « Peintre de la Vie Moderne », Baudelaire prend soin de ne le désigner que par des initiales. « M.G., écrit-il, n'aime pas être appelé artiste », et il ajoute plus loin : « Sauf deux ou trois exceptions qu'il est inutile de nommer, la plupart des peintres sont, il faut bien le dire, des brutes adroites, de purs manœuvres. »

Si l'on complète ces remarques par la définition du dandysme que Baudelaire lie à l'exemple de M.G., tout un aspect de Marcel Duchamp sera révélé en quelques phrases sur lesquelles il n'y aura presque plus à revenir.

Mais si les circonstances se prêtent moins aujourd'hui à un anonymat dont Duchamp, d'ailleurs, s'est chargé lui-même, le personnage qu'il a présenté est éminemment multiple et, sur le plan de l'art, absolument neuf. Tout ce qu'on pourrait en saisir à l'aide de précédents risquerait plutôt de brouiller les pistes.

L'énigme qu'il nous pose ne saurait donc être élucidée à peu de frais, selon la méthode comparative qui est à la base de la critique. Il serait même parfaitement illusoire d'aspirer à la résoudre sans avoir préalablement récusé les notions qui ont communément cours sur l'art et les peintres.

Soulignons donc en guise de préambule le danger que l'on courrait en s'arrêtant à un diagnostic trop délimité. Il peut paraître impropre, au premier abord, de considérer Duchamp sous les dehors d'un artiste, mais on ne doit jamais perdre de vue que, si son œuvre dépasse, comme on dit, la peinture, elle n'en est pas moins, en quantité, relativement considérable et, plastiquement, au niveau des plus accomplies.

C'est une des caractéristiques de notre époque et de sa mauvaise conscience que le curieux prestige dont jouit celui qui, ayant fait la preuve de ses dons, renonce un jour à les exploiter. Il devient bientôt une sorte de reproche vivant, celui dont le nom suscite aussitôt une gêne. Ce fut longtemps, on le sait, le cas de Rimbaud et l'on a veillé en France à ce que la réputation de Duchamp demeurât au stade du malaise. L'Amérique, en revanche, l'a salué d'un sourire cordial : « Good old Marcel », comme un ancien acteur à succès, moins pincé toutefois que Garbo, et qui se serait retiré à temps après le triomphe spectaculaire du *Nu descendant un escalier*, en ne laissant que d'excellents souvenirs. On comprend dès lors que Duchamp préférait vivre en Amérique où le malentendu s'avérait quotidiennement plus supportable.

On objectera qu'il aurait pu s'expliquer, ainsi que le font, avec plus ou moins de bonheur, tant d'artistes. A vrai dire, il ne s'y est aucunement refusé et j'ai souvent été stupéfait de son inépuisable patience au cours des interrogatoires prolongés que je croyais devoir lui faire subir. Nulle affectation chez lui d'hermétisme ou de fausse pudeur, nulle question à laquelle il ne trouvât aussitôt une réponse en apparence limpide. Aussi indemne de ce cabotinage habituel aux hommes publics que de la méfiance tatillonne dont font trop souvent preuve ceux qui tiennent à tisser eux-mêmes leur propre légende, Duchamp ne se posait ni en méconnu, ni en ascète. Tout au plus à l'évocation de certains souvenirs l'aurait-on soupçonné d'être légèrement agacé.

Soigneusement expurgée de tout élément de pittoresque extérieur, son étrangeté tenait plutôt à son refus souriant mais ferme de se situer sur le plan de la causalité immédiate. Par le seul fait de cette transposition, ses propos, échappant au simplisme scolaire des confessions d'artistes, créaient un climat d'invention continue où l'on puisait bientôt la certitude que, loin d'avoir abandonné ou interrompu son œuvre, Duchamp ne cessait pas de la vivre.

Ce serait donc amputer singulièrement cette enquête que de séparer le Duchamp peintre de celui qui semble se nier lui-même en une antinomie que l'on suppose un peu hâtivement symétrique. Car ici le parallèle avec Rimbaud ne saurait être recevable puisque le Harrar s'oppose aux œuvres, tandis que la maturité de Duchamp les confirme. Comment la *Boîte-en-Valise,* et son inventaire minutieux de la plupart des travaux achevés, pourrait-elle être compatible avec la répudiation, ou même la mise en doute, des activités antérieures ? L'existence de Duchamp n'accuse aucun revirement, elle ne fait que porter, au contraire, jusqu'à ses ultimes conséquences une résolution qui fut prise vers la vingt-cinquième année.

Le pouvoir discrétionnaire qui est dévolu au biographe l'autoriserait ici, sans doute, à produire quelques édifiantes anecdotes relatives au personnage jeune. Il siérait aussi d'y ajouter une description de la campagne normande aux alentours de Blainville (Seine-Maritime) où Marcel Duchamp, le 28 juillet 1887, vit, nous dit-on, le jour puisque, faute d'avoir pu l'insérer jusqu'ici dans une catégorie quelconque, on a tout au moins tenté de cerner en lui le Normand pour l'apparier avec Alphonse Allais ou Erik Satie. J'attendrai pour ma part d'avoir connu un plus grand nombre de Normands de ce calibre avant de conclure à la découverte d'un de ces traits vernaculaires dont, précisément, Marcel Duchamp ne voulait pas entendre parler. Non qu'il ne soit resté, malgré tant d'années d'Amérique, un assez reconnaissable Français du type maigre, glabre et malicieux, mais, parmi tous ceux qui s'expatrient, il n'y en a guère qui réussissent aussi bien dans le déracinement.

On ne taira pas davantage, en revanche, que l'église de Blainville servit de motif en 1902 à un tableau que Marcel Duchamp tendrait à tenir pour son premier. C'était avant que, bachelier complet, il ne fût émoulu de l'école Bossuet, à Rouen, où il avait été interne, tout en suivant les cours du lycée de la ville.

Les sites, normands ou autres, sont d'ailleurs peu fréquents sous son pinceau précoce qui se voue plus volontiers aux figures, parmi lesquelles les effigies familiales dominent. Dans la mesure où il lui accorde lui-même une indéniable importance, sa famille doit donc retenir notre attention.

On n'apprendra pas sans quelque surprise que Duchamp fut fils de notaire, comme Cocteau d'ailleurs qui, physiquement, lui ressemblait. Certes, la valeur symbolique d'exécration, dont ce titre était investi il y a encore un quart de siècle dans les milieux artistes, semble s'être peu à peu émoussée. Duchamp insistait, au surplus, sur l'indulgence amicale que lui témoigna son père. Toujours est-il que l'enfance de notre personnage doit être envisagée avec sa toile de fond : le décor à la Flaubert d'une charge de tabellion dans la banlieue rouennaise. Les loisirs de cette famille de bourgeoisie cultivée passaient à jouer aux échecs, déjà, ou à faire de la musique autour de la mère, qui eut sept enfants, dont six : trois garçons et trois filles, vécurent. Leurs naissances s'étaient échelonnées suivant un rythme binaire : d'abord les deux fils aînés, Gaston et Raymond, en 1875 et 1876, ensuite Marcel et Suzanne, en 1887 et 1889, Yvonne et Magdeleine enfin, en 1895 et 1898. Un long intervalle séparait donc les trois groupes de rejetons couplés, Mme Duchamp n'ayant jamais dissimulé sa préférence pour les derniers venus.

Marcel se remémorait, de sa mère, surtout la placidité, voire l'indifférence qui paraîtrait donc l'avoir plutôt blessé avant qu'il ne se fût fixé pour but d'y atteindre à son tour. Un certain ressentiment envers les mères pourrait avoir notablement accéléré l'exacerbation de l'art et de la poésie modernes.

Mais, en tenant compte de ce que ces réactions devaient avoir déjà de tardif, on doit reconnaître au milieu de Marcel le mérite de l'avoir profondément marqué. Il ne nous appartient pas de rechercher ce qui s'y déclencha, ni de quel prestige il était chargé à ses yeux pour que les souvenirs qui s'y rattachent fussent demeurés si vifs et si opérants. On ne peut que signaler ici en passant et avec la réserve qui s'impose combien l'incubation domestique du jeune Marcel se révèle riche affectivement. Une intime complicité puérile avec sa sœur Suzanne, le modèle préféré de ses dessins d'adolescence, pourrait avoir formé le noyau de ce mythe familial, ainsi que le suggérait le titre d'une exposition organisée par Marcel Duchamp à New York chez Rose Fried en 1952 : « Duchamp frères et sœur, Œuvres d'art ». Certaines des évocations auxquelles Michel Leiris se livre nous restituent, semble-t-il, un peu de cette disposition si typique à porter au plus haut point le potentiel des événements familiaux, autour desquels se créent d'indissolubles clans enfantins.

Aussi bien, avant la naissance de Marcel, l'esprit artiste s'était infiltré déjà dans la famille sous les auspices du grand-père maternel Emile-Frédéric Nicolle. Sans abandonner sa profession de courtier maritime à Rouen, celui-ci s'était assidûment adonné à la gravure qu'il aurait étudiée sous Méryon. Il avait laissé une œuvre abondante qui comprenait aussi des peintures et qui, bien en vue chez les Duchamp, où elle bénéficiait de l'estime générale, développait tout au long des murs son insidieuse invitation à l'aventure d'art. Si Mme Duchamp mère se borna filialement, aux dires de Marcel, à répéter, sans jamais parvenir à le mettre au point, le dessin d'un hypothétique service de table en Strasbourg, l'exemple du grand-père devait fortement s'imprimer sur les générations suivantes puisque les trois fils de Me Duchamp se vouèrent l'un après l'autre à l'art, non sans être suivis dans cette voie par leur sœur Suzanne.

La firme Duchamp frères et sœur avait, en effet, partie liée avec l'histoire. Ce furent d'abord les deux aînés, Gaston et Raymond, qui abandonnèrent le premier le droit, le second la médecine. Gaston est à Paris avant la fin du siècle ; il a pris le pseudonyme de Jacques Villon et il est peintre, tandis que Raymond Duchamp-Villon plus tard sera sculpteur. Lorsque Marcel, leur cadet de plus de dix ans, ira les rejoindre à Paris en octobre 1904, il habitera 71, rue Caulaincourt, chez Jacques Villon qui, cette même année, deviendra sociétaire du Salon d'Automne.

Ayant fréquenté l'académie Julian jusqu'en juillet 1905, et tenté sans succès l'examen d'entrée à l'école des Beaux-Arts, Marcel Duchamp s'acquittera de son volontariat d'un an à Rouen et à Eu, après avoir fait préalablement chez un imprimeur un stage dont il conserva une compétence typographique assez exceptionnelle et un diplôme d'« ouvrier d'art ». De retour à Paris, en octobre 1906, il résidera successivement 65, puis 73, rue Caulaincourt jusqu'en juillet 1908, et 9, rue Amiral-de-Joinville à Neuilly, jusqu'en 1913.

Peu de peintures exécutées par Duchamp avant 1907 ont été conservées. Il existe toutefois dans la collection Arensberg un *Portrait de Marcel Lefrançois,* daté de 1904 [1] mais qui pourrait être plus tardif car son style déjà très affirmé n'est pas sans analogie avec celui du *Portrait d'Yvonne Duchamp-Villon,* généralement situé vers 1907. Quelques velléités cézanniennes s'y font jour. Un *Homme assis près d'une fenêtre, Sur la falaise* ou la *Maison paysanne à Yport* ont plutôt un cachet post-impressionniste.

Cherchant toujours sa voie, Marcel, à l'exemple de Jacques Villon et de Juan Gris, s'essaiera au dessin humoristique et n'y réussira pas plus mal qu'un autre puisque c'est au Salon des Humoristes, au Palais de Glace, en mai et juin 1907, qu'il exposera publiquement pour la première fois. Les titres de ses envois sont assez suggestifs : *Femme cocher, Le lapin, Flirt, Les toiles de X, Inquiétude de cocu.* Il parut aux Humoristes de nouveau l'année suivante et un de ses dessins : *Femme curé* fut publié par *Le Courrier Français. Le Rire* devait ensuite l'accueillir aussi. Mentionnons

1. Duchamp, au dos de cette toile, précise qu'elle ne fut signée et datée qu'en 1950. Une erreur de deux ou trois ans est donc possible.

l'influence passagère de Boutet de Monvel dans les deux variantes d'*Informations.*

1908 marque également son entrée au Salon d'Automne avec *Portrait, Cerisier en fleurs, Vieux cimetière,* tableaux qui attestent son activité de peintre mais qui ne sont pas tous aisément identifiables, soit qu'ils aient disparu, soit qu'ils se dissimulent sous d'autres titres. En 1909 ses envois sont notés aux Indépendants, au Salon d'Automne et à l'exposition de la Société normande de Peinture moderne dirigée par Pierre Dumont et Robert Pinchon à Rouen. Même itinéraire en 1910 mais, selon Gabrielle Buffet, l'exposition rouennaise aurait eu lieu à Paris, à la Galerie d'Art Ancien et Moderne, 3, rue Tronchet.

A la fin de 1909 et dans les premiers mois de 1910, Duchamp subira la tentation du fauvisme alors proche de son déclin. Sa période fauve nous le révèle sous l'aspect peu connu d'un peintre exubérant.

C'est encore la collection Arensberg qu'il nous faut consulter à ce propos. On peut la revoir au musée de Philadelphie où elle est déployée, après le don et le décès de ses propriétaires. Dans cet ensemble qui est sans doute le plus extravagant et le plus complet échantillonnage d'œuvres de la première moitié du XXe siècle, non seulement les salles consacrées à Duchamp forment une sorte de foyer central d'une inégalable intensité mais ses trois toiles fauves frappent par le déchaînement particulièrement accusé de leur chromatisme. Seules, certaines figures peintes par Van Dongen à peu près à la même époque atteignent à cette stridence acide, peut-être plus voisine encore de l'expressionnisme allemand que des fauves.

Le plus étonnant est que, dans l'esprit de Duchamp, il ne s'agit que d'une expérience strictement limitée à quelques peintures dont le nombre total ne dépasse pas six ou sept : la *Femme nue aux cheveux verts* ou *Nu sur nu*, le *Bateau-Lavoir,* les portraits du *Père,* de *Dumouchel,* de *Nana,* de *Tribout* et de *Chauvel,* auxquelles on pourrait peut-être ajouter *Peau brune,* l'étude à l'aquarelle pour un tableau de 1911 : *Courant d'air sur le pommier du Japon.* Ensuite il passera aussitôt à un autre genre d'exercice.

Ce ne fut pourtant qu'en mai et juin 1911, à la Société normande et à Rouen cette fois, qu'il réserva la primeur de deux de ses portraits fauves : celui du *Dr Dumouchel,* dont un « halo » autour de la main tendue traduisait, a dit Duchamp, ses « préoccupations subconscientes vers un méta-réalisme [1] », et celui de *M. Duchamp père.* Ce dernier qui a un faux air à la fois de Cézanne, ce père du « modernisme » et d'Henri Matisse, ce père des fauves, atténue par sa pose nonchalante et sa barbe bleue ce qu'il ne peut pas taire de son maintien digne.

Tel fut cet homme bienveillant qui, retraité dès 1905, sut jusqu'à sa mort, en 1925, pourvoir discrètement à la provende de sa progéniture d'art, non sans établir, en bon notaire qu'il resta, le compte exact des sommes versées, lesquelles furent retenues à chacun sur l'héritage.

Certes par leurs affinités avec le fauvisme, que les principaux fauves ont abandonné, les œuvres peintes par Duchamp à cette période accusent quelque retard sur les innovations du jour. Baptisé dès 1908, le cubisme est un fait qui ne peut plus être ignoré mais, à l'égard de cette instance extrême, Jacques Villon et Raymond Duchamp-Villon observent encore une réserve assez prudente.

Ils habitent Puteaux, l'un depuis 1906, l'autre depuis 1907 et leur éloignement relatif les met à l'abri d'une trop rapide contagion. C'est autour d'eux et de leurs fameuses réunions du dimanche que se constituera une sorte de « dernier carré » de l'ambivalence où, tout à la fois inquiété et tenté

1. Cet aveu se trouve dans une lettre inédite à Walter et Louise Arensberg qui, passionnés d'occultisme, interrogèrent Duchamp sur ce « halo » dès qu'ils eurent acquis cette toile en 1951. Jean Clair dans *Duchamp et la photographie* cite cette lettre et constate la présence de ce « halo », dû à ce qu'on nomme en photographie « l'effet Kirlian », dans d'autres œuvres de Duchamp, notamment *Nu sur nu* et le *Grand Verre* lui-même.

par les assauts des iconoclastes, on ne se laissera arracher la nature que lambeau par lambeau [1].

La double appartenance artiste et bourgeoise de la famille Duchamp la désignait sans doute à un rôle caractéristique dans cet accouchement difficile de l'esprit nouveau. Car si, vers 1910, son indiscutable adhésion aux vicissitudes de l'avant-garde se tempère d'un léger mouvement de recul devant la logique brutale des événements, elle s'acquitte par là même de la mission dont elle a socialement la charge. Le conflit qui opposait la bourgeoisie à l'art moderne est sur le point de se résoudre et la synthèse va précisément se réaliser dans des groupes au sein desquels les tendances contraires coexistaient. Le chemin qui mène du notariat au cubisme ne saurait se parcourir sans quelques réticences, mais il est déjà significatif qu'en immolant ses trois fils à l'art Mᵉ Duchamp n'ait pas subi ce sacrifice comme une catastrophe. Sans doute pressentait-il déjà qu'au lieu d'une déchéance il s'agissait plutôt d'un apostolat. La bourgeoisie prenait conscience, au moins implicitement, de l'efficacité pratique de l'art et de sa valeur de choc. Bientôt il sera temps pour elle de l'annexer à son système, car le risque lui est apparu de laisser l'art s'élaborer en dehors d'elle et, par conséquent, contre elle. Elle découvrira de même l'inconvénient de se satisfaire, comme ce ministre de Louis XVIII, précurseur du « ready-made », le préconisait pour l'amour, d'acheter l'art « tout fait ». Aussi s'opposera-t-elle moins désormais aux vocations de ses enfants élus qui deviendront ses délégués dans l'art comme dans un territoire neuf à coloniser et qui (le plus souvent d'ailleurs sans en avoir conscience) lui assureront ce nouveau monopole pour l'ajouter à ceux qu'elle possédait déjà sur l'industrie, le commerce, la finance, la littérature et l'éducation. C'est par

1. Le tableau peint par Duchamp en septembre 1911 à Veules-les-Roses, dans la villa familiale, et qu'il intitula *Yvonne et Magdeleine déchiquetées,* exprime avec on ne peut plus de force et d'humour cette nécessité pénible d'une rupture avec l'entourage.

cette conquête qu'elle parachèvera sa domination en supprimant une de ses plus redoutables oppositions internes, celle des artistes hors la loi.

Mais cette transformation décisive de la conjoncture n'en est encore qu'à sa phase initiale au moment qui nous occupe : ses premiers effets ne commenceront à se manifester qu'après 1918. Elle s'esquisse à peine en quelques manœuvres préliminaires dont une des plus typiques se traduit par les scrupules qu'opposent au cubisme certains milieux de la jeune peinture. Quels que soient les motifs immédiats qui dictent cette opposition : divergences personnelles, inimitié, concurrence ou objections doctrinales, elle est avant tout le signe d'une volonté très nette et spécifiquement bourgeoise de conserver le contrôle des événements. Ce qui caractérise à ce stade aussi bien La Fresnaye, Le Fauconnier, Lhote, Léger, Delaunay, que Gleizes et Metzinger, les deux théoriciens de la tendance, c'est le refus de se laisser déborder. Cette méfiance instinctive ne fut d'ailleurs pas exempte, chez certains, d'un vague nationalisme plus ou moins avoué, Picasso devant rester longtemps encore l'étranger, voire le métèque. Ne reproche-t-on pas encore çà et là, aujourd'hui, au cubisme d'être d'inspiration « munichoise » [1] ? L'installation à partir de 1907 de la galerie Kahnweiler, rue Vignon, et son organisation méticuleuse en centrale de distribution mondiale, accessible seulement à quelques peintres, devait également contribuer à l'éclosion de groupes économiquement adverses.

Cependant, au milieu de ces controverses, Marcel Duchamp va soudain accélérer son évolution picturale. Si la *Partie d'échecs* où figurent ses deux frères aînés et leurs épouses, œuvre peinte à Puteaux en août 1910 [2], est d'un

1. Voisin de Villon et de Duchamp-Villon à Puteaux, Kupka n'appartint jamais à leur cénacle.

2. Elle fut exposée au Salon d'Automne de 1910 avec l'*Armoire à glace, Paysage, Nu couché, Toile de Jouy*.

expressionnisme très accentué, plusieurs études de nu [1], se situant à la fin de 1910 et au début de 1911, annoncent un changement de direction vers des problèmes de volumes assez voisins de ceux qui préoccupaient alors La Fresnaye. Une de ces études, intitulé *Le buisson,* fut exposée au Salon des Indépendants de 1911, ainsi que deux paysages. Dans la *Sonate* (Mme Duchamp et ses trois filles), commencée en janvier 1911 à Rouen et terminée en septembre, la transformation du style de Marcel Duchamp est beaucoup plus prononcée. L'influence du cubisme commence à s'y faire jour à travers ce qu'en laisse filtrer Jacques Villon dans ses toiles de la même époque. Ce tableau tout en tonalités tendres et pâles, où des contours anguleux baignent dans une atmosphère évanescente, nous montre Marcel au point maximum de son accord avec le groupe de Puteaux. Favorablement accueillie, la *Sonate* fut montrée rue Tronchet en novembre à l'exposition où participèrent Villon, Duchamp-Villon, Picabia et leurs amis. C'est de cette manifestation que devait naître le « Salon de la Section d'Or ».

Marcel Duchamp qui est dans sa vingt-quatrième année semble s'être maintenu jusqu'ici dans le rythme de la peinture récemment conquise mais on n'a pas été sans remarquer, autour de lui, l'exceptionnelle qualité de son physique. Un contemporain, encore sous le charme, citait à son propos ces lignes de *La princesse de Clèves* : « ... un air dans toute sa personne qui faisait qu'on ne pouvait regarder que lui dans tous les lieux où il paraissait. » On se souvient qu'en 1922, dans *Littérature,* André Breton décrira encore son visage dont « l'admirable beauté » n'a pas peu contribué à sa légende. Pourtant son effarouchement d'alors n'avait pas moins frappé ses amis qui s'étonnaient de sa tendance à demeurer à l'écart, du peu d'empressement qu'il mettait tout au moins à fréquenter les artistes, leur préférant la compa-

---

1. Entre autres *Femme aux bas noirs* ou *Femme dans un tub* datant de juin 1910, avant même l'achèvement de sa période fauve, ce qui démontre la promptitude de ses changements de style.

gnie de quelques voisins comme Gustave Candel, négociant en fromage, dont il appréciait la cordialité.

Il se distingua bientôt aussi par sa propension à observer les choses de très haut et sous l'angle d'une ironie dont il aiguisa le tranchant au cours de ses joutes avec Francis Picabia. Celui-ci, qui venait aussi de la « vraie » peinture et qui avait brossé des toiles impressionnistes jusqu'aux alentours de 1908 [1], était doué d'un tempérament exubérant, pessimiste et bouffon qui le destinait à compromettre rapidement les situations les plus avantageuses. De près de huit ans l'aîné de Marcel, et très favorisé financièrement, il menait un train de seigneur, aimant à éblouir par son faste et la rapidité de ses automobiles. Le mot « bourgeois » qu'il prononçait avec écœurement, comme tout un chacun, n'était pas encore pour lui l'injure teintée de rouge qu'elle est devenue mais il l'entendait surtout au sens que lui donnaient les grands déclassés de la littérature, comme Barbey d'Aurevilly, Villiers de l'Isle-Adam et Gabriele D'Annunzio. Un bourgeois, à ses yeux, est donc d'abord un être qui manque de noblesse. Il se targue d'ailleurs de quelque mystérieuse ascendance aristocratique, les Martinez de Picabia possédant un blason dont témoignent des portraits de famille dans son atelier. Sa prodigalité prend donc volontiers une allure de provocation. Tous ces peintres, qui se réunissent pour discuter d'expositions ou pour supputer sérieusement les mérites de telle ou telle théorie, l'ennuient et lui paraissent ridicules. Il tient la désinvolture pour l'attribut le plus indispensable de l'artiste — le seul qui le différencie vraiment du bourgeois. Aussi a-t-il trouvé en Marcel Duchamp un compagnon à sa mesure.

Sans épouser tous les tics de Picabia, Marcel éprouve également envers ce qu'il décèle peu à peu du côté professionnel de l'art une prévention qui ne cessera pas de

1. Elles composèrent exclusivement son exposition de mars 1909 à la galerie Georges Petit.

s'aggraver. Les peintres qu'il rencontre chez ses frères à Puteaux où il n'habitera jamais, prenant bien soin de conserver son quant-à-soi, lui semblent terriblement enlisés dans les soucis quotidiens de métier et de ménage. Ses frères sont tous deux mariés et sa sœur Suzanne épousera en 1911 un pharmacien rouennais : autant d'atteintes portées aux liens de l'enfance pour celui qui demeurera si longtemps le « célibataire ». C'est sur ce fond de nostalgie quelque peu romantique, souvent tapageuse chez Picabia, toujours infiniment discrète et comme réprimée chez Duchamp, que s'édifie la conjuration pré-dadaïste à laquelle devait se joindre Guillaume Apollinaire et qui aura pour premier effet la rupture avec l'esprit de gravité.

Duchamp qui, pour le mariage de sa sœur Suzanne, avait peint le *Printemps* ou *Jeune homme et jeune fille dans le printemps* [1] envoya cette toile au Salon d'Automne de 1911 avec une autre peinture intitulée *Portrait* ou *Dulcinée,* d'un style déjà plus évolué. Il s'agit d'une femme que Duchamp avait aperçue en passant et aimée, dit-il, sans jamais la connaître. Il l'a représentée en cinq silhouettes presque monochromes qui s'étagent. On devine ici la première idée du *Nu descendant un escalier* dans la juxtaposition d'un même corps surpris au cours des phases successives de son mouvement. En outre, la déformation sans indulgence de la femme aimée, vue sous l'aspect d'une sorte de kangourou à chapeau, est révélatrice de la pente sur laquelle Duchamp s'apprête à s'engager [2].

Dans les quatre derniers mois de 1911, il se détachera nettement de la formule picturale à laquelle on tient encore autour de lui. Avec *Yvonne et Magdeleine déchiquetées,* tableau que nous avons déjà mentionné et dont le titre n'est

---

1. Une ébauche agrandie de cette même composition a servi de fond aux *Réseaux des stoppages* (1914).

2. Ce tableau dut paraître suffisamment « moderne » puisqu'on lui fit l'insigne honneur de l'accrocher dans la salle « cubiste » du Salon.

pas lui-même dépourvu de double sens, Marcel utilisera le concept cubiste de la décomposition du visage et il entraînera ceux de ses deux plus jeunes sœurs dans une véritable sarabande de profils où le vieillissement même sera prévu [1]. Puis viendra la seconde version des *Joueurs d'échecs* (toujours ses deux frères) qui fera l'objet de plusieurs études. L'esquisse à l'huile, acquise par le musée d'Art moderne en 1954, a été peinte avant la composition de la collection Arensberg qui fut exécutée à la lumière du gaz et qui réunit les deux figures confrontées en un schéma unique, comme le précise le titre : *Portrait de joueurs d'échecs.* C'en est fini des couleurs séduisantes, remplacées par une palette neutre enterrée dans un camaïeu gris, vert et brun, au diapason du dernier cubisme.

Vers la même époque, Duchamp entreprendra l'illustration de quelques poèmes de Jules Laforgue : « *Sieste éternelle,* (ancienne collection G. H. Hamilton), *Médiocrité* (ancienne collection André Breton), *Encore à cet astre* (collection Arensberg). Ce dessin inaugure la série des études pour le *Nu descendant un escalier,* bien qu'à la vérité il s'agisse ici d'un personnage qui monte. L'intérêt de Duchamp pour Jules Laforgue, poète qui n'a pas aujourd'hui très bonne presse, est révélateur du registre narquois dans lequel le lyrisme très réel du peintre tend de plus en plus à se tenir. Non moins typique est la volonté « nominaliste [2] » qui se précise chez lui de prendre les mots comme points de départ de ses nouvelles expériences picturales. Il a compris que la soumission aux lois des couleurs et des formes imposait à l'artiste une évolution lente et comme végétative. Décidé à brûler les étapes et à secouer le joug de l'esthétique, c'est du

1. La silhouette de Magdeleine ne sera pas moins malmenée dans *A propos de jeune sœur* (octobre 1911).

2. « Une sorte de Nominalisme pictural (Contrôler). » Note de la *Boîte blanche,* datée 1914 au verso. Cf. à ce propos Th. de Duve, *Nominalisme Pictural. Marcel Duchamp. La peinture et la modernité,* Editions de Minuit, Paris, 1984.

langage insolite de certains écrivains, surtout de certains poètes, qu'il déduira ses nouvelles références.

Dans cette perspective, la représentation au théâtre Antoine d'*Impressions d'Afrique,* à laquelle Duchamp assista en 1912 en compagnie d'Apollinaire, de Picabia et de Gabrielle Buffet, doit être tenue pour déterminante. Nul doute que la révélation d'un univers uniquement régi par les mots et qui, dans l'absence de toute grille (*Comment j'ai écrit certains de mes livres* n'a paru qu'en 1935), semblait livré systématiquement à l'arbitraire, ne fût pour Duchamp et Picabia le signal du « lâchez tout » qu'ils appelaient de leurs espoirs. On imagine l'enthousiasme avec lequel ils durent accueillir la machine à peindre de Louise Montalescot, machine qui non seulement promulguait la condamnation aussi définitive qu'opportune de l'art réaliste, mais introduisait aussi dans le domaine sacré de la production artistique un élément de sarcasme d'autant plus irrésistible que l'appareil était décrit par Roussel avec le plus profond sérieux.

Si l'on songe qu'au même moment se situe l'avènement artistique du futurisme, dont le manifeste avait paru dans *Le Figaro* dès 1909, mais dont la première exposition à Paris ne devait avoir lieu chez Bernheim Jeune qu'en février 1912, on aura découvert les antécédents des conceptions mécanistes de Duchamp et de Picabia.

D'une part, le futurisme, pas plus que le cubisme, ne fait de place à l'humour. En posant les principes du dynamisme plastique, des lignes-forces, de la copénétration des plans et de la simultanéité, les futuristes entendent fonder une esthétique durable. D'autre part, Roussel énonce son système gravement et sans même tenter de dissimuler ce qu'il implique pour lui d'obsessionnel. Le rapprochement s'impose à Duchamp et à Picabia entre les deux attitudes : le seul recours qui reste ouvert aux novateurs est l'exploitation délibérée de l'absurde empruntant les traits de la gravité. Les modèles au surplus ne manquent pas. Pour se faire entendre en dehors des rares représentations de son théâtre, Roussel publiait ses œuvres en feuilleton dans l'invraisemblable *Gaulois du Dimanche* où elles voisinaient avec les « Conseils de Bonne-Maman », les poèmes de M. Stephen Liégeard, président de la Société d'Encouragement au Bien, et le portrait de S.A.I. le Tsarévitch faisant le salut militaire. Or, c'est dans cette ambiance qu'*Impressions d'Afrique,* publié en 1909, et plus tard *Locus Solus,* passèrent, nous dit Roussel, tout à fait inaperçus. On doit en conclure que les lecteurs du *Gaulois* n'y remarquèrent rien d'anormal, et à distance, en effet, les autres textes dont ceux-ci étaient entourés ne semblent guère moins désarmants. Chaque numéro était une mine pour le nouvel humour et il ne tenait qu'à lui d'y puiser pour forger l'arme qu'il méditait d'introduire dans l'art. Car, si les écrivains depuis Charles Cros, Alphonse Allais et Jarry s'étaient permis quelques boutades, les artistes demeuraient déplorablement ombrageux à cet endroit.

Il entrait toutefois dans ce dessein plus de sérieux que ne se le figuraient peut-être ses auteurs. On sait que Kafka, lorsqu'il lisait ses textes à ses amis, s'interrompait parfois pour s'esclaffer. Les frontières du comique se délimitent difficilement et souvent elles se déplacent à l'insu même de ceux qui les ont établies. En ce qui concerne Duchamp et Picabia, leurs positions respectives devant ce projet sont déjà distinctes à l'origine. Le premier y apporte ce qu'il appellera « l'ironisme d'affirmation », différent de « l'ironisme négateur, dépendant du rire seulement ». Le second est plus enclin à la fusée instantanée de la farce. Toujours est-il que, sans établir un ordre de préséance (Picabia semble avoir devancé de peu Duchamp dans l'abandon total des apparences objectives), c'est à Duchamp que revient l'initiative du machinisme, étendu pour la première fois depuis La Mettrie à l'être humain dans le *Nu descendant un escalier,* ce qui nous mène déjà très loin de la facétie, car l'intention est ici ouvertement offensive.

Exécuté à Neuilly en janvier 1912, le *Nu descendant un*

escalier est précédé d'une étude de la fin de 1911, comportant seulement la partie droite du tableau final et peinte dans une tonalité amène, moins monochrome. Mais le *Jeune homme triste dans un train,* datant aussi de décembre 1911 et se reliant également au *Nu,* appartient à la série sombre de Duchamp, lequel, au même moment, met en place pour la cuisine de Raymond Duchamp-Villon à Puteaux le *Moulin à café* dont la poignée est vue simultanément à plusieurs points de son circuit.

Porté par son auteur au Salon des Indépendants qui devait être inauguré en mars 1912, le *Nu* souleva, avant même l'ouverture, un tel scandale que Gleizes, un des placiers en l'occurrence, chargea les deux frères de Duchamp de lui demander de retirer son tableau. Assez embarrassés, Jacques Villon et Raymond Duchamp-Villon firent donc chez leur cadet une démarche officieuse. Ils s'étaient vêtus avec solennité pour la circonstance et on aurait pu supposer qu'ils étaient venus chez lui pour un duel. Bien entendu, Marcel s'inclina sans difficulté, laissant au Salon un dessin qui accompagnait le *Nu* et reporta chez lui, dans un fiacre, son tableau dont il eût pu, nouveau Galilée, dire : « Et pourtant il se meut. »

2

1912. LE TOUR DE LA PEINTURE EN HUIT MOIS.

En ce début de l'année 1912, il sied peut-être de faire le point de la situation historique. Le catalogue édité par le musée d'Art moderne à l'occasion de l'Exposition rétrospective du cubisme en 1953 présente les faits sous le schéma suivant : « 1912. Mars-Avril. Paris. XXVIIIe Salon des Indépendants. Gleizes, Le Fauconnier, Léger, Metzinger et Archipenko, placiers, en font une nouvelle grande manifestation du cubisme. »

Or, nous venons de voir comment ces mêmes placiers avaient compris leur rôle en excommuniant le *Nu descendant un escalier*. D'autre part, à ce moment, il n'est pas inutile de le rappeler, les « vrais » cubistes ne sont toujours que deux : Picasso et Braque, et ceci quelles que soient les allégations de certains peintres qui parfois, dit-on, n'ont pas hésité à rectifier tardivement les dates de leurs tableaux.

Certes, nous ne céderons pas ici au vertige de la priorité. L'histoire de l'art n'est pas une course où les premiers arrivés éclipsent définitivement tous les autres. Il n'y a aucun déshonneur pour un peintre à être un peu à la traîne, si toutefois il veut bien l'admettre et s'il ne tente pas ensuite de travestir les annales à son profit.

Il y a donc lieu pour le moins de nuancer les adhésions au cubisme que les historiens d'aujourd'hui se plaisent à enregistrer à partir de 1909, puisque c'est dès cette même année que, selon le catalogue officiel déjà cité, la peinture cubiste aurait fait de nouvelles recrues que l'on précise « toutes françaises » : Delaunay, Gleizes, Herbin, Le Fauconnier, Léger, Lhote, Metzinger et Picabia. La spécification

« toutes françaises » fournit peut-être la clé de cette chronologie quelque peu abusive. Il semble que, pour des raisons d'amour-propre national, on ait décidé de tenir pour cubiste chaque peinture tant soit peu anguleuse et vaguement géométrique [1]. Mais l'opinion publique de l'époque ne se laissait nullement prendre à cette terminologie tendancieuse, puisque dans un article hostile au cubisme, publié le 30 septembre 1911 dans le *Journal,* Gabriel Mourey distingue parfaitement entre les cubistes proprement dits et les éclectiques.

Si la version édulcorée qu'on nous propose de l'histoire du cubisme postule la sauvegarde de certaines susceptibilités, elle ne saurait faire oublier sur quels antagonismes elle repose. Les quelques événements que nous avons relatés suffisent à restituer l'atmosphère tendue de ces luttes de préséance. Picasso et Braque, s'estimant, non sans raison, bien en avant des autres, s'abstiennent de plus en plus de paraître dans les expositions à Paris, pour ne pas se mêler à la foule de leurs détracteurs. La galerie Kahnweiler est leur havre où les rejoindront vers la fin de 1913 Juan Gris et Fernand Léger. Pour l'instant ce dernier fait encore partie de la cohorte beaucoup plus nombreuse des cubistes « raisonnables » groupés sous le nom d' « Artistes de Passy » et qui se répandent abondamment dans les Salons parisiens.

Pour prendre l'exacte mesure de l'apport de Marcel Duchamp, il nous paraît essentiel de ne pas perdre de vue ces détails. On a considéré surtout en lui l'anti-artiste qu'il est devenu plus tard et l'on a oublié le grand peintre qu'il fut. On a, somme toute, adopté à l'égard de son œuvre picturale l'indifférence qu'il lui témoignait lui-même si ostensiblement. Pourtant son refus ultérieur de tout art tient précisément sa valeur de l'exceptionnelle importance de ses tableaux de 1912.

La réaction violente de Gleizes et de ses coéquipiers des

1. Le patriotisme en art consiste tantôt à renier les artistes qui paraissent compromettants, tantôt à leur attribuer tout le mérite des innovations qui ont réussi.

Indépendants contre le *Nu* apparaît ainsi plus humainement explicable. Tout à coup, Marcel Duchamp, jeune homme de bonne famille, que l'on avait vu grandir et que l'on avait quelque peu patronné, se permettait de bousculer les règles patiemment établies d'un cubisme puéril et honnête. Non seulement en peu de mois il avait rattrapé Picasso et Braque en liquidant à la fois la forme objective et la couleur — double entité avec laquelle on entendait ne pas rompre chez les cubistes raisonnables — mais il avait même introduit un élément nouveau : le mouvement dont on s'était peu soucié jusqu'alors, sauf dans les manifestes italiens, et de plus, comme on dit, il se moquait visiblement du monde.

Plastiquement, le *Nu* innovait même sur le cubisme « analytique » en affirmant une forme déjà non objective. Il n'est donc pas impossible qu'il ait contribué par son exemple à l'élaboration du cubisme « synthétique » inauguré par Picasso et Braque seulement dans les premiers mois de 1913. Pour comprendre le scandale et la réprobation soulevés par le *Nu* au début de 1912, il faut donc se souvenir qu'il se portait d'un bond à l'extrême pointe de la peinture pour occuper relativement à tous une position d'insolence.

L'issue la plus accablante pour « l'esprit moderne », c'est qu'il est tôt ou tard approuvé par les professeurs. Un artiste ou un écrivain peut avoir atteint les limites de l'invective ou du blasphème, il peut avoir été résolument anarchiste, réfractaire, antisocial, il peut avoir foulé aux pieds les règles les plus sacrées de la morale, de la solidarité ou du savoir-vivre, toujours une bonne âme apparaîtra pour récupérer le rebelle, pour le disculper et pour l'introduire de gré ou de force dans l'empyrée des gloires édifiantes et nationales. On ne saurait se borner à passer un tel phénomène sous silence, ou à le tenir pour négligeable, ou à en rire. Le problème est d'une actualité brûlante car il conditionne l'entreprise de Marcel Duchamp dans sa totalité.

Jamais jusqu'ici le dilemme n'avait été posé sous cette forme. Il était normal qu'en s'attaquant à l'ordre établi le novateur en éprouvât quelques inconvénients, mais, lorsque ses idées finissaient par triompher, ses « pairs », après avoir renâclé quelque temps, se résignaient à l'accueillir. Le révolutionnaire politique devenait un gouvernant, le révolté intellectuel régentait à son tour l'intelligence et ils ne songeaient à éprouver, ni l'un, ni l'autre, le moindre scrupule, car les réformes qu'ils avaient introduites leur semblaient suffisantes pour justifier à la fois la rébellion de leur jeunesse et leur ralliement de la maturité. La génération suivante, tout en s'efforçant de les éliminer le plus promptement possible, leur prodiguait des marques de respect puisqu'elle reconnaissait en eux des modèles à la mesure de ses ambitions. Une belle vie était alors vraiment un rêve de jeunesse réalisé dans l'âge mûr.

C'était l'époque où les « grands hommes » vieillissaient comblés d'honneurs. Cela n'est pas si loin de nous : Ingres ou Victor Hugo, Renan ou Renoir ne sont pas morts déchus. Leur pensée ou leur art s'affirme ou même se développe jusque dans leurs dernières œuvres. Gustave Moreau, cet isolé, pouvait accepter d'enseigner à l'école des Beaux-Arts sans rien abdiquer de son hautain prestige.

Mais vers 1910, époque à laquelle Marcel Duchamp entre en scène, l'optique se modifie. Il ne s'agit plus d'apporter quelques corrections au système, mais de le détruire intégralement. Le cubisme, on n'insistera jamais assez sur ce point, apparaissait à tous, aussi bien à ses adversaires qu'à ses partisans, comme le ferment d'un bouleversement intégral de l'existence, car il entendait imposer non seulement une nouvelle vision mais une nouvelle philosophie et une nouvelle morale. On imagine difficilement aujourd'hui l'exaltation qui régnait dans certains milieux d'avant-garde et les espoirs sans limite dont on se réclamait couramment. Pourtant à mesure que le cubisme accélérait le fonctionnement de sa machine infernale, l'opposition à ses principes de dévastation s'organisait dans son sein même. On a vu que, sous prétexte d'adhérer au mouvement cubiste, un certain nombre de peintres n'ont visé qu'à en limiter les conséquences. Le livre intitulé *Du cubisme* publié en 1912 par Gleizes et Metzinger est démonstratif à cet égard. Jamais il n'outrepasse le débit mesuré d'une controverse académique. C'est déjà le langage d'une thèse en Sorbonne. Les auteurs définissent d'ailleurs nettement leurs objectifs lorsqu'ils écrivent : « ... avouons que la réminiscence des formes naturelles ne saurait être absolument bannie, du moins actuellement. On ne hausse pas d'emblée un art jusqu'à l'effusion pure. » Si l'on se souvient que Picasso et Braque y étaient parvenus depuis près de deux ans, on perçoit le reproche discret qui s'est glissé dans le miel de ces lignes. Dès lors, on ne s'étonnera plus que Gleizes, au nom de son cubisme, ait, comme on l'a vu, refusé le *Nu descendant un escalier* au Salon des Indépendants.

Ainsi Duchamp, dont la résolution de passer outre est prise dès l'automne de 1911, se heurte-t-il d'abord aux obstacles que lui opposent ses proches. Ses frères, avec lesquels il est affectueusement lié et qui lui ont généreusement facilité ses débuts, feront de plus en plus envers lui figure d'aînés modérateurs.

Très tôt ces différences d'âges ont d'ailleurs été, pour lui, capitales. Une connivence de puînés avait lié son enfance et celle de sa sœur Suzanne dans une tension quotidienne dont il acceptera difficilement qu'elle se dissipe. Marcel représente, chez lui, relativement à ses frères, la génération montante. Rester le plus jeune est un privilège auquel il tiendra longtemps.

Car nous sommes au moment où une suspicion légitime s'étend à tout ce qui vieillit. Presque sans exception, les personnages déjà fabuleux qui furent à l'origine de l'esprit moderne sont morts jeunes : Lautréamont, Rimbaud, Jarry, d'autres encore, dont on a fait plus grand cas qu'aujourd'hui, comme Jean de Tinan ou Laforgue. Et une affreuse conclusion s'impose : c'est à leur mort prématurée qu'ils doivent de ne pas s'être ralliés, de ne pas avoir trahi comme leurs prédécesseurs. Le mythe de la jeunesse se crée, celle qui pour rester intacte doit disparaître prématurément. Aragon dans *Anicet* ressuscitera sardoniquement un Lautréamont avachi jouant aux cartes dans une sous-préfecture. C'est tout l'avenir que l'on accorde au vieillard, même s'il a eu du génie. Car celui-ci appartient en propre à la jeunesse. Elle en dispose quelque temps et il lui est repris quand l'âge vient, entraînant aussitôt la décrépitude : Nerval, Poe ou Baudelaire avaient vécu déjà un peu trop, peut-être, car le génie moderne ne pardonne pas. Des écrivains en qui on avait eu confiance, comme Huysmans ou Barrès, ont sombré, en vieillissant, l'un dans la dévotion, l'autre dans le chauvinisme. Seurat qui a eu la chance de disparaître avant l'heure est vulgarisé par Signac, et Monet perpétue imperturbablement l'impressionnisme. Duchamp prévoit qu'il va en être de même pour les cubistes et eux aussi vieilliront.

C'est ainsi qu'il élabore ce que l'on pourrait appeler sa doctrine, si ce mot même ne lui répugnait pas par son accent de lourdeur adulte. A cette étape, c'est-à-dire, au début de 1912, l'art lui apparaît surtout comme un moyen d'exprimer sa jeunesse, de la capter pour l'empêcher de fuir, comme il fera plus tard une ampoule « d'air de Paris ». Aussi ses œuvres d'alors ont-elles toutes un caractère d'affabulation personnelle. Nous avons déjà souligné avec quelle rapidité elles furent peintes. On pressent que déjà pour les exécuter il s'était fixé un délai limite. En effet, il ne travaillera plus d'une manière suivie que pendant sept ou huit mois.

Quelques portraits, quelques académies, quelques paysages ont suffi pour tarir l'intérêt qu'il portait au monde extérieur. Il se penche ensuite sur lui-même et sur ce curieux univers, très fermé, très serré, très fascinant, qu'il forme avec sa famille. Là est le microcosme où il puisera toute sa substance, comme à la source, pour la couler ensuite dans un système dont l'irréalité formelle ne sera que le reflet de sa réalité intérieure. Duchamp agit comme s'il partait d'un âge d'or intensivement vécu dont il chercherait à tout prix à s'affranchir, qu'il fuit avec une froide résolution mais aussi comme à regret.

Ainsi ses tableaux sont-ils toujours des œuvres de circonstance, dans la mesure où ils commémorent, si l'on peut dire, un événement psychologique de sa vie, au lieu d'être inspirés par des projets d'ordre plastique. Le cycle familial, que nous avons déjà vu se développer devant nous sur le mode semi-réaliste, va se transposer sur le mode abstracto-mécanique à partir de décembre 1911.

Après le *Nu,* le thème qu'il aborde est celui du *Roi et la reine entourés de nus vites* dont le tableau définitif sera peint à Neuilly en mai 1912. Il est précédé de plusieurs études dont les titres respectifs sont : *Le roi et la reine traversés par des nus en vitesse* (aquarelle), *Le roi et la reine traversés par des nus vites* (crayon), *Deux nus : un fort et un vite* (crayon).

Assez significativement, à notre avis, la composition finale a été exécutée sur une toile au dos de laquelle Duchamp avait déjà peint en 1910 un *Adam et Eve dans un paysage.* Pour qui s'est tant soit peu familiarisé avec sa symbolique, il y a là plus qu'une simple coïncidence. A l'Adam et à l'Eve réalistes et un peu grotesquement paradisiaques de sa période encore tendrement ironique, il oppose le sombre drame du *Roi et la reine* mécanisés qu'entourent ou traversent d'inquiétants météores.

On doit à Apollinaire d'avoir écrit : « Duchamp est le seul peintre de l'école moderne qui se soucie aujourd'hui [automne 1912] de nus. » Certes, si l'on prend le mot « nu » dans son véritable sens, s'il exprime l'être physiquement ou psychologiquement intime, « nu » en quelque sorte devant son destin, Apollinaire voit juste, Duchamp est le seul peintre en 1912 qui s'en soucie. Pour lui, le nu joue le rôle de l'ancien « écorché » : il est un objet d'investigation interne.

Le titre du *Roi et la reine* s'inspire encore du jeu d'échecs, mais les joueurs de 1911 se sont mués en d'implacables robots rivés l'un à l'autre par la fatalité du couple. Ce sont évidemment des machines « père et mère » dont la solidité totémique est assaillie par la turbulence de leur postérité. N'oublions pas, d'ailleurs, qu'il s'agit là littéralement de l'envers du Paradis. Les *Nus vites*, issus sans doute de la faute, complètent l'allusion au « cercle de famille ». Peinture « œdipienne » s'il en fut, dont le climat délibérément sinistre est encore accentué par de fâcheuses craquelures, qui jouent ici le rôle de la fêlure dans le futur *Verre*.

C'est après cette série, dont le caractère conflictuel et conjuratoire nous paraît très prononcé, que Duchamp reprendra pour ne plus l'abandonner son « projet de *machine célibataire* dont le *Moulin à café*, de décembre 1911 constituait la première étape. En juillet 1912, Marcel partira pour Munich où il va séjourner au moins deux mois pour rentrer à Paris en octobre, après être passé par Vienne, Prague, Dresde, Berlin et peut-être Cologne, où il aurait vu le « Sonderbund ».

Sans doute aura-t-il trouvé à Munich une atmosphère particulièrement propice car c'est dans cette ville qu'il exécutera avec la célérité qui le caractérise plusieurs œuvres de primordiale importance : une aquarelle et un dessin de la *Vierge*, deux peintures, *Le passage de la vierge à la mariée* et *Mariée*, le premier dessin d'ensemble pour *La mariée mise à nu par les célibataires*, portant l'inscription : « Mécanisme de la pudeur. Pudeur mécanique » et enfin le lavis intitulé *Aéroplane*, où il manifeste son intérêt pour les formes industrielles [1].

Ces dessins et tableaux marquent un nouveau pas décisif

---

1. Que confirmera sa visite du « Salon de la Locomotion aérienne » au Grand Palais (octobre-novembre 1912), en compagnie de Léger et de Brancusi auxquels il désignera comme modèle une hélice.

en avant et Duchamp atteint avec eux le point culminant de la plénitude picturale. La phase lugubre du *Jeune homme triste* et du *Roi et la reine a été* surmontée. La rupture, douloureuse mais nécessaire, dont ces toiles retraçaient symboliquement le drame est désormais accomplie puisqu'elle se traduit, selon le style propre à Duchamp, par un départ et un dépaysement réels. Sa peinture se dépouillera de ce qu'elle pouvait conserver encore de spécifiquement « parisien ». On verra s'évanouir les derniers souvenirs de Delaunay (dont les *Tours,* selon Apollinaire, auraient inspiré le *Jeune homme triste*) ou de Léger, dont les cylindres contribuaient encore à l'armature du *Roi et la reine.*

Il ne semble pas, en revanche, que Duchamp se soit directement inspiré des œuvres qu'il a pu voir à Munich, mais l'air salubre et la charge d'émulation stimulante qu'un artiste averti pouvait y respirer peuvent avoir eu sur lui un effet des plus tonifiants. On sait que la première exposition du « Cavalier bleu » avait eu lieu dans cette ville à la fin de 1911 et que Kandinsky y avait exposé des toiles déjà « non figuratives » à côté des œuvres invitées d'Henri Rousseau et de Delaunay. En 1912, Klee, Macke et Marc étaient venus à Paris et y avaient rencontré Apollinaire, Uhde et Picasso. A Berlin, Marcel ne manqua pas la « Sécession [1] ».

Mais, sans dédaigner les contacts « utiles », ce sont surtout ses propres préoccupations que Duchamp avait transportées à Munich. La *Boîte verte* publiée en 1934 nous permet d'en suivre le cheminement à travers un dédale de documents, photos, dessins et notes manuscrites des années 1911-1915, reproduits en fac-similé. Dans les premiers

1. Les notions d'allemand acquises par Duchamp au lycée lui facilitèrent probablement ses approches mais on peut difficilement croire qu'il ait lui-même annoté ou tenté de traduire l'exemplaire original du livre de Kandinsky « Du spirituel dans l'art », retrouvé dans la bibliothèque de Jacques Villon.

projets, il est question d'une « machine à vapeur » à peindre sur toile et intitulée *La mariée mise à nu par les célibataires,* comportant deux éléments principaux : la *Mariée* en haut, les *Célibataires* en bas, « les célibataires devant servir de base architectonique à la Mariée. Celle-ci devient une sorte d'apothéose de la " virginité ". »

Curieusement, c'est par la fin, c'est-à-dire par la *Vierge* que Duchamp commencera ses études, le projet d'ensemble de la machine n'étant exécuté qu'ensuite. Les deux dessins de la *Vierge* en établissent graphiquement ce qu'il appelle « l'arbre type », mais cette *Vierge* est destinée à devenir la *Mariée* tout au moins théoriquement, car la jouissance, souligne Duchamp, la fera déchoir et il s'agit plutôt pour elle de se maintenir dans une sorte d'état intermédiaire assez ambigu.

Duchamp peindra donc alors *Le passage de la vierge à la mariée,* dont le titre ne signifie pas qu'il s'agisse d'une représentation de la perte de la virginité, mais bien de la succession d'une forme à une autre [1]. Ce tableau qui, plastiquement, traduit l'épanouissement mécanique du corsage virginal, constitue la troisième étape de la transformation, laquelle atteint son aspect à peu près définitif dans la *Mariée* datée en allemand « August 12 ».

Nous voudrions revenir une dernière fois sur la qualité particulièrement superbe de ces deux tableaux. *Le passage de la vierge à la mariée,* exposé depuis de nombreuses années dans les salles cubistes du Museum of Modern Art de New York, y distance sur le terrain même de l'esthétique les Braque et les Picasso les plus prestigieux qui l'entourent. Duchamp y a porté à la perfection son métier pictural et l'on comprend qu'il ait jugé inutile et peut-être même dangereux de pousser plus loin la démonstration de ses dons insignes, de crainte d'être pris à son tour au piège de la « beauté ».

1. Sans préjudice de l'ampleur que revêt pour Duchamp la notion dialectique de « passage », associée à celle de transmutation.

Ces deux toiles prouvent, en tout cas, que les problèmes techniques de la peinture l'avaient un instant retenu et que sans tarder il en trouva la solution. Une étude minutieuse des couleurs et de leurs propriétés lui avait fait choisir la marque hollandaise Behrendt dont il se servit exclusivement. Il avait en outre renoncé à l'usage du pinceau pour modeler la pâte avec ses doigts comme une sculpture, pour lui imprimer plus de cohésion. Sa matière est si dense et si lustrée qu'il semble la tenir directement des anciens maîtres.

Par la juxtaposition d'éléments mécaniques et de formes viscérales, ses œuvres d'Allemagne se distinguent des précédentes dont l'organisation géométrique était encore décelable. Elles réalisent la conception d'une machine désormais physiologiquement humaine, vue comme en transparence et dont on pourrait suivre, mesurer et prévoir le fonctionnement. L'évocation de tissus internes aux tons roses de muqueuses souligne la vive sensibilisation de Duchamp à l'égard de ces problèmes qui le tiennent, pourrait-on dire, aux entrailles et qui le font plonger jusque dans les profondeurs de l'inconscient organique : c'est dire leur frappante nouveauté à une époque où Freud est encore inconnu en France et où l'écho de ses recherches n'a pu, en tout cas, atteindre les milieux artistiques. Peut-on croire sur ce point à une influence du voyage en Allemagne, la perceptivité très aiguë de Duchamp ayant pu, même inconsciemment, saisir quelques allusions au passage [1] ?

Toujours est-il qu'il s'écarte encore davantage des préoccupations manifestées en 1912 par les peintres nouveaux : celle de l'objet figé dont le cubisme poursuit l'inventaire, celle de l'espace physique dont le futurisme aspire à s'emparer, celle du lyrisme pur où vient de s'aventurer Kandinsky.

Il nous sera nécessaire, une fois de plus, de nous référer

1. Dans sa conférence *A propos of Myself*, prononcée à Saint Louis en 1964, il reconnaîtra : « Mon séjour à Munich fut l'occasion de ma libération complète. »

ici au chapitre des *Peintres cubistes* consacré par Apollinaire à Marcel Duchamp. Malgré sa brièveté, ce texte est le plus lumineux que nous possédions sur ces moments décisifs. Le langage prophétique d'Apollinaire peut d'abord surprendre, mais la clairvoyance qu'il atteste n'en paraît que plus admirable à la réflexion. Lorsqu'il y réserve à Duchamp de « réconcilier l'art et le peuple », le propos risque de faire sourire si l'on cède à l'habitude actuelle de traduire en termes esthétiques des aspirations beaucoup plus ambitieuses. Ces aspirations, Duchamp les a pourtant exprimées alors et, s'il a préféré les taire ensuite, ses tableaux de l'été 1912 en sont les plus irrécusables témoins.

Ils constituent, en effet, la première incursion de l'art moderne dans le domaine des relations intersubjectives. En y introduisant, ainsi que l'écrit encore magnifiquement Apollinaire, des « traces d'êtres », Duchamp les fait participer d'un état de communication qui demeurait interdit à la peinture nouvelle. Selon la formule que reprendra plus tard Matta, en se référant d'ailleurs à Heidegger, Duchamp est à ce moment le peintre de l'*être avec*.

C'est donc ouvertement qu'il préconise un art qui, par-delà les formules esthétiques, rejoindrait les préoccupations fondamentales de tous. Rien de plus élémentaire, de plus général, de plus populaire, si l'on y tient, que les complexes avec lesquels il se mesure. En axant obstinément ses travaux autour de ces rapports affectifs, il ne médite rien de moins qu'un retour aux grands thèmes légendaires et il se hisse aux dimensions collectives de la mythologie.

Mais cette ouverture amorcée devait rester sans lendemain. Bientôt un revirement radical amènera Duchamp à incorporer ses dernières expériences à une entreprise qui se situera aux antipodes de la communication. En effet, sa carrière de peintre s'interrompt presque exactement à son vingt-cinquième anniversaire. On imagine qu'il aurait pu ce jour-là prendre à son détriment, comme une fille qui va coiffer Sainte-Catherine, des résolutions sans indulgence quant à son avenir.

3

1913. TRIOMPHE A L'ARMORY SHOW ET REFUS DE L'ART RETINIEN.

A son retour d'Allemagne et dès qu'il eut parcouru le Salon d'Automne et celui de la « Section d'Or », Duchamp se joignit au voyage en automobile organisé par Picabia et Gabrielle Buffet, chez la mère de celle-ci à Etival, près de la frontière suisse, dans la région du Jura dénommée la « Zone ». Ce titre sera utilisé dans *Alcools* par Guillaume Apollinaire qui accompagnait ses amis.

La réunion pendant une semaine de ces personnages compte dans l'histoire de la « modernité », puisque c'est à ce moment que fut décidée la publication des *Méditations esthétiques* d'Apollinaire, lequel peu avant son départ pour cette randonnée avait donné au « Salon de la Section d'Or » une conférence sur « L'écartèlement du cubisme ». Selon Gabrielle Buffet qui a tenu les minutes de ces débats, la nécessité apparaissait à tous de « réagir contre l'influence envahissante du cubisme déjà classifié ».

Gabrielle Buffet évoque à ce propos « cent propositions plus ou moins cocasses comme il s'en faisait toujours entre Picabia et Apollinaire lorsqu'ils se livraient à leurs assauts de paradoxes ». Rien ne caractérise davantage la conjoncture que cette réduction systématique des soucis les plus essentiels en projets d'une outrance burlesque et délibérée. On imagine que Duchamp dans ces assauts n'était pas le dernier à soutenir les thèses les plus ahurissantes. Nous touchons ici aux préliminaires du complot dada et nous ne devons pas nous étonner de découvrir à son origine une réaction de l'esprit d'enfance contre la pression de plus en plus accusée des événements. A chaque nouvel obstacle que l'existence lui oppose, l'enfant répond, en effet, dans ses rêves et dans ses jeux, par une explosion plus accentuée de sa frénésie. De même, le délire verbal est l'élément naturel de l'adulte qui refuse le monde de l'utilité et de la raison. Nous prions le lecteur d'observer que nous nous tenons à distance prudente de la psychiatrie que d'autres n'hésiteront pas à mettre à contribution. Nous nous bornons à nous référer au projet de la *Route Jura-Paris* que Duchamp a rapporté de son voyage et dont le texte figure dans la *Boîte verte*. Une toile y est prévue qui n'a jamais été peinte et dont la matière picturale devait être d'ailleurs le bois, « traduction affective, selon Duchamp, du silex effrité ». Soulignons au passage, pour en finir avec l'indispensable symptôme anal, à quel point le bois, ou plutôt sa couleur, étalée sans doute avec les doigts, convient à Duchamp depuis le *Nu descendant un escalier* jusqu'au « Monde en jaune » qui sera la *Machine célibataire*.

Quant à la *Route Jura-Paris,* elle sera dominée d'un côté par le « chef des 5 nus », de l'autre par « l'Enfant-phare », c'est-à-dire « l'enfant pur, de nickel et de platine », lequel pourra graphiquement être une comète qui aurait sa queue en avant, cette queue étant appendice de l'enfant-phare, appendice qui absorbe en l'émiettant (poussière d'or, graphiquement) cette route « Jura-Paris ».

Ce texte, dont nous ne transcrivons qu'une partie, devrait faire à lui seul l'objet d'une longue analyse : elle serait particulièrement révélatrice de l'attitude qu'adoptera désormais Marcel Duchamp. Ses idées s'enchaîneront à partir de jeux de mots, selon une courbe qui n'empruntera plus rien à la logique commune, mais le ton restera celui d'une imperturbable conviction dialectique. Là encore se noue l'analogie avec Roussel (auquel il faudrait joindre l'éblouissant Brisset), bien que Duchamp se garde de leur volubilité. Son domaine est celui de la formule lapidaire, faussement limpide, dont les termes cristallins semblent frappés au coin de la pure évidence. A l'instar de ce personnage de

Diderot qui était tenté de ne pas croire à la Bible, à cause des redites qu'il regardait comme un bavardage indigne de l'Esprit-Saint, Duchamp est économe de ses mots et il cherche la maxime tranchante, à l'emporte-pièce. Plutôt qu'à Roussel, à Brisset ou même à Lautréamont (qu'il connaissait fort bien), c'est donc à l'hermétisme laconique de Mallarmé qu'il s'apparente par son lyrisme à froid qu'illumine l'apparition de termes clés, tel « l'enfant-phare ».

La création d'un nouveau langage sera désormais une de ses préoccupations majeures. A l'assertion de Roussel, selon laquelle la genèse d'*Impressions d'Afrique* part d'un rapprochement entre le mot *billard* et le mot *pillard*, répondra le principe établi par Duchamp : « *Si vous voulez une règle de grammaire : le verbe s'accorde avec le sujet consonnamment, par exemple : le nègre aigrit, les négresses s'aigrissent ou maigrissent, etc.* » Sur ce terrain, Apollinaire et même Picabia trouveront en lui un partenaire de plus en plus difficile à suivre.

A Paris, en son absence, on s'était beaucoup agité autour de l'organisation de l'exposition dissidente, depuis longtemps projetée. Gabrielle Buffet nous relate qu'on en discutait chez elle et chez Picabia, avenue Charles-Floquet, ainsi qu'à Puteaux chez Jacques Villon et Raymond Duchamp-Villon, qui, très férus de science et de mathématiques, suggéraient des termes fort surprenants alors pour une manifestation d'art. C'est en définitive à Jacques Villon que revint la responsabilité de cette appellation géométrique et ésotérique qui fit fortune : « Le Salon de la Section d'Or ». Il fut réalisé, on le sait, rue La Boétie, du 10 au 30 octobre, c'est-à-dire peu après l'inauguration le 1er octobre au Grand Palais du Xe Salon d'Automne auquel un conflit devait rapidement l'opposer. Jacques Villon démissionna du Comité du Salon d'Automne devant l'hostilité que suscitait la fraction « cubiste » qu'il représentait.

Les trois frères Duchamp se trouvèrent écartelés dans cette bénigne querelle puisque Raymond Duchamp-Villon exposait cette même année au Salon d'Automne sa fameuse *Maison cubiste* et que Marcel Duchamp lui-même y avait envoyé de Munich un dessin de la *Vierge*.

La véritable révélation rue La Boétie était d'ailleurs Marcel Duchamp qui, en plus du *Nu descendant un escalier,* y exposait *Portrait de joueurs d'échecs, Le roi et la reine traversés par des nus vites* (aquarelle) et une autre aquarelle indéterminée. C'était la première consécration qu'il recevait à Paris et, pendant quarante ans, la dernière, puisque le *Nu* ne devait reparaître qu'en 1952 au musée d'Art moderne, lors d'une exposition conçue aux Etats-Unis.

Pourtant, le « Salon de la Section d'Or » n'est sans doute pas étranger à la décision prise par Duchamp d'abandonner la peinture. En assistant aux controverses qui avaient précédé l'organisation du Salon, comment n'aurait-il pas été frappé par la prépondérance des soucis professionnels qui s'y faisaient jour ? Apollinaire, Picabia ou lui-même pouvaient faire pleuvoir les paradoxes, on se ralliait nécessairement, pour aboutir, aux solutions pratiques les plus sensées. L'entreprise ne se révélait-elle pas, chaque jour, à la fois plus naïve et plus profanatoire, en dépit ou peut-être en raison même de sa dénomination ésotérique. Et quels étaient les critères sur lesquels on entendait se fonder ? Des éloges mêmes qu'on lui adressait, de la considération dont il commençait à jouir, il avait bientôt déduit qu'aux yeux des autres ses œuvres, quelle que fût leur charge d'intention, ne seraient jamais jugées qu'en vertu de leurs qualités esthétiques. On lui accordait du « talent », on l'invitait amicalement à travailler, à produire davantage. Allait-il se laisser confondre dans la horde des peintres qui se pressaient aux antichambres de la notoriété ? Devrait-il, à son tour, dans la commercialisation imminente, se laisser acculer à l'inlassable indigence de la répétition ? Déjà, pour lui, Paris n'est plus qu'une fabrique de tableaux et les peintres sont réduits à l'esclavage du labeur mercenaire. Jacques Villon, pour vivre, doit s'astreindre à des travaux de gravure et d'illustration qui ne lui laisseront aucun répit pendant une trentaine d'années. Telle est la perspective peu engageante dans laquelle Duchamp prend conscience, irrémédiablement, de la condition de l'artiste.

Celui-ci fut-il jadis un initié dont les œuvres détenaient le pouvoir magique d'imposer leur message ? C'est en tout cas au niveau de cette exigence intégrale que se place Duchamp pour refuser la déchéance que le monde rationaliste lui impose. Une conscience très vive de sa propre valeur a dû le porter parfois jusqu'aux limites extrêmes de l'exaltation : le désenchantement qui suivait n'en était que plus amer. Son cas n'est peut-être pas sans rappeler encore ici celui de Roussel dont la jeunesse fut illuminée par un extraordinaire rêve de gloire, lequel, en se dissipant, ne laissa derrière lui qu'un énorme vide. On constate, chez l'un comme chez l'autre, le même refus de renoncer à ce qu'ils estiment apporter d'unique. Jamais il ne sera question pour eux de rentrer dans le rang ou de composer. Aussi s'enfonceront-ils toujours davantage dans la solitude de l'exception. Mais tandis que le drame de Roussel se perpétue par la réitération de ses appels, celui de Duchamp tournera court dans la rétention volontaire, instance suprême de « l'enfant-phare ».

Cette décision se traduit en premier lieu par la cessation de toute activité artistique. Duchamp cherchera sans plus tarder une « situation » qui lui assure l'indépendance matérielle. C'est ce qu'il trouvera modestement à la bibliothèque Sainte-Geneviève où une recommandation de Picabia lui procurera un poste subalterne. Certes, il n'entend pas, par ce geste, s'interdire toute intervention dans les milieux d'art où il espace ses apparitions sans toutefois complètement les supprimer. Mais il se dispose à « intellectualiser » toujours davantage ses travaux, en éliminant de plus en plus ce qu'ils peuvent encore comporter de « manuel ». Il se livre uniquement à cette époque, c'est-à-dire au début de 1913, à des réflexions théoriques, à des calculs dont il reste trace dans la

Boîte verte. C'est alors que tout en poursuivant sa recherche d'un nouveau langage, il constate que sa rupture avec le monde esthétique des apparences ne sera jamais entièrement consommée sans la constitution d'une nouvelle physique.

A distance, le cubisme ne semble pas dépourvu de prétentions scientifiques et son étirement de l'objet en polyèdre étalé pourrait trouver sa justification dans la géométrie non euclidienne. Pourtant les cubistes de la première heure se souciaient peu de philosophie ou de science, ainsi que le notait avec regret D. H. Kahnweiler. Leur mentor en la matière avait été Princet, employé d'assurances qui s'était fait à bon compte une réputation de mathématicien à Montmartre où sa drôlerie et son esprit baroque séduisaient les peintres. C'est ce qu'on appréciait également en lui chez les frères Duchamp dont la culture scientifique avait plus de consistance sans être dépourvue d'ironie.

Marcel, pour sa part, avait tiré des ouvrages de Riemann et de Lobatchevsky des conclusions toutes personnelles mais une de ses principales sources « théoriques », Jean Clair l'a très utilement rappelé [1], fut le *Voyage au pays de la Quatrième Dimension,* roman de science-fiction avant la lettre, publié en 1912 par l'humoriste G. de Pawlowski. Certes la quatrième dimension n'a jamais été directement introduite dans les tableaux de Duchamp de 1912 mais il l'a dès lors utilisée dans son système à titre d'*inconnue*. A son accoutumée, il était parti d'une observation extrêmement simple : un objet à trois dimensions projette une ombre qui n'en compte que deux. Il en a conclu que l'objet à trois dimensions devait être à son tour l'ombre d'un autre objet qui en comporte quatre. C'est dans cet esprit qu'il a réalisé graphiquement la *Mariée* dont il a fait la projection *lunaire* d'une forme invisible.

Cependant cette conception transcendantale se double chez lui d'une notion très tactile de la quatrième dimension,

1. Jean Clair, *Marcel Duchamp ou le grand fictif*, éd. Galilée, Paris, 1975.

puisqu'il tient l'acte érotique pour la situation quadridimensionnelle par excellence. Il se sépare donc radicalement du peintre cubiste qui est un sujet dominant du regard l'objet déployé, tandis que, par l'érotisme, Duchamp réalise la fusion des sujets (celui du tableau et celui de la perception) en une seule entité : le couple magnétisé sur toutes ses faces.

Peut-être eût-il été conduit à se limiter à ces déductions sans un événement entièrement inattendu dont la nouvelle stupéfiante allait bientôt parvenir de New York. Quelques artistes américains avaient décidé d'organiser pour la première fois aux Etats-Unis une exposition comportant de nombreuses œuvres de la nouvelle école européenne depuis Cézanne. Walt Kuhn et Arthur B. Davies se rendirent à Paris pour choisir les œuvres et y retrouvèrent Walter Pach, lequel, déjà lié avec les frères aînés de Duchamp, leur fit, ainsi qu'à leur cercle, une place assez large dans l'exposition qui est passée dans l'histoire sous le nom d' « Armory Show ». Marcel Duchamp y avait envoyé quatre peintures : le *Nu descendant un escalier*, le *Jeune homme triste dans un train*, le *Portrait de joueurs d'échecs* et *Le roi et la reine entourés de nus vites*. Or, l'Armory Show, dès son ouverture, en février 1913, souleva un immense intérêt de scandale dont un des centres, surtout en raison de son titre, fut le *Nu descendant un escalier* qui devint immédiatement célèbre. Il trouva par la suite acquéreur, ainsi que les trois autres œuvres de Duchamp, lequel passait inopinément du rang d'artiste maudit à celui de peintre achalandé [1].

---

1. L'« Armory Show », organisée comme son nom l'indique dans une caserne, eut lieu à New York du 17 février au 15 mars 1913. Elle attira plus de cent mille visiteurs dont la plupart firent la queue pour voir de près le *Nu descendant un escalier*. D'innombrables articles et caricatures furent publiés dans la presse sur ce tableau, et une étude spéciale serait nécessaire pour recenser les commentaires extravagants qu'il inspira. On se souvient surtout des définitions de Julian Street : « Une explosion dans une fabrique de lattes » et de l'*American Art News* : « ... du cuir, de l'étain et des violons brisés ».

On imagine facilement le parti qu'un autre eût tiré de ce succès spectaculaire. Mais, pour surpris qu'il fût, il ne songea pas un instant à revenir sur sa décision prise. L'incidence de l'Armory Show sur la destinée de Duchamp est cependant loin d'être négligeable. Aucun auteur ne peut rester indifférent à l'attention qu'éveillent ses ouvrages, quels que puissent être les motifs de cette curiosité. Mais Duchamp pouvait y voir en outre une première confirmation de la valeur « magique », jusqu'ici non éprouvée de ses tableaux. Car comment situer ailleurs que sur le plan de la magie la communication subite qui s'établit entre un artiste et des acquéreurs qui s'ignorent absolument et dont les conceptions diffèrent du tout au tout. Ne s'agit-il pas là pour l'artiste de la relation typique de prédestination, sorte de « coup de foudre » qui l'atteint droit au cœur d'un trait d'une incontestable pureté ? La perfection lointaine et impersonnelle de ce quadruple « Eurêka » ravive tout un passé de féerie secrète et justifie l'attente obstinée du miracle. Dans l'immédiat, elle incita Duchamp à poursuivre ses travaux pour la *Mariée* et elle élargit son horizon en y incorporant la perspective américaine.

Picabia, qui s'était rendu avec son épouse aux Etats-Unis pour l'Armory Show à laquelle il participait également, ne se fit pas faute à son retour de décrire les réceptions chaleureuses qui l'avaient accueilli et de parler des trois cents tableaux qui furent vendus, ce qui lui donna prétexte à stigmatiser par contraste la tiédeur des Parisiens, leur jugement timide et rétrograde. Les titres de ses toiles : *Udnie jeune fille américaine, Moi aussi j'ai vécu en Amérique,* etc., traduisent cet état d'esprit. La légende d'un nouveau monde largement ouvert aux audaces de l'art moderne prit naissance à ce moment. En réalité l'Armory Show avait également suscité, tant à New York qu'à Chicago et à Boston où elle avait eu lieu ensuite, de nombreuses manifestations hostiles, et la partie était loin d'être gagnée. Pourtant le contact s'était établi entre l'avant-garde parisienne et certains groupes isolés mais efficaces comme celui du photographe Alfred Stieglitz qui dirigeait à New York la revue *Camera Work.* L'acquéreur du *Nu descendant un escalier,* F. C. Torrey, possédait à San Francisco une galerie dont il fit un centre d'art moderne. Il vint à Paris faire la connaissance de Marcel Duchamp qui l'impressionna fortement. Un autre acquéreur de l'Armory Show, A. J. Eddy, avocat à Chicago, qui avait à lui seul acheté trente tableaux, dont le *Portrait de joueurs d'échecs* et *Le roi et la reine entouré de nus vites,* devait publier en 1914, sous le titre *Cubists and Post-Impressionism* le premier éloge de l'art nouveau qui eût paru aux Etats-Unis. Entre tous, Walter Pach jouait déjà son rôle d'agent de liaison actif et dévoué.

Cependant, Duchamp avait commencé un ouvrage qui tient plus de l'instrument de précision que de l'art. Il s'agit des *Trois stoppages-étalon,* c'est-à-dire de trois plaques de verre étroites et longues sur lesquelles sont collées des bandes de toile servant chacune de fond à un fil à coudre. Le tout est enfermé dans une élégante boîte de jeu de croquet. Réalisé avec un soin et une minutie extraordinaires, cet appareil est destiné à établir les unités de mesure de la nouvelle physique de Duchamp selon la formulation de la loi fondamentale qui la régit : « ... un fil droit horizontal d'un mètre de longueur tombe d'un mètre de hauteur sur un plan horizontal en se déformant *à son gré* et donne une figure nouvelle de l'unité de longueur [1]. » Ce sont les lignes formées par trois chutes successives de ce fil qui sont reportées et fixées sur les trois plaques de verre, ainsi que sur trois règles de bois, formant ainsi la base scientifique d'une unité moyenne.

---

1. Reproduite dans la *Boîte verte,* cette formule paraît d'abord dans un premier recueil dit *Boîte de 1914* où figurent avec un dessin légendé *Avoir l'apprenti dans le soleil* 15 ou 16 manuscrits d'aphorismes ou « pseudo-pensées ».

Lorsqu'il définit les *Trois stoppages-étalon* du « hasard en conserve », Duchamp nous laisse entrevoir les intentions qui le guident. Car ici encore, sous les apparences d'une gageure, l'offensive se dessine contre la réalité logique. L'attitude de Duchamp est toujours caractérisée par le refus de se soumettre aux principes du réalisme prudhommesque et, si ce refus s'exprime sous l'angle de la moquerie, la révolte ne s'en affirme que davantage, elle entraîne dans l'incertitude du ridicule des vérités qu'il était jusqu'alors impossible de contester sans être aussitôt taxé de folie. La méthode de Duchamp dans son apparente légèreté s'avère donc subtilement machiavélique. En opposant des lois nuancées d'humour aux lois réputées sérieuses, il jette indirectement sur celles-ci un doute quant à leur valeur absolue. Il les repousse vers l'approximatif où elles ne forment plus qu'un système dont l'arbitraire risque de sauter aux yeux.

Toutes les règles qu'il énonce concourent à cette mise en accusation. S'il propose de distendre *un peu* les lois physiques et chimiques, c'est qu'il invite à ce qu'on les tienne pour éminemment précaires. Il lui est évidemment insupportable de s'accommoder d'un monde constitué une fois pour toutes. Selon lui, la pesanteur elle-même est une coïncidence ou une forme de la politesse, puisque c'est « par condescendance que le poids est plus dense à la descente qu'à la montée ». Mais il est étonnant de constater à distance combien sa rébellion par le détour de ce qu'il nomme lui-même « méta-ironie » rejoignait les découvertes les plus inouïes des vrais savants. Car ayant pressenti le freudisme il a prévu également la relativité, notamment dans ses notions toutes verbales de « matière à densité oscillante », de « métal émancipé », de « phénomène d'étirement dans l'unité de longueur », d'« adage de spontanéité » ou d'« écarts de molécules ». On dénote entre sa physique dite « amusante » ou sa « causalité ironique » une sorte de communauté de but avec la science révolutionnaire de son époque qui refusait de s'incliner elle aussi devant ce que Duchamp baptise si bien la « symétrie commanditée » [1].

C'est dans cet esprit encore qu'il formule une des propositions qui lui tiendront le plus à cœur : « Perdre la possibilité de reconnaître, d'identifier deux choses semblables », et s'il répugne à l'inéluctable des lois c'est que son univers est à tout jamais celui de l'Unique. Rien ne s'y répète, rien ne s'y remplace. Dans sa note sur « la droite et la gauche » obtenues en laissant traîner derrière soi une teinture de *persistance dans la situation,* il s'aventure encore davantage dans la voie du dérèglement, de la désorientation volontaires. De même son nouveau langage semble avoir pour but de rendre impossible au moins toute duplication. Il utilisera les « mots premiers », « divisibles seulement par eux-mêmes et par l'unité ». On pourra former aussi à l'aide des *stoppages-étalon* un nouvel alphabet composé de signes schématiques désignant chacun des mots abstraits (sans référence concrète) du *Larousse.* Mais, après avoir vu dans cet alphabet le lien entre les « langues vivantes présentes et à venir », Duchamp admet qu'il risque de ne servir qu'une seule fois, car il « ne convient qu'à l'écriture de ce tableau très probablement ».

Si l'on cherchait dans tous ces projets une constante, on découvrirait sans doute qu'ils se complètent par leur tendance commune à la dissociation. L'obsession de Duchamp, si tant est qu'il en eût une, serait la distance, l'écart qui existe entre les êtres. Cet écart lui fut à la fois nécessaire et intolérable. Il y revint sans cesse et il précisa que l'écart « est une opération ». De là l'extrême ambiguïté des relations que l'on pouvait entretenir avec lui car il était tout à la fois très proche et hors de portée.

Nul plus que lui n'a su se montrer avenant, nul n'a été

1. Parfois même il n'est pas sans effleurer la phénoménologie qu'Husserl définit au même moment dans *Ideen II.* Ce qui frappe dans ses conceptions, c'est leur irrévérence à l'égard de l'ultra-déterminisme qui sévissait alors dans les milieux de l'enseignement.

plus recherché, plus aimé, mais nul n'était plus insaisissable, nul ne fut plus retranché dans un « autisme » signifié sans la moindre équivoque [1].

Ainsi donc, en établissant un langage, une physique, des mensurations, voire des couleurs qui lui sont en définitive strictement personnelles, il pourra jeter les bases concrètes de sa *Machine célibataire*. La *Mariée* ayant déjà, nous l'avons vu, trouvé sa silhouette ultime, ce sont les formes mâles ou « mâliques » qui doivent à présent prendre corps car au-dessous de la femme « unique » se pressent plusieurs « prétendants ». Un dessin de 1913 nous en apporte déjà une esquisse avancée, exécutée en perspective comme dans la composition finale. Mais ce dessin ne comporte encore que huit personnages : « prêtre, livreur des grands magasins, gendarme, cuirassier, agent de police, croque-mort, larbin, chasseur de café », auxquels ultérieurement s'ajoutera le chef de gare. Cet ensemble constitue la « matrice d'Eros » ou le *Cimetière des uniformes et livrées*, composé de moules creux destinés à recevoir le gaz d'éclairage qui prendra leurs formes. Chacune d'elles est bâtie au-dessus ou au-dessous d'un plan horizontal commun, le plan de sexe qui les coupe au point de sexe. Elles feront l'objet d'un autre dessin en 1914 et d'un verre intitulé *Neuf Moules Mâlic*, terminé au début de 1915, où elles sont fixées dans leur aspect définitif, passées au minium « en attendant qu'elles reçoivent chacune sa couleur, comme des maillets de croquet ».

A ce moment, Duchamp a complètement abandonné son idée primitive de peindre sa *Machine célibataire* sur toile. On trouve dans la *Boîte verte* une définition où il semble exposer les avantages de son choix désormais arrêté du verre : « Tableau ou sculpture. Récipient plat en verre [recevant] toutes sortes de liquides colorés, morceaux de bois, de fer, réactions chimiques. Agiter le récipient et

---

1. On y perçoit comme un écho « sublimé » du défi que lançaient à la société les desperados anarchistes de 1912 et 1913.

regarder par transparence. » En réalité, Duchamp n'agitera pas ses verres, ce qui pourrait mener droit au « tachisme », mais il leur conservera toujours un aspect très net et très délimité d'épure. Ses couleurs seront élevées « en serre » afin, peut-être, de créer, par le mélange des « fleurs de couleur », des « parfums à rebondissements physiologiques ». Car la couleur aussi doit se décanter pour parvenir à « l'éclairage intérieur » dû à la phosphorescence de la matière ou peut-être — pour les *Moules Mâlic* — au gaz qui n'est pas « d'éclairage » en vain. Duchamp se propose ainsi de partir de l'obscur (fond noir ou plutôt jaune picrique) pour parvenir à la « rigidité genre huguenot ».

Les formes « mâliques » n'en manquent certes pas pour leur part malgré leur couleur théoriquement « lubrique » et bien qu'elles aient pour fonction de traduire cet érotisme qui doit être un des grands rouages de la *Machine célibataire.* Leur schématisme accentué contraste avec ce que la *Mariée* conserve encore de complexe ou, selon le terme employé par Apollinaire, de « flammiforme ». Ce sont de purs vêtements qui pendent comme sur une corde de blanchisserie.

L'hypothèse très séduisante de Jean Reboul selon qui elles auraient pu être inspirées par la vitrine d'un « pressing » ne peut guère se confirmer chronologiquement, car les *Moules Mâlic* sont antérieurs au voyage de Duchamp à New York, mais un simple teinturier aura peut-être suffi. Le vêtement mâlic a été d'abord en somme « repassé » tels ceux de ces « mariés » que l'on voit engoncés dans leurs habits de noces. Il est ensuite gonflé au gaz d'éclairage à la façon de ces personnages que l'on dit « pleins de vent » (les Américains emploient une expression plus énergique), et qui ne doivent leur aplomb qu'aux insignes piteux de leur charge. Comme dans le *Nu descendant un escalier,* les véritables « formes mâliques » restent donc à l'intérieur. Ne pas oublier le caractère fête foraine et « jeu de massacre » de tout cela.

Cependant le premier organe important de la *Machine célibataire* que Duchamp ait définitivement mis au point est *La broyeuse de chocolat* dont une version a été exécutée à Neuilly en mars ou en avril 1913, c'est-à-dire bien avant les *Moules Mâlic*. Nous nous trouvons donc en présence d'un organe primordial, ce que confirme sa position centrale dans la partie inférieure du verre. Les célibataires ne sont en effet que des formes creuses que le gaz traverse tandis que la broyeuse est chargée d'une fonction essentielle et d'ailleurs parfaitement autonome. Elle se compose de trois rouleaux qui doivent tourner effectivement toujours et qui sont montés sur un châssis Louis XV à trois pieds galbés. Ici Duchamp s'est inspiré des appareils jadis exposés dans la vitrine d'une chocolaterie rouennaise. Entre les rouleaux, au-dessus d'un disque horizontal, s'élève verticalement la baïonnette (article soigné) qui va soutenir plus haut d'autres rouages de la machine.

La première version de la *Broyeuse* est peinte entièrement ; la seconde, qui date de février 1914 et dont les couleurs sont encore simplifiées, porte des striures de fil ajoutées aux rouleaux [1]. Duchamp a pensé sans doute ainsi s'éloigner encore davantage de toute apparence d'œuvre d'art pour parvenir purement et simplement à une formule commerciale, le titre imprimé sur une sorte de ruban faisant office de marque de fabrique. De même il a supprimé, ou réduit à une simple barre, la « cravate » qui devait être de « couleur resplendissante » et munie aux quatre coins de pointes très piquantes. S'interdisant tout effet qui puisse rappeler même de loin l'esthétique « rétinienne », il s'en tiendra désormais à ce qu'il nomme la « peinture de précision ».

Il nous reste à déterminer la fonction plutôt équivoque

1. On a retrouvé bien plus tard deux esquisses de 1914, pour *La broyeuse n° 2*, provenant de chez Joseph Stella. L'une a été acquise par la Staatsgalerie de Stuttgart, l'autre par la Kunstsammlung Nordrhein-Westfalen de Düsseldorf.

de la *Broyeuse.* « Le chocolat des rouleaux venant on ne sait d'où, écrit Duchamp, se déposerait après broyage en chocolat au lait »... Il ajoute que « le mouvement giratoire de la broyeuse s'explique par l'adage de spontanéité » et que « le Célibataire broie son chocolat lui-même ».

Il semble bien qu'il faille voir dans cet appareil la représentation mécanique du sexe masculin et dans le broyage du chocolat la sécrétion du sperme, opération mystérieuse s'il en fut pour la plupart des hommes. La « baïonnette », terme suffisamment transparent, car nous sommes avant 1914, serait un phallus dont la rigidité tendue dans la direction de la « Mariée », mais n'atteignant significativement qu'aux « ciseaux », inciterait plutôt le célibataire à « broyer son chocolat lui-même ».

Il y a donc lieu d'insister sur l'importance que dut revêtir pour Duchamp l'identification de l'organe « mâlic » avec cette machine à chocolat dont il avait pu observer pendant des années le fonctionnement désespérément monotone. La solitude et la servitude de l'homme, de celui qui ne sera jamais que le célibataire, sont donc anticipées à la base du *Verre,* comme la solitude et la servitude de la « Mariée » seront suggérées au sommet par son épanouissement imaginatif.

Pourtant, nous devons nous borner pour l'instant à décrire une à une les diverses parties de la machine, à mesure que leur auteur les crée. Une interprétation du fonctionnement de l'ensemble ne pourra venir qu'ensuite en présence du *Grand Verre.* Un autre rouage essentiel que Duchamp commença en 1913 et finira au début de 1915 est la *Glissière contenant un moulin à eau en métaux voisins.* Dans une note de la *Boîte verte,* il est fait allusion à « un tableau de charnière ». C'est peut-être ce que réalise cette version de la *Glissière* qui est un verre semi-circulaire fixé à une charnière sur toute la longueur de son diamètre.

La fonction de la *Glissière,* parfois appelée *Chariot* dans les notes, est d'aller et venir en récitant des litanies qui sont le refrain de toute la machine célibataire. La *Glissière,* construite de tiges de métal « émancipé », est « libre de toute pesanteur dans le plan horizontal ». Elle est supportée par des patins qui glissent (huile, etc.) dans une gouttière. Voici comment Duchamp explique son fonctionnement : « Le chariot devrait, en récitant ses litanies, aller de A en B et revenir de B en A, à une allure de soubresaut ; il se présente en *costume d'émancipation,* cachant dans son sein *le paysage du moulin à eau.* Il s'ensuit nécessairement qu'un poids de plomb en forme de bouteille de Bénédictine agissant normalement sur un système de cordons attachés au chariot le forcerait à venir de A en B. Les ressorts X et X' le remettent aussitôt après dans sa position initiale (A) [1]. »

Dans un désir peut-être blâmable ici de relative « clarté », nous choisissons, parmi les diverses descriptions que Duchamp donne d'un même objet, celle qui nous paraît la plus immédiatement intelligible. Ce choix ne peut se faire qu'en sacrifiant de nombreux aperçus dont Duchamp lui-même n'a pas toujours tenu compte dans l'œuvre finale, mais qui n'en sont pas moins d'un très vif intérêt.

C'est ainsi que la bouteille de Bénédictine (parfois remplacée par 4 ou 5 poids en forme de bouteilles de marques), après avoir tiré le chariot par sa chute, se laisse enlever par un crochet. Elle s'endort en remontant, le point mort la réveille en sursaut et la tête en bas. Elle pirouette et s'abat verticalement aux ordres de la pesanteur. Elle est en plus douée de cette « densité oscillante qui exprime la liberté d'indifférence ». Quant au moulin qui est un paysage « étant donnée la chute d'eau », c'est l'axe de sa roue qui entraînerait la bouteille de Bénédictine. La chute d'eau serait un jet arrivant de coin en demi-cercle par-dessus les « Moules

1. L'autre chariot ou « wagonnet », celui de Raymond Roussel dans *Impressions d'Afrique*, effectue son mouvement de va-et-vient en roulant sur des rails de mou de veau.

Mâlic ». Elle jouerait donc un rôle de « refroidisseur » entre le « Moteur désir » et la « Mariée » [1].

Il serait vain de rechercher à chacune de ces opérations une équivalence réaliste. Tout au plus pourrait-on reconnaître dans le « va-et-vient », scandé des grognements pessimistes de la glissière, une allusion nouvelle à une situation caractéristique de l'homme, lequel peut d'abord y voir une manifestation de sa liberté, mais qui paraît consternante dès qu'on y reconnaît une simple fatalité organique, stimulée par la bouteille de Bénédictine ou par son contenu.

Ces tentatives d'explications n'auraient toutefois aucun sens si l'on omettait de mentionner (bien qu'elle ne se rattache pour le moment à aucune réalisation graphique) la relation étroite qui existe entre les litanies du chariot et les *Moules Mâlic*. Les litanies sont en effet entendues par les « Moules » devenus les *moulages* du gaz, « sans qu'ils puissent jamais, écrit Duchamp, dépasser le Masque ». « Ils auraient été comme enveloppés, le long de leurs regrets, d'un miroir qui leur aurait renvoyé leur propre complexité au point de les halluciner assez onaniquement. » C'est une des rares fois où, dans ses notes sur la *Mariée,* Duchamp laisse entrevoir que la machine qu'il construit n'est pas tout à fait à son goût.

En dehors de ces réalisations, Duchamp posera encore en 1913 et en 1914 d'autres jalons pour le *Verre*. Dès octobre 1913, il avait dessiné une esquisse de l'ensemble sur un mur de plâtre de son nouvel appartement de la rue Saint-Hippolyte, situé dans un immeuble encore en construction, auquel on n'accéda longtemps que par une échelle [2]. C'est de 1913 également que date *Combat de boxe,* dessin d'aspect

1. Le *Paysage avec moulin à eau et chute d'eau* servira de fond à *Etant donnés...* (1946-1966).
2. Auparavant, il avait passé une partie de l'été de 1913 en Angleterre et visité Londres avec sa sœur Yvonne qui préparait une licence d'anglais.

parfaitement mécanique, où est prévu par un système de « billes de combat » et à l'aide d'un « jongleur de centre de gravité » la chute du vêtement de la « Mariée ». En revanche, dans un dessin de 1914 apparaissent les « Tamis ». Ce sont sept cornets ou entonnoirs ou cônes, écrit Duchamp, des « ombrelles demi-sphériques, trouées », qui se trouvent dans le *Verre* immédiatement à droite des *Moules Mâlic.* Il nous faut donc revenir à ceux-ci pour suivre jusqu'aux tamis le cheminement du gaz d'éclairage. Du sommet de chaque moule partent un (ou plusieurs) tubes capillaires qui ont la particularité d'avoir été disposés, selon le système des « stoppages-étalon », sur une toile intitulée *Réseaux des stoppages,* peinte en 1914 et recouvrant en partie deux compositions antérieures : *Jeune homme et jeune fille dans le printemps*, de 1911, et un tracé du *Verre,* de 1913. Tous ces tubes aboutissent au premier tamis qui est horizontal et qui doit recevoir le gaz, lequel, toutefois, pendant son passage dans les tubes a subi une métamorphose singulière. En effet, « par phénomène d'étirement dans l'unité de longueur » (on n'a pas recours en vain aux « stoppages-étalon »), le gaz s'est solidifié en formes de « baguettes élémentaires » qui se cassent à leur sortie des tubes et deviennent des « paillettes » inégales mais gardant la *teinte mâlique* et tendant à monter. Elles se heurtent alors aux « pièges des ombrelles » et sont arrêtées dans leur ascension par le premier *tamis.*

Elles n'ont pas terminé néanmoins leurs avatars qui doivent avoir acquis pour Duchamp une signification particulière car il y consacre des notes très circonstanciées qui fourmillent de trouvailles. Mais nous n'en pouvons indiquer que les lignes générales, si l'on peut dire. Notons encore combien chez Duchamp l'inspiration est toujours en premier lieu verbale et « nominaliste ». Ainsi lorsqu'il explique le rôle des tubes capillaires, il ne manque pas de jouer sur le terme « couper le gaz », lequel ici décrit une opération « réelle » puisque les tubes coupent le gaz en morceaux.

Duchamp cherche ainsi toutes les occasions de faire passer les métaphores dans les faits et « couper le gaz » l'amène, toujours par le truchement des mots, à proposer de « couper l'air » : ceci en établissant « une société dont l'individu ait à payer l'air qu'il respire (compteur d'air), emprisonnement et air raréfié en cas de non-paiement, simple asphyxie au besoin ». On reconnaîtra dans ce projet l'ancêtre du « Permis de Vivre » du *Da Costa encyclopédique.*

Il convient de remarquer aussi que Duchamp n'hésite pas à doter les choses de sentiments quasi humains. Aussi est-ce par « derby » que les paillettes traversent successivement les ombrelles dont l'ensemble forme une sorte de « labyrinthe des trois directions ». Mais les ombrelles *redressent* les paillettes qui « à leur sortie des tubes étaient libres et voulaient monter » et il en résulte pour ces dernières un « changement d'état » dû à leur « étourdissement provisoire » et à leur « perte de la connaissance de situation ». Nous avons vu que Duchamp désignait par ce terme les notions de gauche, de droite, de haut, de bas, etc. Les paillettes sont donc désorientées, elles perdent leur « personnalité ». Dès les derniers tamis, elles se transforment de « paillettes plus légères que l'air, d'une certaine longueur, de largeur élémentaire à idée fixe ascensionnelle » en « éparpillement liquide élémentaire... vapeur d'inertie mais gardant le caractère liquide par instinct de cohésion, seule manifestation de l'individualité (si réduite !!) du gaz d'éclairage dans ses jeux habituels avec les milieux conventionnels ».

Et Duchamp conclut, décidément réprobateur : « Une chiffe, quoi ! »

Sans doute pour accentuer encore l'idée de détérioration de ce flux sentimental qu'est le gaz d'éclairage, Duchamp a physiquement « encrassé » les tamis en y pratiquant « l'élevage de la poussière », ce qui consiste à laisser tomber sur cette partie une poussière de trois ou quatre mois et à bien essuyer autour. Le *Verre* mérite ainsi son sous-titre de *machine agricole.*

4

1914-1918. LES READY-MADE. LA GUERRE. CONQUETE INVOLONTAIRE DE NEW YORK.

Examiner l'un après l'autre les travaux préparatoires pour la *Mariée,* si l'on tient à éviter « l'explicitation » de style philosophique dont Duchamp a particulièrement horreur, consiste surtout à passer d'énigme en énigme. Mais nous devons à présent aborder la moins aisément déchiffrable de toutes, celle des « ready-made ».

Les découvertes de Duchamp ont ce trait commun de demeurer mystérieuses tout en s'avérant rapidement et définitivement convaincantes. Comme le *Nu descendant un escalier* ou la *Machine célibataire,* les ready-made font partie depuis longtemps de la perspective moderne. Ils se sont imposés même à ceux qui en ignorent le sens et qui n'ont jamais entendu prononcer le nom de leur auteur. Aussi réalisant la prophétie d'Apollinaire, Duchamp est-il à sa façon l'artiste le plus populaire de notre époque car aucun autre n'a réussi à mettre en circulation des œuvres ou des idées qui soient devenues presque anonymes à force d'évidence.

Mais une première question vient à l'esprit : comment Duchamp a-t-il pu concilier l'édification lente et méticuleuse de la *Machine célibataire* avec la désinvolture immédiate des ready-made ? Et, cependant, les deux entreprises sont contemporaines puisque la *Roue de bicyclette* est de 1913, *Pharmacie* de janvier 1914 et le *Porte-bouteilles* de la même année.

Il faut noter que le cubisme a traversé une crise analogue. Après la tension des recherches analytiques apparaissent les « papiers collés », c'est-à-dire que des matériaux *tout faits* — coupures de journaux et papiers peints — entrent dans la composition des tableaux. Cette innovation trahit, chez Picasso surtout, un effort de désenvoûtement et un retour vers l'esprit primesautier du premier cubisme. On assiste à l'introduction de « plaisanteries optiques », pour reprendre un terme de Herta Wescher, mais celle-ci précise que « les cubistes, dans leurs écarts, sont beaucoup trop formalistes pour envisager les matières nouvelles sous un autre angle que celui des rapports plastiques ». Dont acte.

L'initiative de Duchamp diffère de la précédente par une volonté très nette de couper court à tout retour offensif du goût. Il ne distingue pas une roue de bicyclette pour ce qu'un futuriste pourrait y découvrir de beauté moderne, il la choisit précisément parce qu'elle est *quelconque*. Elle n'est rien qu'une roue comme des centaines de milliers d'autres et, de fait, bientôt égarée, elle sera remplacée par des « répliques » équivalentes. Pour le moment, fixée à l'envers sur un tabouret de cuisine qui lui sert de socle, elle jouit du prestige inattendu et dérisoire qu'elle tient tout entier du choix dont elle est l'objet. Il s'agit d'une sacralisation.

L'intention provocatrice est pourtant manifeste. Duchamp proteste contre l'importance, excessive à son avis, qui est attachée à certaines œuvres d'art et il leur oppose la valorisation totalement arbitraire d'un ustensile d'usage courant ou, dans le cas de *Pharmacie,* d'un vulgaire chromo, comme on couronnait, non sans arrière-pensée, le « Roi des Fous ». C'est dans ce dessein qu'il affublera *La Joconde* d'une moustache et d'une barbe et qu'il préconisera l'usage d'un Rembrandt « comme planche à repasser », à titre de « ready-made réciproque ».

Fondamentalement donc, le ready-made est un défi à la notion de valeur. Mais vise-t-il au nivellement d'une équivalence générale ? Certes non, puisqu'il est suspendu lui-même à un choix qui est la source de son existence.

Son mobile est donc de déprécier la notion commune et tacitement reconnue de valeur, pour exalter le choix strictement individuel et *souverain* qui n'a de compte à rendre à personne. On reconnaît là le souci que nous avons déjà surpris chez Duchamp de se constituer comme *unique.* Il récuse globalement le choix des autres, annule purement et simplement la civilisation dans ce qu'elle a de péniblement trié.

Certes par l'ironie qu'il leur imprime, Duchamp se fait le critique de ses propres prétentions, il les lave ainsi de tout soupçon de mégalomanie, comme il estompe le souvenir un peu gênant des impératifs de Stirner. Mais l'ambition, qui détermine et justifie son choix de l'objet, s'apparente, malgré tout, aux décisions de droit divin sous leurs formes les plus capricieuses. C'est l'humeur fantasque de l'enfant gâté qui prend sa revanche sur les arrêts péremptoires de la logique adulte [1]. Telles pourraient être du moins les conclusions d'une enquête qui ne tiendrait pas compte de la position très ferme de Duchamp à l'égard de la fonction de l'artiste.

S'il y a renoncé pour lui-même, s'il la refuse désormais avec une sorte de dégoût, c'est qu'il l'estime humiliante telle qu'elle est devenue, sans qu'il puisse tout à fait réprimer son regret nostalgique de ce qu'elle a été. Car au-delà de l'avenir de « pur manœuvre » auquel ses dons de peintre le destinaient, la seule entreprise qui le tenterait vraiment serait la reconquête des prérogatives abandonnées. C'est peut-être à cet état d'artiste intégral qu'il a, par moment, aspiré, bien que le sentiment d'une impossibilité majeure ou l'incroyable humilité qui coexiste chez lui avec la démesure de l'orgueil l'aient retenu de se manifester autrement que par le biais du simulacre.

Mais par le ready-made il démontre méta-ironiquement son pouvoir incontestable d'être *cru sur parole* qui est le privilège de l'artiste intégral, alors que tant d'autres doivent

1. Le seul fait de *retourner* un objet de notoriété publique comme la *Roue de bicyclette* ou, plus tard, la *Fontaine* lui semble suffisant pour qu'il se l'approprie. C'est ce que confirmeront Deleuze et Guattari en écrivant dans *Mille plateaux* (1980) : « On met sa signature sur un objet comme on plante son drapeau sur une terre... Les marques territoriales sont des *ready-made.* »

accumuler, au prix de dégradants efforts manuels, les preuves tangibles de leur « talent ». Si, par crainte de n'être pas reconnue, la fourmi artiste, cédant à l'obsession de l'effort et de la productivité, vit dans un état permanent de mendicité à l'égard du public, des critiques et des acquéreurs, l'artiste intégral, se situant à l'origine de toute valeur, n'a pas à faire confirmer la sienne par les autres. Il lui suffit, pour l'affirmer, d'en conférer le sceau à des objets choisis qui deviennent *ses* œuvres par la grâce de cette unique imposition des mains. C'est ce que Duchamp nomme le « côté exemplaire » du ready-made [1].

Jamais il ne s'est approché davantage de la magie que dans ces véritables fétiches qu'il a investis d'un pouvoir évidemment réel puisque, depuis leur consécration, ils n'ont pas cessé d'inspirer un culte attentif.

Malheureusement, les notes de Duchamp sur les ready-made sont rares et succinctes. Ses intentions peuvent donc être difficilement élucidées et nous serions enclin à croire que la part de l'inconscient y est plus importante que dans tous les autres travaux. Aurait-il été entraîné plus loin qu'il ne l'avait prévu, au point d'être à son tour emporté par son propre élan. On touche vraiment ici au problème presque « métapsychique » d'une force inconnue qu'il pourrait avoir involontairement déchaînée.

C'est peut-être ce que l'on déduirait de la note où il assimile le ready-made à « une sorte de rendez-vous » : « Préciser le ready-made, écrit-il, en projetant pour un moment à venir (tel jour, telle date, telle minute) d'inscrire un ready-made. Le ready-made pourra ensuite être cherché (avec tous ses délais). L'important alors est donc cet horlogisme, cet instantané, comme un discours prononcé à l'occasion de n'importe quoi, mais à telle heure. »

Ces lignes ont un accent très exceptionnel chez Duchamp dont le « self-control » semblerait presque sur le point de

1. Mais il joue ici sur le double sens du mot « exemplaire ».

lâcher bride. Quels sont ces rendez-vous qui doivent jalonner le temps ? Sur quelle étrange frontière s'est-il aventuré comme au-delà de lui-même pour des rencontres dont il ne sait rien sinon qu'elles doivent se faire à heure fixe ?

Pour une fois le somnambulisme le disputerait à l'humour, d'où sans doute la résolution, pour que de tels signaux restent rares, de « limiter le nombre des ready-made par année ». On n'en compte en effet que trois au total, ceux que nous avons déjà cités, jusqu'à la guerre.

Car celle-ci va prendre Duchamp de vitesse à un moment où il se singularise par la liberté de plus en plus grande qu'il s'arroge envers l'art et envers la société. Un monde va finir dont peut-être le ready-made, selon la formule, « sonne le glas ». Dès 1914, décidément, le cubisme s'humanise et sa fraction la plus avancée sera bientôt rejointe par sa fraction raisonnable en une synthèse où le juste milieu triomphera, laissant Picasso de nouveau seul mais non sans ressources. Giorgio De Chirico, patronné par Apollinaire, réintroduit sous couvert de métaphysique la littérature dans l'art. Arthur Cravan se charge du blasphème en colportant en voiture à bras sa revue *Maintenant* où il malmène André Gide, tandis que l'avant-garde mieux élevée jette ses derniers feux aux « Soirées de Paris ». André Breton, poète adolescent et timide, commence à fréquenter un personnage très retiré qui n'a rien publié depuis quinze ans : Paul Valéry.

La guerre déclarée, l'atmosphère de Paris ne tardera pas à devenir intenable pour Duchamp. Les artistes ne se divisent plus qu'en deux catégories : les mobilisés et les autres. Réformé pour faiblesse cardiaque avec toutes les apparences extérieures d'une santé florissante, les réflexions malveillantes lui seront d'autant moins épargnées qu'il se pliera mal aux consignes du patriotisme à outrance. La chasse aux « embusqués » s'organise, menée par une vaste armée bénévole de vieux messieurs et de harpies. Jacques Villon est aux armées ainsi que Raymond Duchamp-Villon et l'épouse de ce dernier ne se fait pas faute de reprocher au cadet sa présence « à l'arrière ». Dans une telle ambiance, Duchamp ne se sent enclin ni à travailler tranquillement « comme d'habitude » (ce que font un certain nombre de peintres exemptés à divers titres), ni à céder à l'émulation guerrière qui s'est emparée de quelques autres, puisque Apollinaire lui-même va s'engager. C'est alors qu'il décide de partir et il s'embarquera pour les Etats-Unis en juin 1915 sur le *Rochambeau*.

En arrivant à New York, Duchamp sera surpris de constater qu'il y est célèbre. Peu de temps auparavant, une exposition à la galerie Carroll où figurait l'étude du *Nu descendant un escalier,* acquise par John Quinn sur le conseil de Walter Pach, avait provoqué un regain d'intérêt pour son œuvre. Des journalistes viennent l'interviewer et il doit tenir une sorte de conférence de presse. Il ignore d'ailleurs encore l'anglais mais il l'apprendra rapidement. Sur son premier séjour aux Etats-Unis plusieurs témoignages du plus haut intérêt existent, dont celui de H. P. Roché et celui de Robert A. Parker [1]. Tous insistent sur l'extraordinaire fascination qu'il exerça dès l'abord. En laissant derrière lui son passé, en rompant de nouveau des liens qu'on ne dénoue pas aisément, il semble bien qu'il ait atteint à cette sérénité supérieure qui deviendra le trait le plus typique de sa personnalité, dont il fera désormais son « chef-d'œuvre ».

A cette lumière, toutes ses manifestations précédentes apparaissent comme les étapes d'une conquête du monde par l'intérieur, conquête qu'aucune réalisation plastique ne saurait remplacer mais qui, dans le cas de Duchamp, réussit à en devenir le signe. Chacune de ses œuvres est

1. Robert A. Parker, « America discovers Marcel », dans le numéro spécial de *View* consacré à Duchamp, New York, 1945. H. P. Roché « Souvenirs sur Marcel Duchamp », dans *Sur Marcel Duchamp* par Robert Lebel, éd. Trianon, Paris, 1959, et traductions anglaise, américaine et allemande.

donc un bulletin de victoire, parfois chèrement acquise et l'on ne doit pas s'étonner qu'à New York, le dernier pont coupé avec ce que le milieu parisien distillait encore pour lui de malaise, l'ancien « Jeune homme triste » ait pris pour H. P. Roché le nom et les traits de « Victor ».

Si le New York de 1915 se confond pour nous avec les films de Mac Sennett et les premiers Charlot, Robert Parker nous le décrit — ce qui n'est d'ailleurs nullement incompatible — en proie à un puritanisme larvé contre lequel Duchamp exercera sans tarder son impitoyable humour. Parker insiste avec beaucoup d'intelligence sur la surprise des Américains qui s'attendaient à voir un peintre et qui découvraient un personnage. Son langage n'étonna pas moins que son allure. Parker le compare flatteusement à un portrait par Clouet ou même à un « jeune Voltaire », aussitôt promu au rang de « guru subversif ».

Parmi ceux qui l'avaient le plus chaleureusement accueilli se trouvait Walter Arensberg, ésotériste et poète, féru aussi de controverses shakespeariennes où il devait se faire l'avocat passionné de Francis Bacon. Il se consolait mal de n'avoir visité l'Armory Show que le dernier jour et d'y avoir manqué les tableaux de Duchamp. Lorsque celui-ci arriva, il lui offrit l'hospitalité. Toujours discret, Marcel n'en abusa pas et s'en fut bientôt résider un mois dans une chambre meublée, Beekman Place, puis Lincoln Arcade, dans un atelier où il restera plus d'un an, pour revenir, sur l'insistance d'Arensberg, occuper seulement en octobre 1916, dans la maison de son ami et mécène, 33 West 67th Street, un atelier spécialement aménagé pour lui.

Dès septembre 1915, il avait entrepris la réalisation du *Grand Verre* auquel il devait travailler huit ans, jusqu'en 1923. Tous les témoins insistent sur les prodigieux efforts consacrés par Duchamp à cette œuvre et sur l'importance suprême que visiblement il y attachait. Les moindres détails faisaient l'objet de longues réflexions et de calculs avant que ne vînt le moment de l'exécution, pour Duchamp toujours le plus pénible. En effet, il y mit tant de soin qu'il faillit y perdre la vue.

L'atelier de Lincoln Arcade (1947 Broadway) était une grande pièce au centre de laquelle une baignoire servait à Duchamp pour ses ablutions fréquentes, un cordon à portée de sa main lui permettant d'ouvrir sa porte sans se déranger. L'encombrement était tel qu'on se frayait avec peine un chemin et qu'il avait dû suspendre au plafond les tableaux dont la plupart n'étaient pas de lui. A plat sur des tréteaux reposait le *Verre* et Duchamp y reportait, en commençant par la *Mariée,* le tracé des formes pour en cerner ensuite les contours à l'aide d'un mince fil de plomb qu'il faisait adhérer en l'enduisant de vernis. Les parties peintes étaient alors recouvertes de feuilles de plomb qui les protégeaient, le tout étant appliqué d'un seul côté du *Verre* pour être visible de l'autre, comme sur une tapisserie ou un vitrail et avec la même opiniâtre abnégation. Lorsque, au début de 1916, il aborda l'exécution de la partie inférieure, Duchamp s'astreignit à une minutieuse mise en perspective qui l'absorba de longs mois [1].

Le brusque éclair d'un ready-made surgira néanmoins par intermittence car jamais les travaux sur le *Verre* ne feront obstacle aux autres activités, fussent-elles purement de jeu. Bientôt sa réputation d'étrangeté, à laquelle sa séduction personnelle ne nuira nullement, aura fait de Duchamp une figure de légende. Il deviendra le personnage central du milieu Arensberg et l'intelligentsia new-yorkaise se disputera sa compagnie.

Car on se presse aux réceptions de Louise et Walter Arensberg et si l'on y retrouve Picabia, de passage, curieusement on y voit aussi Gleizes qui a tout le loisir de réfor-

1. En se soumettant à la déformation objective (ou conventionnelle) de la perspective, il entend se prémunir contre la déformation subjective du goût. De cette manière, « les lignes, le dessin sont “ forcés ” et perdent l'à-peu-près du toujours possible... »

mer son jugement sur le *Nu descendant un escalier*. D'autres peintres venus d'Europe : Jean Crotti, Marius de Zayas, le compositeur Varèse, le poète Barzun, le dilettante Roché, pour l'heure chargé de mission, séjournent également à New York où Arthur Cravan fera en 1917 son apparition remarquée au cours d'une conférence assortie d'un strip-tease. On les rencontre tous ou presque chez les Arensberg avec les peintres américains Charles Demuth, John Covert, Marsden Hartley, Walter et Magda Pach, le futuriste Joseph Stella, l'écrivain révolutionnaire Max Eastman, le neurologue Ernest Southard et un groupe de jeunes femmes dont quelques-unes ne seront pas sans laisser leur empreinte sur le présent et l'avenir de Duchamp : la baronne Elsa von Freytag, poétesse et modèle, Katherine Dreier, Yvonne Crotti, Louise Norton, deux actrices : Beatrice Wood et Helen Freeman, les trois sœurs Stettheimer, dont Florine qui est peintre et Ettie, romancière, Mina Loy, bientôt veuve de Cravan.

Dès 1915, Duchamp s'est lié plus particulièrement avec Man Ray dont l'excentricité picturale l'intéresse et une collaboration suivie s'est établie entre eux avec l'apport occasionnel de Picabia. C'est le moment où sous l'évidente impulsion du *Grand Verre* le style « mécanique » se répand. Celui de Picabia se distingue par sa simplification voulue et sa violence. Ainsi dans *Parade amoureuse,* il esquisse une réplique abrégée et brutale de la *Machine célibataire.* Il se déplacera beaucoup, d'ailleurs, pendant les hostilités, faisant bénévolement office de coordinateur entre les diverses explosions sporadiques de Dada.

Une pelle à neige intitulée *In Advance of the Broken Arm* (« En avance du bras cassé ») avait servi à Duchamp de premier ready-made américain. En 1916, le *Peigne, A Bruit Secret, Apolinère enameled* et une seconde version de la *Roue de bicyclette* avaient suivi dans l'ordre. Le *Peigne* est daté avec précision en anglais : « New York 17 février 1916 11 heures du matin », et porte aussi l'inscription suivante en français : « Trois ou quatre gouttes de hauteur n'ont rien à faire avec la sauvagerie. » Mais *A Bruit Secret* inaugure la série des « ready-made aidés » ou « semi- ready-made », celui-là consistant en une pelote de ficelle serrée entre deux plaques de métal jointes aux angles par quatre longues vis. Le « secret » tient à un objet jeté à l'intérieur par Arensberg qui était seul à en connaître la nature lorsqu'il l'entendait tinter contre le métal. Ce ready-made est donc typiquement un bruiteur magique, comparable au « churinga » ou « bull-roarer » des primitifs australiens. Son caractère est encore confirmé par des inscriptions gravées au-dessus et en dessous des plaques. Duchamp les a rendues sciemment incompréhensibles en omettant des lettres à chacun des mots, selon le système également employé par lui dans un texte en anglais dédié à Arensberg et où l'article *the* est partout supprimé [1].

Apolinère enameled, daté 1916-1917, est une pancarte métallique pour la « Sapolin Enamel », marque de peinture. Duchamp s'est borné à faire subir au libellé la légère modification qu'il introduira également dans une de ses propres œuvres, le *Nu descendant un escalier,* devenu en l'espèce un ready-made à son tour. Arensberg, qui ne possède pas encore l'original, en désire une grande reproduction photographique : Duchamp la colorie à la main et la signe : « Marcel Duchamp (Fils) ».

En avril 1916, il avait participé à la galerie Montross à l'exposition dite des « Quatre Mousquetaires », dont les trois autres étaient Gleizes, Metzinger et Crotti, ainsi qu'à l'exposition d'art moderne depuis Cézanne à la galerie Bourgeois. Aux Indépendants de New York dont il est membre fondateur, il enverra anonymement en 1917 un

---

1. « [...] En eux-mêmes, les churinga sont des objets de bois et de pierre comme tant d'autres ; ils ne se distinguent que par une particularité, c'est que sur eux est gravée ou dessinée la marque totémique. C'est donc cette marque et elle seule qui leur confère le caractère sacré. Il est vrai que, suivant Spencer et Gillen, le churinga servirait de résidence à une âme d'ancêtre et ce serait la présence de cette âme qui lui conférerait ses propriétés. » (E. Durkheim, *Les formes élémentaires de la vie religieuse,* p. 172.)

urinoir intitulé *Fontaine,* ready-made signé R. Mutt et qui sera refusé. Estimant que ses rapports avec les Indépendants d'Europe ou d'Amérique ont donné des résultats suffisamment probants, il s'empressera de démissionner du seul groupement dont il faisait partie [1]. Vers la même époque, trois nouveaux ready-made feront leur apparition : le *Pliant de voyage,* qui est une housse de machine à écrire, le *Porte-chapeau* suspendu au plafond et le *Trébuchet,* portemanteau fixé au sol. Exposés dans l'antichambre de la galerie Bourgeois, ils seront tous disposés dans l'atelier de Duchamp chez Arensberg et photographiés à leurs emplacements respectifs.

L'autre groupe « avancé » de New York était animé par Alfred Stieglitz qui ne sympathisait que fort peu avec les Arensberg. Depuis plusieurs années la galerie de Stieglitz 291 Vᵉ Avenue et sa revue *Camera Work* avaient pris le titre *291.* Moins exclusif que Duchamp, Picabia, lors de son séjour à New York au début de la guerre, avait collaboré à *291* et lorsqu'il se fixera plus tard à Barcelone il y publiera plaisamment quatre numéros de *391* [2]. Il en fera paraître trois autres à New York où il sera de retour en juillet 1917. Bientôt curieux des réunions du Cabaret Voltaire, il se rendra en Suisse vers février 1918. Après avoir rencontré Tristan Tzara et Arp, c'est à Zurich qu'il publiera le numéro 8 de *391* dont le suivant devait s'imprimer à Paris dès novembre 1918.

Cependant à New York, prenant prétexte de l'exposition

1. Avec John Covert, cousin de Walter Arensberg, Duchamp s'était activement occupé, sans toutefois y figurer lui-même, de la première exposition des Indépendants de New York en mars et avril 1916. Ce fut lui qui suggéra de classer les œuvres par ordre alphabétique en tirant au sort, chaque année, la lettre par laquelle le placement commencerait. On lui dut, également au Salon de 1916, la découverte d'un nouveau peintre américain : Louis Eilshemius.

2. La démolition de l'immeuble de *291* en 1917 obligea Stieglitz à réduire son activité pendant une période assez prolongée.

des Indépendants en 1917, Arensberg et Roché, avec l'aide de Duchamp, firent paraître sucessivement *The Blind Man* qui eut deux livraisons et *Rongwrong* qui n'en eut qu'une seule. Le second *Blind Man* fut « édité » par Beatrice Wood, laquelle prêta son nom en toute innocence, ce qui déchaîna le courroux de sa famille, indignée par le langage insuffisamment châtié de ce périodique. Pour clore cette nomenclature, ajoutons qu'ultérieurement, en avril 1921, Duchamp et Man Ray publieront ensemble un unique numéro de *New York Dada* pour faire écho à de nombreuses revues de la tendance qui avaient proliféré à Zurich, à Berlin et à Paris.

L'adhésion, pour le moins morale, de Duchamp au dadaïsme ne fait donc pas de doute. En suivant d'ailleurs depuis 1911 le cheminement de sa pensée, n'est-ce pas Dada que nous avons vu se profiler fréquemment bien avant l'heure à travers la plupart de ses gestes ? Sa position de précurseur est sur ce point attestée par les ready-made dont le caractère « proto-dada » est unanimement reconnu. En outre, s'il fut indiscutablement le premier à s'affirmer « Dada », il est aussi l'un des rares à l'être demeuré toute sa vie. Le dadaïsme est pour lui un milieu naturel, le seul où il respire vraiment à l'aise, car le temps y est suspendu dans l'exaltation perpétuelle de l'enfance, dans l'ambiguïté du jeu, dans le vertige délicieux du mépris. Si d'autres ont éprouvé le besoin de vieillir, aucune tentation semblable jamais ne viendra l'effleurer.

Des récits de Parker et de Roché, il ressort que Duchamp a connu à cette époque une véritable vogue dont il ne tenait qu'à lui de tirer avantage. Mais, pour assurer son indépendance sur les bases modestes qui lui ont toujours convenu, il avait, dès son arrivée en Amérique, résolu le problème en donnant des leçons de français. Il se trouva donc dans la situation paradoxale d'un artiste dont on se serait disputé les œuvres mais qui se contentait de les distribuer gratuitement à ses amis ou de les leur céder pour des sommes volontairement dérisoires. On juge de l'ébahissement général devant une telle anomalie. Rien cependant ne put le faire dévier d'un pouce de la ligne de conduite qu'il s'était tracée, sans y mettre au surplus la moindre ostentation. Il restait amène et souriant, ne laissant rien voir, au-dehors, des efforts que lui coûtait son *Grand Verre*. Passant avec la plus courtoise aisance de l'extrême concentration qu'exigeaient ces travaux à la trépidation des visites, des fêtes nocturnes et des rendez-vous de bars, tout à la fois dans la vie et parfaitement hors d'atteinte, sa moindre particularité ne fut pas de résister, apparemment sans peine, à l'envahissement des dévouements féminins [1]. Innombrables, à dire de témoins, furent celles qui aspirèrent à l'impossible monopole et le plus stupéfiant est qu'il trouva le moyen de ne se brouiller avec aucune. Une sorte de constance dans l'amitié, ou tout au moins dans la bienveillance, va de pair chez lui avec la liberté totale des mouvements. Il n'est guère d'ami ou d'amie avec lesquels il ne soit resté régulièrement en rapport bien au-delà de ce que le lien pouvait avoir d'indispensable. Certes, « trois ou quatre gouttes de hauteur n'ont rien à faire avec la sauvagerie », et sans doute a-t-il toujours été suffisamment sûr de son autonomie pour s'abstenir de la signifier par des congés en règle.

On ne peut nier, au demeurant, que l'atmosphère américaine lui ait été favorable. Etranger pour étranger, il préféra l'être ailleurs que dans son pays et bénéficier du surcroît de recul. Si l'existence aux Etats-Unis peut être aussi ennuyeuse qu'en France, s'il y règne dans ce qu'on appelle la bonne société (celle que Duchamp côtoie) des préjugés

1. Pour fêter son trentième anniversaire le 28 juillet 1917, les sœurs Stettheimer organisèrent une mémorable partie de campagne où le Tout-New York se pressa. Marcel fit son entrée par un arceau couvert de roses. Un tableau de Florine Stettheimer, conservé par Mrs. John D. Gordon, a fixé le souvenir de cette apothéose américaine de Duchamp.

parfois désarmants, en revanche une connivence générale maintient dans les contacts une cordialité qui finit par n'être pas tout à fait feinte. La malveillance délibérée, chère aux Européens, n'y est pas de mise et on lui préfère un excès d'effusions qui frise le comique mais dont l'effet sur le système nerveux est lénifiant à la longue. Ce parti pris d'urbanité permet aux Américains de mieux supporter le choc de la bizarrerie des autres, surtout lorsqu'elle s'accompagne, dans le cas de Duchamp, d'un charme irrésistible, d'une culture étonnante et d'une pointe d'exotisme. Tout alors lui est permis comme à un Turc à la cour de Louis XIV, et Rimbaud, Lautréamont, Mallarmé, Jarry, Roussel, voire Edouard Dujardin, dont il cite les noms, évoquent ces dieux perdus que décrivent les explorateurs à leur retour des îles. Quant à son esprit mordant, il sembla aux Américains exclusivement dirigé contre l'Ancien Monde : comment n'approuveraient-ils pas cette condamnation ? Une ère nouvelle commença sur ce rivage et Duchamp y fut d'autant plus le bienvenu (*welcome to it*) qu'au contraire de tous les autres immigrés, il ne demandait strictement rien.

5

DERNIER ADIEU A LA PEINTURE. DADA. LES ROTATIVES. RROSE SELAVY.

En 1918, pourtant, il éprouva le besoin de repartir. Les Etats-Unis étaient en guerre et un certain état d'esprit commençait à se manifester qui lui rappelait désagréablement le Paris de 1915. Le moment était venu d'aller visiter cette Amérique du Sud qu'il ne connaissait pas encore mais, avant de quitter New York, il peignit une toile, ce qu'il n'avait pas fait depuis cinq ans, et cette fois, définitivement, ce fut sa dernière peinture. La destinant à la bibliothèque de Katherine Dreier, il l'intitula : *Tu m'*.

Une note de la *Boîte verte* nous avertit du thème de cette œuvre : « Ombres portées de Readymades. Ombre portée de 2, 3, 4 Readymades " rapprochés ". (Peut-être se servir d'un agrandissement de cela pour en extraire une figure formée par une (longueur) (par ex.) égale prise dans chaque Readymade et devenue par la projection une partie de l'ombre portée... Prendre ces " devenus " et en faire un relevé sur calque sans changer naturellement leur position l'un par rapport à l'autre dans la projection originale. »

Plusieurs photographies prises dans l'atelier du 33 West 67th Street en 1917 témoignent de l'intérêt de Duchamp pour les ombres de ses ready-made se profilant sur les murs. Il a donc frotté à la mine de plomb sur *Tu m'* l'ombre portée de la *Roue de bicyclette* en grandeur naturelle, ainsi que celles d'un tire-bouchon et du *Porte-Chapeau* mais agrandies à l'aide d'un appareil de projection. Les trois ombres dominent, comme en surimpression, cette toile à fond clair qui est une des plus colorées que Duchamp ait jamais peintes.

En bas et à gauche, les *Trois stoppages-étalon* se détachent sous la *Roue de bicyclette* alors que, vers l'angle supérieur, pointe un obélisque d'échantillons de couleurs dont les tons se dégradent du pâle au sombre. Vers la droite part une fausse déchirure en trompe-l'œil dans laquelle s'insère un véritable « goupillon » (autrement dit un rince-bouteilles). La fausse déchirure est fermée par trois vraies épingles de nourrice et un véritable écrou rive les échantillons de couleurs.

Sous la déchirure, une main, exécutée et signée par un peintre d'enseignes, montre à droite l'ombre du *Porte-Chapeau* qui referme ses griffes sur des lignes plus ou moins artificielles, dit Duchamp, tracées avec des compas et rappelant les formes des stoppages. Issues à gauche d'une surface blanche, ces lignes se ramifient vers le bas en diagonales cloisonnées de tons vifs tandis qu'une multitude de cercles, affectant parfois la forme de ressorts, s'enroulent autour de chacun des traits.

Curieusement, cette partie de *Tu m'* n'est pas sans évoquer Kandinsky, lequel à cette époque inaugurait en Russie des expériences dont on ne savait encore rien au-dehors. La notice que Duchamp consacra plus tard à Kandinsky dans le catalogue de la « Société Anonyme » contient une explication de cette rencontre inattendue : « En traçant ses lignes avec la règle et le compas, écrit-il, Kandinsky ouvrait au spectateur une nouvelle voie d'accès sur la peinture. Ce n'était plus les lignes du subconscient mais une condamnation délibérée de l'émotionnel, un transfert évident de la pensée sur la toile. »

Dans le même catalogue, une remarque de Duchamp sur le « culte de la main inconsciente » depuis Courbet nous précise encore un des mobiles essentiels de son évolution. Parti, lui aussi, de « la main inconsciente » qu'il tient désormais pour affectivement ruineuse, il est parvenu au point où la pensée peut dicter sa loi. Il a donc réuni ses principales idées sur cette dernière toile qui, surplombant, dans un dessein apparemment décoratif, les rayons garnis de livres, emprunte le format étiré d'un dessus de porte. Sans sa présence et celle du *Grand Verre* qui sera plus tard érigé dans la même pièce, l'intérieur se rattacherait plutôt au genre intellectuel confortable, mais dans ce lieu dédié au savoir livresque les intentions de l'auteur, soulignées par son rappel funèbrement ironique des ombres d'idées, s'avèrent une fois de plus perturbantes.

Toute interprétation de cette œuvre, pour laquelle Duchamp avoue son attachement spécial, ne saurait être qu'hypothétique. Observons néanmoins qu'il a retrouvé un instant pour la peindre la virtuosité, et sans doute même le plaisir purement physique, réprimés depuis 1912. Aussitôt il a innové comme en se jouant et a rejoint les tentatives contemporaines de l'art abstrait le plus inédit. Simultanément sa méfiance instinctive envers ce qui chez lui rappelle encore le peintre lui a fait introduire dans *Tu m'* les éléments sarcastiques destinés à conjurer tout péril. Quant aux ombres des ready-made, elles impriment à cet adieu à la peinture l'estampille souveraine de l'idéation.

Il quitta New York le 13 août 1918, accompagné par Yvonne Crotti et il se munit en outre de bagages d'art, telle la *Sculpture de voyage* faite de rubans de caoutchouc et destinée à être déployée au plafond. Avant son départ il avait vendu aux Arensberg le *Grand Verre* dont la partie supérieure était très avancée alors que, dans la partie inférieure, toute l'extrémité droite de la *Machine célibataire* restait à l'état d'ébauche. Il songeait pour terminer à un « grattage d'argenture », c'est-à-dire à l'utilisation d'un fond de mercure appliqué comme sur une glace et réduit ensuite au tracé d'un calque. Le verre auquel il travailla pendant les neuf mois de son séjour à Buenos Aires et qui fut baptisé : *A regarder d'un œil de près pendant presque une heure* est une étude pour ce grattage.

Le graphisme en est difficilement déchiffrable si l'on ne se reporte pas à la *Machine célibataire* en tenant compte de ses trois aspects successifs : celui que prévoyaient les notes de la *Boîte verte,* celui de 1918, au moment où Duchamp interrompit ses travaux, enfin celui qu'elle assume définitivement sur le *Grand Verre.* Si certains rouages ont été réalisés immédiatement, une fois pour toutes, des difficultés semblent s'être élevées dès les *tamis,* à partir desquels les projets de la *Boîte verte* ont été simplifiés considérablement.

Il était question d'abord d'une « agrafe » ou « fourchette », elle aussi « à densité oscillante », tombant du haut de l'appareil célibataire « à califourchon », mais sans le toucher, sur l'axe reliant la glissière à la broyeuse. Les deux pointes de cette « fourchette » devaient pénétrer alors dans le sous-sol par deux trous, la chute de la « fourchette » actionnant la glissière, la poussant vers la broyeuse et ouvrant, en même temps, les « grands ciseaux », c'est-à-dire les deux barres horizontales qui s'appuient sur la « baïonnette » au niveau du quatrième tamis.

Par simplification et paresse, reconnaît Duchamp, ce projet a été abandonné, de même que la chute des bouteilles a été remplacée par la « chute d'eau imaginaire » qui commande à la fois le déplacement de la glissière et l'ouverture des ciseaux. Ce dernier mouvement détermine « l'éclaboussement » ou « débouchage » (rien de commun, dit Duchamp, avec le champagne) et clôt la série des opérations célibataires.

Spécifions qu'à un certain moment qui est sans doute celui-ci, la « partie désir » de la machine change d'état mécanique : de machine à vapeur elle devient moteur à explosion. Le gaz d'éclairage réduit, on le sait, à l'état de chiffe s'échappe directement du dernier tamis et attend ou provoque l'ouverture des ciseaux. L'éclaboussement se produit alors sans l'intervention de certains dispositifs mentionnés dans la *Boîte verte,* tels que la pompe, les pentes d'écoulement ou les « trois fracas » qui devaient mener au « toboggan », visible sur les dessins de 1913.

Ce sont les ciseaux eux-mêmes qui constitueraient, en combinaison avec le gaz d'éclairage, « un seul soutien continu ». De cette manière l'éclaboussement projette une « sculpture de gouttes » qui est « éblouie » à travers les tableaux ou témoins « oculistes » formés à l'extrême droite du *Grand Verre* par trois cercles superposés. Pour cette partie, Duchamp s'est inspiré des panneaux dont les opticiens se servent pour vérifier la vue. Le cercle du dessous est composé de rayons autour d'un centre, celui du milieu est en forme d'anneau de Saturne, le troisième, beaucoup plus petit, est entouré de rayons assez larges et allongés horizontalement. Enfin, dominant le tout, un autre petit cercle vertical dont le centre est marqué d'un point. C'est, dans le *Grand Verre,* cette partie qui fera l'objet du grattage d'argenture, d'après le calque exécuté en 1920 à la pointe sur papier carbone.

Pour l'instant, Duchamp n'a mis en place que les tamis. Le verre *A regarder d'un œil de près pendant presque une heure* nous offre donc le premier aperçu de l'extrémité droite des ciseaux. La position précaire des boules fait penser à une sorte de bascule et Katherine Dreier elle-même qui a possédé et fêlé ce verre préférait le titre : *Equilibre instable* (« Disturbed balance ») que Duchamp n'accepte absolument pas. Les boules, explique-t-il, correspondent à celles qui sur le *Grand Verre* figurent à l'autre extrémité des ciseaux. Il les a simplement omises à droite dans la composition définitive, mais sous le piquet vertical on aperçoit le « témoin oculiste » du dessous, presque identique à celui du *Grand Verre* et déjà en grattage d'argenture. Au-dessus du piquet, Duchamp a collé une loupe entourée de cercles concentriques et destinée au voyeur (indispensable témoin oculiste), qui attend « en regardant d'un œil de près pendant presque une heure » que l'interminable déshabillage fasse apparaître enfin la *Mariée mise à nu*. Dans le *Grand Verre,* la loupe pourrait être figurée schématiquement par le petit cercle dont le centre est un point, équivalent peut-être du trou de la serrure.

Duchamp donne peu d'explications sur la pyramide striée de rayures jaunes, vertes, rouges et bleues, qui flotte en haut d'*A regarder d'un œil de près...* Il faut noter pourtant qu'elle se rattache aux exercices colorés de *Tu m',* ainsi qu'à un « ready-made rectifié », *Stéréoscopie à la main,* datant également du séjour à Buenos Aires, et sur lequel deux pyramides ont été crayonnées.

C'est à Buenos Aires que Duchamp devait apprendre, en même temps que la signature de l'armistice, la mort de son frère Raymond Duchamp-Villon et celle de Guillaume Apollinaire, décédés à quelques semaines de distance, tous deux très éprouvés par la guerre. Dès qu'il le put, il s'embarqua pour la France où il arriva en juillet 1919. Picabia, comme on sait, l'y avait précédé et ce fut chez lui qu'il habita. Le contact fut donc établi sans tarder avec le premier groupe Dada qui se réunissait au café Certa près des Grands Boulevards. Duchamp y retrouva Ribemont-Dessaignes qui avait fréquenté Puteaux avant la guerre, mais la plupart des autres dadaïstes lui étaient encore inconnus. En revanche sa réputation était auprès d'eux déjà considérable et la brève apparition qu'il fera dans ce milieu prendra instantanément un caractère décisif.

Tout dans l'attitude de Duchamp était fait pour stimuler la fureur inconoclaste de Dada. C'est alors que dans un geste véritablement souverain il exprima l'horreur de toute cette jeunesse pour l'art du passé, solidaire à ses yeux de l'infamie de la civilisation. Sur une reproduction de *La Joconde* dont il fit un « ready-made corrigé », il ajouta au crayon des moustaches et une barbiche, avec la formule *L.H.O.O.Q.* Ce ready-made reconstitué de mémoire par

Picabia figure avec les moustaches seulement dans le n° 12 de *391* publié à Paris en mars 1920 [1].

Du même séjour parisien de Duchamp datent le faux chèque donné au Dr Tzanck en paiement de soins dentaires et l'ampoule d'*Air de Paris* qui fut apportée aux Arensberg en guise de souvenir. Dans une note de la *Boîte verte,* il est question de « faire un tableau malade ou un ready-made malade ». C'est à ce projet que se relie vraisemblablement le *Ready-made malheureux* destiné par Marcel à sa sœur Suzanne qu'il allait revoir après quatre ans d'absence. On se souvient qu'elle avait épousé en 1911 un pharmacien rouennais dont elle se sépara quelques mois avant la guerre et le ready-made intitulé *Pharmacie* n'est peut-être pas sans corrélation avec cette rupture. A New York, dès 1915, Marcel avait rencontré Jean Crotti qui arrivait d'Europe avec Yvonne, sa première femme. Crotti fit de Duchamp, dix ans avant les portraits analogues de Calder, une curieuse silhouette en fil de plomb, surmontée d'un front soigneusement moulé et pourvue d'yeux de porcelaine d'une couleur parfaitement assortie à l'original. En outre, Crotti adopta d'emblée la nouvelle technique de Duchamp et il exécuta dans cette veine plusieurs verres fort réussis. En 1916, il reparut à Paris, porteur de messages que Marcel lui avait confiés pour sa famille, notamment pour Suzanne, alors infirmière dans un hôpital militaire. On connaît le résultat de leur entrevue : Crotti repartit pour New York où il devait attendre son divorce et d'où il écrivit à Suzanne une suite de lettres d'amour de style Dada. Le mariage eut lieu à Paris en avril 1919 et, de Buenos Aires, Marcel fit parvenir à Suzanne des instructions relatives à un précis de géométrie

---

1. « L.H.O.O.Q. » fut aussitôt adopté par Picabia dans sa toile intitulée *Le double monde,* ainsi que *M'amenez-y,* qui est également de Duchamp. De même, pour *Mouvement perpétuel* (1918), Picabia avait repris le volant du « Moulin à café » et une roue de bicyclette servit au décor de *La première aventure de M. Antipyrine,* de Tzara, en 1920 au théâtre de l'Œuvre. De tels emprunts paraissaient à l'époque parfaitement légitimes dans le milieu Dada mais Duchamp, quant à lui, n'en a jamais fait.

qu'elle devait attacher sur son balcon, rue La Condamine, en laissant au vent le soin de compulser le livre, de choisir les problèmes, de les exposer à la pluie et d'effeuiller les pages comme les pétales d'une marguerite. Ainsi succomba le *Ready-made malheureux,* perpétué malgré tout par une toile de Suzanne Duchamp [1].

D'autre part, la « Section d'Or » reconstituée s'était manifestée en 1919 par un nouveau Salon auquel Marcel ne participait pas. Bientôt un comité se forma, composé d'Archipenko, de Survage et de Gleizes (toujours lui) pour prononcer l'exclusion de la minorité dadaïste, ce qui fut fait à La Closerie des Lilas le 25 février 1920. Duchamp avait quitté Paris et ne semble pas avoir été visé par cette mesure à laquelle Jacques Villon évita de s'associer.

Dès qu'il fut de retour à New York, Marcel entreprit de faire passer sur le plan des réalisations pratiques ses études du mouvement dont nous l'avons vu préoccupé depuis 1911. Jusqu'alors ses œuvres n'étaient que des machines virtuelles, juxtaposant, comme dans les peintures primitives, les divers aspects d'une transformation qui dans la réalité se succèdent et ne sont jamais visibles ensemble. Cette emprise sur le temps dont Marcel souhaite toujours réunir l'avant, le pendant et l'après, à la façon des anciennes tragédies, fait sans doute l'objet de son ambition majeure. Pour ne pas subir le temps, il le propulse lui-même et il tente d'en contrôler le cours en le conservant tout entier sous son regard à l'aide de cette sorte de règle des trois unités à rebours que forment les « stoppages-étalon ».

---

1. Le *Ready-made malheureux* clôt peut-être la phase la plus affective des rapports étroits établis depuis l'enfance entre Marcel et Suzanne. Arturo Schwarz les a soupçonnés d'avoir été incestueux et on a vu que chaque événement amoureux de la vie de Suzanne a donné lieu chez Marcel à un écho plastique. Quant au mariage de Jean Crotti et de Suzanne, Marcel semble l'avoir « organisé » comme une sorte d'échange avec la femme de Crotti : Yvonne Chastel qui, divorcée, le suivit en Argentine.

C'est une aspiration semblable qui est à l'origine du cinéma et qui est aussi la raison de sa réussite. Des vies entières se déroulent devant le spectateur, tandis que la sienne reste suspendue. A mesure que sur l'écran le mouvement s'accélère, celui qui emportait le public ralentit au point de paraître par contraste imperceptible. Les vingt-quatre heures des anciens drames sont devenues des années dont la cadence se précipite et cependant, autour de soi, rien n'a bougé. Sur le fauteuil où l'on demeure immobile, on se retrouve à la fin du spectacle identique à ce que l'on était en arrivant. C'est dans cette mise entre parenthèses du temps que Marcel rivalisait avec le cinéma d'avant-guerre, mais, de 1914 à 1920, le film a fait de tels pas de géants que ses rapports avec la peinture sont entièrement bouleversés.

Depuis quelques années déjà, Duchamp tient l'art pour une forme anachronique d'activité. Le développement du cinéma comparé à la stagnation de la peinture apporte à ses prévisions une confirmation éclatante. Sa philosophie, certes, n'est que pseudo-scientiste et ses machines, si l'on ose dire, des rouages d'âme. Elles traduisent aussi sa haine de l'esprit scientifique pour ce qu'il impose de mécanisation dans le domaine des relations affectives. En réalisant par l'absurde l'absolutisme de la science, ses dispositifs se rattachent encore au recul romantique devant le prosaïsme implacable du progrès. Pourtant il est indéniable que, d'autre part, Duchamp est convaincu que le temps ne s'arrêtera pas et toute une partie de lui-même, qui n'hésite pas à se faire violence, accepte la durée et souvent l'anticipe. Si l'on ne saisit pas chez lui cette typique ambivalence, sa haine du passé qui va de pair avec la nostalgie, sa répulsion devant un avenir dont il souhaite à la fois l'avènement libérateur, on risque de méconnaître la portée réelle de son ironisme stoïque où se réalise à un degré rarement atteint la coordination des incompatibilités.

1920 marque donc pour lui de nouveau l'heure des grandes décisions, car de l'état d'anti-artiste il lui faut passer à celui d'ingénieur. Cette mutation sera si importante qu'elle déterminera un changement d'état civil. Après avoir un moment envisagé d'adopter un nom juif, il prendra le pseudonyme « Rose Sélavy » dont il signera désormais ses ouvrages. Faut-il voir dans cette entité féminine (qui fait pendant à l'Udnie de Picabia) le signe, évidemment encore ironique, d'une acceptation dorénavant passive des circonstances ? Mais l'année suivante à Paris, ce nom sera pourvu d'une implication supplémentaire lorsque sur *L'œil cacodylate,* après la signature de Picabia, orthographiée par celui-ci « Pis qu'habilla », Duchamp, enchaînant sur la dernière lettre, écrira « Rrose Sélavy ». Si le terme reste toujours aussi flexible, il vire, pourrait-on dire, au masculin en soulignant cette fois la servitude de la fonction « mâlique ».

Quoi qu'il en soit, la féminisation fictive par le pseudonyme devait s'accompagner d'une féminisation physique accomplie sur la couverture de *New York Dada* en 1921, où Duchamp apparaît en femme dans le portrait ornant le flacon de *Belle Haleine, Eau de Voilette.* Man Ray avait exécuté plusieurs études photographiques pour cette effigie qui pourrait suggérer notamment l'androgynat inhérent à l'artiste, selon l'exemple de Léonard de Vinci, auquel Duchamp avait rendu hommage à sa manière en pourvoyant *La Joconde* d'attributs masculins.

Le premier appareil réel exécuté par Duchamp à New York au début de 1920 s'intitule *Optique de précision.* Il est formé de cinq plaques de verre de dimensions inégales tournant sur un axe métallique actionné par un moteur. Des lignes blanches et noires sont tracées sur les verres et, lorsque ceux-ci sont en mouvement, les lignes « vues à un mètre de distance » donnent l'illusion de constituer des cercles continus. Cette machine fut construite dans le rez-de-chaussée que Marcel occupait alors West 73rd Street et Man Ray qui l'avait aidé faillit être blessé, au cours des essais, par une des plaques de verre qu'une accélération du moteur avait fait voler en éclats. Toujours en compagnie de Man Ray, Marcel devait ensuite s'attaquer au cinéma, ou plus précisément au dessin animé, en préparant des esquisses de spirales qui seront utilisées ensuite pour un film.

Enfin, l'*élevage de poussière* prévu pour les *tamis* de la *Machine célibataire* prend forme grâce à une photographie par Man Ray du *Grand Verre* posé à plat. Louise et Walter Arensberg sont sur le point de quitter New York pour aller s'installer à Los Angeles, mais ils hésitent devant les risques du transport du *Verre* et Katherine Dreier proposera d'en faire l'acquisition, ce qui va permettre à Marcel d'y travailler encore. L'étude sur papier carbone des *Témoins oculistes,* que nous avons déjà mentionnée, date de cette époque et, en 1921, la *Machine célibataire* sera transportée dans une usine où s'effectuera l'application de mercure sur la partie droite.

Cependant, Katherine Dreier avait aussi conçu le projet de créer une collection permanente réunissant des œuvres issues de l'esprit nouveau. Il ne manquait plus à cette collection qu'un titre qui fut « Société Anonyme », suggéré par Man Ray, tout à fait indépendamment de la « Société Anonyme pour l'exploitation du vocabulaire », fondée à Paris par Tzara. Celui-ci qui préparait avec certains de ses amis le Salon Dada de juin 1920 à la galerie Montaigne ne manqua pas d'inviter Duchamp, lequel répondit par son célèbre télégramme « Peau de balle », signifiant ainsi son refus de toute inféodation [1]. Les dadaïstes parisiens tournèrent la difficulté en exposant des cartons blancs portant les numéros prévus au catalogue.

Le second séjour de Duchamp à New York ne devait durer en tout qu'environ dix-huit mois mais il se signale encore par deux ouvrages qui comptent parmi ses plus insolites :

---

1. Ce télégramme orthographié « Pode bal » eut Crotti pour destinataire. Tristan Tzara l'a conservé. En 1957, les organisateurs de la « Rétrospective Dada » feront parvenir à Duchamp leur réponse : « Et balai de crin ».

Fresh Widow et *Why not sneeze ?* Il s'agit d'abord d'une fenêtre dont le titre qui signifie « Veuve récente » ou « Veuve insolente » s'apparente par un jeu de mots à « French window » (fenêtre à la française). Les carreaux sont tendus de cuir sombre et ciré, le socle porte une inscription du genre commercial : « Fresh Widow Copyright Rose Selavy 1920 ». Cette veuve dûment endeuillée n'est pas sans évoquer la guillotine.

L'autre objet est un ready-made composé d'une cage à oiseaux qui semble remplie de morceaux de sucre parmi lesquels est planté un thermomètre. Si l'on tente de soulever la cage, on plie aussitôt sous son poids, car le sucre est en réalité du marbre. L'inscription *Why not sneeze ?* (« Pourquoi ne pas éternuer ? ») est tracée sous le fond et elle n'est visible que réfléchie dans un miroir.

On peut s'interroger ici de nouveau sur les intentions de Duchamp qui atteint avec ces objets le comble de l'inesthétique, de l'inutile et de l'injustifiable. Allusion macabre ou farce-attrape dans les deux cas la pointe maléfique est des plus acérées, bien qu'à en juger par les effets immédiats sur les deux destinatrices, Katherine Dreier et sa sœur Dorothea, l'humour ait dû servir d'antidote.

En mai 1921, Duchamp arrive à Paris pour y séjourner six mois, d'abord rue La Condamine chez les Crotti, tous deux dadaïstes en activité. La *Bagarre d'Austerlitz,* nouvelle version de *Fresh Widow,* est exécutée à ce moment. Les carreaux au lieu d'être noirs portent le paraphe blanc des vitriers. On constate ensuite un ralentissement très net de l'activité publique de Duchamp et l'on ne peut s'empêcher de soupçonner une relation de cause à effet entre l'accélération de l'exubérance dadaïste et cette réserve accentuée [1].

1. Il s'occupa surtout de dessiner des spirales qui furent filmées à Puteaux avec l'aide de Man Ray, récemment débarqué de New York. Il se livra aussi à des expériences capillaires en se faisant raser le crâne par Georges de Zayas. La tonsure en forme d'étoile se prolongeait jusqu'au front d'une large raie médiane évoquant la queue d'une comète, anticipant ainsi de loin le « body-art ».

Dada est devenu un mouvement international à multiples ramifications. Des personnalités dynamiques avaient surgi d'Allemagne surtout : Max Ernst, Baargeld, Kurt Schwitters. Les manifestes se succédaient avec un désir évident de surenchère, tandis qu'à Paris la discorde s'était introduite dans le groupe. A Berlin, Huelsenbeck, dans la première en date des histoires de Dada, avait inauguré la série des rectifications historiques et des insinuations fielleuses. Déjà Duchamp avait pressenti dans Dada un penchant à vulgariser et à répéter des gestes qui, selon lui, ne tiennent leur valeur que de leur rareté. Le sentiment dut alors l'effleurer que l'on empiétait avec un peu trop d'insistance sur un terrain qui lui appartenait en propre et dont il ne lui restait plus qu'à se retirer promptement. Il repartit donc pour New York en janvier 1922.

Il y loua un atelier dans l'ancien building de Lincoln Arcade et reprit le minutieux travail d'argenture qu'il avait interrompu sur la *Machine célibataire*. A Paris cependant son départ n'avait fait qu'accroître son prestige. André Breton, qui en mars 1919 — avec Aragon et Soupault — avait fondé *Littérature* (que Duchamp devait décomposer en « Lits et ratures »), comprit tout de suite l'exceptionnelle qualité du personnage qui remplacera désormais pour lui « l'archange » Jacques Vaché, dont le suicide au lendemain de l'armistice hantait encore toutes les mémoires. Le rapprochement allait d'ailleurs de soi entre ces deux virtuoses d'un humour corrosif qui avait abouti pour Vaché (dont on ne doit pas oublier qu'il fut aussi peintre) à la mort voulue et, pour Duchamp, au refus de l'art. Un texte de Breton, dans *Littérature* d'octobre 1922, hissa le survivant sur le piédestal dont il ne devait plus descendre.

Quelques-uns de ses jeux de mots étaient aussi cités en exemple, car ceux qu'il laissait jaillir avec négligence, au hasard des conversations, avaient déjà fait fortune. Véritables ready-made verbaux, où les significations se chevauchent et s'amalgament en des énoncés lapidaires, ils atteignent d'emblée au ton définitif des proverbes : ils semblent avoir toujours existé.

Le jeu de mots certes prospérait en France depuis un demi-siècle mais jamais encore avec cette perfection de médaille et Duchamp en outre y excelle autant en anglais que dans une combinaison des deux langues. Procédant par l'illumination subite de l'assonance, d'ingénieuses substitutions de syllabes lui suffisaient pour faire éclater les cadres logiques du discours. Il dévoile à l'intérieur même de sa gangue d'habitude la vérité fulgurante des mots « premiers » que défigure l'usage quotidien. On ne doit pas hésiter à voir dans ces contrepèteries l'aboutissement de sa recherche déjà ancienne d'un nouveau langage. Ses mots sont donc littéralement *sans réplique,* c'est-à-dire que leur nombre reste rigoureusement limité. Cette disposition d'esprit explique sa réticence à l'égard des jeux de mots de l'époque des sommeils que Robert Desnos réunira sous le titre « Rrose Sélavy ». Desnos pourra se prétendre en communication télépathique avec lui par-delà l'océan, rien dans ces exercices de haute école ne lui fera oublier ce qu'ils ont d'indiscret à son égard. Il est et il restera résolument un personnage privé.

Parallèlement, c'est aussi la vérité secrète des chiffres qu'il s'efforcera d'extraire. Il s'adonnera dans ce domaine à des expériences dont il a très peu parlé mais qui ne sont pas sans rapport avec les théories traditionnelles de la symbolique des nombres. Pourtant sa pensée s'oriente presque toujours vers un résultat pratique, ou prétendu tel, et c'est au jeu qu'il tentera d'appliquer sa numérologie. Tout d'abord on constate chez lui dès cette époque un regain de passion pour les échecs. Il renoue ainsi certes avec un usage familial, puisque tous les Duchamp ont joué aux échecs et il existe même une eau-forte de Jacques Villon où Marcel, en 1904, à l'âge de dix-sept ans, semble profondément absorbé dans une partie engagée avec sa sœur Suzanne. Toutefois, peut-être en raison même de ce passé d'accoutumance, les échecs paraissent avoir tenu un peu moins de place dans sa vie de 1912 à 1922, tandis qu'il élaborait la partie proprement libératrice de son œuvre. A mesure que celle-ci prend corps et qu'il s'en affranchit, les échecs viennent combler le vide et prédominent de nouveau. Bientôt ils captiveront toute son activité.

Précisons néanmoins que, pour lui, le jeu d'échecs n'est pas sans remplir une fonction plastique. Chaque mouvement des pions sur l'échiquier dessine une nouvelle forme, ce qui réalise son besoin d'un contour perpétuellement dérangé. Comment, d'ailleurs, n'éprouverait-il pas une vive satisfaction à sculpter ou à peindre des œuvres aussitôt effacées et dont il est certain qu'aucune d'elles jamais ne pourra se vendre ?

Quant au *Grand Verre,* il y travaillera encore jusqu'à son prochain départ pour l'Europe, en février 1923, date à laquelle il le considérera comme définitivement inachevé. Entre-temps, ses relations féminines s'étaient parées de noms connus parmi lesquels on relève ceux de la chanteuse Yvonne George, de Georgette Leblanc (ex-Maeterlinck) qui devait découvrir bientôt Gurdjieff à New York, de Louise Hellstrom aussi, pour laquelle le ready-made *Wanted* a été composé. Ce fut sa seule manifestation de 1922. L'année 1923 n'en comportera aucune.

5

LE JEU. LES ECHECS. LA LIBERTE D'ALLURE UNE MATURITE DESINVOLTE.

Pour la première fois depuis la guerre, son séjour en Europe devait se prolonger au-delà d'une simple visite puisqu'il y demeurera plus de trois ans, jusqu'à l'automne de 1926. Parti de New York pour Rotterdam sur le *Zeeland,* c'est à Bruxelles qu'il restera d'abord plusieurs mois, se bornant à faire à Paris une apparition très brève. Il ne s'y fixera qu'en juin, à l'hôtel Istria, rue Campagne-Première. Sa rencontre avec Mary Reynolds aura lieu vers le milieu de juillet.

Comme ses manipulations du langage l'avaient conduit aux jeux de mots, ses recherches sur les nombres l'aiguillèrent bientôt vers les jeux de hasard. Tout en s'adonnant de plus en plus aux échecs, il mit au point une méthode mi-plaisante, mi-sérieuse, destinée à lui assurer des revenus réguliers à la roulette de Monte-Carlo. Il émit à cet effet un emprunt de quinze mille francs, divisé en trente obligations de 500 francs chacune, remboursables par « tirages artificiels » et portant l'intérêt quelque peu usuraire de 20 %. Ces obligations sont conformes au modèle connu, sauf que le visage de Duchamp, couvert de savon à barbe et surmonté de cornes faunesques ou diaboliques, s'y détache sur les cases d'une roulette. Le calembour : « *Moustiques domestiques demi-stock* », imprimé à l'infini en petites italiques vertes, sert de fond de sûreté. L'émission, datée du 1er novembre 1924, est avalisée par le Président du Conseil d'Administration, Rrose Sélavy. Au verso, un extrait des statuts informe que la Société a pour objet « ... l'exploitation du Trente et Quarante et autres mines de la Côte d'Azur sur délibération du Conseil d'Administration ». Duchamp expérimenta réellement son système à Monte-Carlo et il précisa, non sans fierté, qu'il parvint à ne rien gagner et à ne rien perdre, ce qui était, pour lui, le comble de la réussite financière. Sur ce point, il allait jusqu'à tenir sa martingale pour infaillible, mais il affirmait aussi qu'en l'appliquant avec beaucoup de persévérance pendant une période assez prolongée, on peut en espérer un bénéfice équivalant au salaire d'un employé consacrant autant d'heures à son travail que le joueur au casino.

Sans être couverte, l'émission tenta deux obligataires au moins qui furent Marie Laurencin et Jacques Doucet. A ce dernier, Duchamp se fit un devoir de verser la première annuité d'intérêts, soit cent francs.

En 1924, Breton publiera son premier *Manifeste* et *La révolution surréaliste* va paraître sous la direction de Pierre Naville et de Benjamin Péret. Dada qui est alors définitivement en déclin ne se signale plus que par certaines survivances dont les surréalistes ne tarderont pas à s'impatienter. On ne saurait trop souligner le revirement qui s'opère à cette époque dans l'état d'esprit des milieux d'avant-garde, dont l'exaltation s'accommode de moins en moins de la dérision systématique. Le film *Entr'acte* de René Clair où Duchamp se produit avec Satie, Man Ray et Picabia pourrait être facilement tenu pour une dernière poussée du dadaïsme. De même pour *The Wonderful Book* de Pierre de Massot où sont transcrits des jeux de mots de Duchamp. Plus discutable encore aurait pu être sa participation en qualité de danseur nu (mais pourvu d'une fausse barbe) à l'unique représentation de *Relâche,* ballet de Picabia et Satie, monté par Rolf de Maré au théâtre des Champs-Elysées. Pourtant, pour délicate qu'elle fût, sa position ne paraît pas en avoir été le moins du monde affectée. Breton le cite dans le *Manifeste* et le texte de *Littérature* est intégralement réimprimé dans *Les pas perdus.*

C'est à la liberté dont il use également envers tous et dont nul ne songe à lui tenir rigueur, tant elle paraît chez lui l'exercice d'un droit naturel, qu'il doit d'être mis sans cesse hors de cause par consentement tacite. Qui pourrait se permettre de lui demander des comptes ? Il apparaîtra ou disparaîtra toujours à l'improviste, sans même envisager de s'astreindre, ne fût-ce que par intermittence, à la ponctualité des réunions dans les divers cafés où se tiendront les assises. Il lui arrivera de surgir à des instants de véhémence suprême et de la dissiper d'un mot que l'on eût facilement pu tenir pour cynique, mais jamais son « ironisme d'affirmation » ne sera confondu avec celui des négateurs. Au surplus, une telle capacité de subversion restait en lui constamment disponible qu'on ne faisait jamais appel à son concours en vain dans les moments difficiles. Il prodiguait alors ses idées et ses efforts avec la générosité de la vraie richesse.

Pourtant l'exceptionnelle immunité dont il a joui dans le groupe surréaliste demeurerait inexplicable si l'on ignorait à quel point Breton y a constamment veillé. Celui-ci fut le premier et longtemps le seul en France à comprendre ce que Duchamp représentait d'irremplaçable. Son rôle dans la création du « mythe Duchamp » est d'une telle importance qu'on peut se demander s'il n'en est pas le principal inventeur. Il n'a rien négligé pour en assurer par tous les moyens la propagation [1].

En 1925, Marcel perdit sa mère et son père. Ces époux unis moururent l'un après l'autre, à une semaine de distance. En juillet, Duchamp partit pour Nice où il prit part à un tournoi d'échecs dont il dessina l'affiche. Il parcourut ensuite l'Italie et c'est à son retour qu'il termina sa *Rotative demi-sphère,* nouvel appareil d'optique de précision mais beaucoup plus élaboré que les plaques de verre de 1920. Des cercles réguliers formés par celles-ci, Duchamp était passé

1. Patrick Waldberg, dans sa biographie peu banale de Max Ernst, part d'un point de vue différent pour ajouter d'autres pièces au dossier déjà touffu de cette époque.

avec Man Ray à des études de spirales, d'abord esquissées à New York en 1920, dessinées rue La Condamine en 1921, filmées enfin à Puteaux, chez Jacques Villon, à l'aide d'une caméra venue d'Amérique.

La *Rotative demi-sphère* permettra de reproduire à volonté ces effets de spirales en faisant tourner électriquement la surface convexe où les courbes ont été peintes en blanc sur noir. La demi-sphère, encastrée dans un disque tendu de velours noir mais pouvant être lui-même recouvert d'un autre disque de cuivre, est posée sur un pied métallique comportant un petit moteur à la base. Quant aux spirales, elles sont obtenues par la combinaison de deux cercles tournant l'un au-dessus de l'autre, de centres différents. L'image ainsi réalisée tourne ensuite sur un troisième centre pour n'être regardée que d'un œil, dit Duchamp. La demi-sphère est d'ailleurs conçue à la façon d'un œil animé d'un mouvement de rotation, sorte de gigantesque cyclope dont la prunelle sert d'écran à de suggestives métamorphoses. En outre, gravé sur le disque de cuivre qui encadre la demi-sphère et pivote avec elle, s'inscrit ce chef-d'œuvre d'allitération : *Rrose Sélavy et moi esquivons les ecchymoses des esquimaux aux mots exquis.*

L'année suivante, en 1926, *Anémic Cinéma* (anémic est l'anagramme de cinéma) soude en un film l'alternance des spirales et des calembours tournant sur des disques. Neuf inscriptions en relief sont intercalées entre dix dessins et semblent leur servir de sous-titres. Les spirales primitives de la demi-sphère se sont décuplées et leur étirement fait apparaître des formes analogiques évoquant, sur le mode de la double image, des objets surprenants qui se désagrègent aussitôt pour en laisser surgir d'autres également éphémères. Comme toujours chez Duchamp, ces formes sont aussi chargées d'allusions sexuelles par la succession calculée des contractions et des dilatations.

Il suffit de revoir *Anémic Cinéma* pour se rendre compte à quel degré ce film de très court métrage, que Duchamp signa de ses empreintes digitales, est en avance sur son temps. Morphologiquement, il est à la pointe des recherches dites abstraites et, cinétiquement, par les illusions de relief qu'il réalise, il innove dans la direction lointaine encore du cinémascope et de l' « op-art ». Pour Duchamp lui-même, il constitue une sorte d'achèvement et comme le terme d'une longue poursuite.

On peut donc considérer que, ayant d'abord abandonné la peinture pour interrompre plus tard ses travaux d'ordre plastico-mécanique, Duchamp renoncera presque complètement à toute activité créatrice avant d'avoir atteint sa quarantième année. Dès lors, ses interventions se limiteront à des gestes de plus en plus espacés. Il lui suffira parfois d'un seul mot, faisant aussitôt histoire : c'est ainsi qu'en 1932 il baptisera « mobiles » les premières constructions animées de Calder. Quant au surréalisme, c'est en spectateur vivement intéressé mais distant qu'il en suivra le déroulement à travers ses crises et sans jamais subir, est-il besoin de le spécifier, la tentation des engagements politiques.

En revanche, devenu un joueur d'échecs de première force, il prendra part à de nombreux tournois internationaux, notamment en 1927 à Chamonix, en 1928 à La Haye, en 1930 à Nice et à Hambourg, en 1931 à Prague, en 1932 à La Baule et à Folkestone, etc. Il ne lui a manqué qu'un surcroît d'endurance pour accéder à la célébrité dans ce domaine. En 1932, il publiera, avec Halberstadt, un traité de jeu d'échecs : *L'opposition et les cases conjuguées sont réconciliées*[1]. On songe au problème d'échecs que Lewis Carroll a posé en tête de *De l'autre côté du miroir* et l'on sait que Raymond Roussel, se passionnant soudain pour les échecs vers 1932, fit paraître, après trois mois et demi

1. Pour composer ce titre sur la couverture du livre, Duchamp plaça des lettres découpées entre deux verres exposés au soleil et tira une photographie de la projection ainsi obtenue. Les manuscrits et documents concernant ce livre sont rassemblés dans une boîte dite par Duchamp *Boîte de 1932*.

de pratique, une formule concernant le mat du Fou et du Cavalier [1].

Parallèlement, Duchamp se livrait par intermittence au commerce d'art, ayant employé sa part de l'héritage de ses parents à quelques achats dans un dessein de spéculation, dit-il. On ignore s'il s'était fondé pour ses acquisitions sur le système « à montante » établi pour Monte-Carlo et le fait n'aurait qu'un intérêt épisodique si de nombreux contemporains — poètes, écrivains ou artistes — n'avaient également tiré de ce même négoce souvent le meilleur de leurs ressources. Depuis Félix Fénéon jusqu'à Tristan Tzara, en passant par Cravan (qui signait volontiers « Galerie Isaac Cravan »), Eluard, Breton, Péret, Aragon, Mesens, Roché, Viot, Hugnet et bien d'autres, dont des aventuriers à l'état pur, tel Maurice Sachs et même des romanciers à succès comme Maurice Bedel, qui fut président de la Société des Gens de Lettres, cet expédient semble avoir servi d'appoint indispensable entre les deux guerres. Certes il paraissait d'autant plus providentiel aux poètes qu'il leur permettait d'accentuer encore leur intransigeance quant à leurs propres écrits. L'inauguration de la Galerie Surréaliste, rue Jacques-Callot en 1926, donna lieu à des manifestations d'ordre assez peu commercial, l'accord entre les poètes et les peintres qu'ils défendaient étant alors sans nuages.

Pourtant le désir de lutter contre la société capitaliste à l'aide de ses propres armes n'était pas le seul mobile de ce métier accessoire qui trahit aussi un besoin plus profond encore : celui de désacraliser les œuvres d'art au moment où notre époque tend précisément à les investir d'une valeur suprême. Ainsi s'exprime à leur égard l'ambiguïté des poètes

1. L'unique rencontre de Duchamp et de Roussel eut lieu à cette époque au café de la Régence où ils jouèrent un jour aux échecs à des tables voisines. Duchamp reconnut Roussel mais ne lui parla pas, pour ne pas s'exposer à une éventuelle rebuffade.

qui les exaltent toute en les redoutant. L'œuvre qui passe de main en main se déprécie affectivement tandis que sa valeur vénale augmente. C'est en faisant d'elle un objet de commerce, c'est en vivant des profits qu'ils en tirent que les poètes s'en estiment libérés. « Avoir acheté quelques tableaux, ne pas m'en être rendu esclave, on juge du crime... », répond en 1930, dans le *Second Manifeste,* André Breton que ses anciens amis harcèlent déjà.

Pour Duchamp qui a été peintre, la volonté libératrice est encore plus flagrante : c'est un nouveau pas vers le détachement. Les œuvres d'art à vendre seront pour lui des ready-made qu'il dédaignera de signer puisqu'ils le seront déjà par d'autres. Il pourra en dire comme jadis de *Fontaine* : « Que M. Mutt les ait fabriqués de ses propres mains ou non, peu importe. Il les a choisis. »

Bientôt il n'hésitera même plus à participer à des transactions portant sur ses propres œuvres qu'il s'était cependant efforcé jusqu'ici de maintenir en dehors du circuit économique. Walter Arensberg, ayant décidé d'en acquérir le plus grand nombre possible pour sa collection de Los Angeles, finit par organiser une véritable chasse à laquelle Duchamp ne refusera pas de prêter son concours. Il prendra donc part sans sourciller à la revente, à des prix parfois considérables, des tableaux ou objets qu'il avait distribués à ses amis.

C'est dans le cadre de ces opérations commerciales qu'il fit vendre le 8 mars 1926 à l'Hôtel Drouot un ensemble qu'il avait réuni de tableaux et de dessins de Picabia. En octobre de la même année eut lieu à Paris la première vente après décès de la collection John Quinn. Appelé par Joseph Brummer, Duchamp se rendit alors à New York pour la préparation d'une exposition Brancusi [1] dont un groupe de

---

1. Au cours des expositions de Brancusi que Duchamp organisa successivement aux Etats-Unis, les deux amis entretinrent une correspondance suivie, laconique et codée où ils se désignèrent tout deux du prénom de Maurice.

sculptures dépendait encore de la sucession Quinn. Il en fit l'acquisition grâce à l'appoint financier de H. P. Roché et de Mme Rumsey. Il acheta également trois de ses tableaux que John Quinn avait possédés : l'étude pour le *Nu descendant un escalier,* les *Joueurs d'échecs* de 1912, qui devaient aboutir plus tard chez Walter Arensberg, et *A propos de jeune sœur,* que H. P. Roché conserva.

En octobre 1926, il avait loué son atelier du 11, rue Larrey où il ne s'installera qu'en mars 1927, à son retour des Etats-Unis. Encore faut-il enregistrer à ce moment le court intermède de son premier mariage, qui eut lieu en juin pour se rompre en octobre, avec Lydie Sarazin-Levassor.

Les six années de son nouveau séjour en Europe jusqu'en 1933 seront surtout consacrées, comme on l'a vu, aux tournois d'échecs. Son seul ouvrage de cette période, la fameuse porte qui en remplace deux, rue Larrey, est strictement à usage domestique. Ses contacts avec le groupe surréaliste et les milieux d'avant-garde en général seront moins suivis [1]. On le retrouve en Espagne avec Katherine Dreier en février et mars 1929 et en mai chez Kandinsky au « Bauhaus » de Dessau, mais, dès 1932, définitivement lié avec Mary Reynolds, il résidera fréquemment dans le petit hôtel qu'elle occupe 9, rue Hallé ou dans sa villa de Villefranche. Une nouvelle exposition Brancusi chez Brummer le conduira aux Etats-Unis d'octobre 1933 à janvier 1934. C'est alors qu'il préparera l'édition de sa *Boîte verte* qui sera publiée en septembre avec la mention « édition Rrose Sélavy 18 rue de la Paix Paris ». C'était l'adresse d'une banque américaine qui fit faillite peu après.

---

1. Dans le *Second Manifeste* (1930), André Breton lui en fait quelque peu grief : « Libre n'était pas à Duchamp d'abandonner la partie qu'il jouait aux environs de la guerre pour une partie d'*échecs* interminable qui donne peut-être une idée curieuse d'une intelligence répugnant à *servir* mais aussi — toujours cet exécrable Harrar — paraissant lourdement affligée de scepticisme dans la mesure où elle refuse de dire pourquoi. » Bientôt, pourtant, l'apparition des objets surréalistes *à fonctionnement symbolique* allait remettre en évidence le caractère véritablement prémonitoire des ready-made.

En dépit de sa présentation discrète, la *Boîte verte* ne passa pas inaperçue et quelques mois plus tard André Breton faisait paraître, dans *Minotaure, Phare de la Mariée* auquel toute une génération est redevable d'avoir vu clair sur Duchamp. La couverture de la revue reproduisait un des *Rotorelief* dont l'édition devait figurer au Concours Lépine en octobre. Il s'agit de douze dessins sur six disques optiques (recto verso) à effets de spirales dont deux seulement sont identiques à ceux d'*Anémic Cinéma*. Chacun des dessins se pare d'un titre évocateur de l'illusion optique qu'il doit susciter au rythme de 33 tours par minute s'il est observé plutôt d'un œil que de deux. Avec cette édition de 500 exemplaires et une réédition de 1000 en 1953, l'expérience de Duchamp devait passer, au moins symboliquement, sur le plan de l'industrie.

Sept ans avant que Breton eût fait connaître en France l'existence du *Grand Verre,* celui-ci s'était brisé au retour de l'Exposition internationale d'Art moderne organisée par Katherine Dreier au musée de Brooklyn. Le haut et le bas, qui avaient été séparés et placés côte à côte dans une caisse, subirent le même choc et les fêlures se superposent exactement. De cette coïncidence on en a déduit plusieurs autres peut-être moins exactes, par exemple que les cassures auraient été tracées à l'avance en 1914 par Duchamp dans les *Réseaux des stoppages*. Toujours soucieux de précision, Duchamp déclare qu'il n'en est rien et met tout au compte du hasard. Une certaine similitude entre les fêlures du *Grand Verre* et *Réseaux des stoppages* autorise néanmoins cette intrusion dans le domaine des phénomènes *psi*.

Aussi bien l'accident ne fut découvert qu'après plusieurs années de séjour du *Grand Verre* dans sa caisse, ce qui explique pourquoi il n'alla procéder aux réparations qu'en mai 1936. L'épreuve fut minutieuse et ardue mais on imagine difficilement aujourd'hui le *Grand Verre* intact, sans le filigrane que le destin et le temps y ont imprimé.

S'il avait avancé de peu son voyage, Duchamp aurait pu

voir le *Nu descendant un escalier* à l'exposition « Cubism and Abstract Art », ouverte jusqu'au 19 avril au Museum of Modern Art de New York. Il n'en fit rien mais, plus typiquement encore, la perspective de l'inauguration prochaine, le 9 décembre, au même musée, de l'exposition « Fantastic Art Dada Surrealism », où Alfred Barr lui réservait une place prépondérante, ne l'incita pas à différer son retour en France qui eut lieu le 2 septembre comme prévu.

Il ne se dérangea pas davantage lorsque fut organisée en son absence à l'Arts Club de Chicago, en février 1937, la première exposition particulière de ses œuvres[1]. Des activités plus obscures mais plus attachantes, parce que moins personnelles sans doute, moins liées à ses préoccupations intimes, lui servaient d'alibis : sa chronique des échecs au quotidien de gauche *Ce soir,* lancé par Aragon, ou la présentation par la revue *Orbes* de ses *Rotorelief* dans un cabaret dénommé symboliquement « La Cachette », ou l'aménagement de « Gradiva », la galerie d'André Breton, rue de Seine, dont la porte de verre fut découpée par ses soins en forme d'ouverture figurant un couple.

En 1938 il participera en qualité de « générateur-arbitre » à la préparation de l'Exposition Surréaliste. C'est à son initiative que seront dus les 1200 sacs de charbon suspendus au-dessus d'un brasero électrique. Les assureurs ayant émis malgré tout de sérieuses réserves, Duchamp refusera catégoriquement de tenir compte des risques d'incendie qu'aggravait quelque peu la présence de ses portes « revolver[2] », mal adaptées au rôle de sorties de secours.

Une autre entreprise l'occupait depuis quelque temps : la mise au point d'un musée portatif où la plupart de ses œuvres marquantes seraient groupées en reproductions de petit format. Ce fut sa *Boîte-en-Valise* dont une édition limi-

1. Notons qu'en janvier 1927 il s'était rendu au Chicago Arts Club pour installer une exposition Brancusi.
2. En anglais : *revolving doors.*

tée à vingt exemplaires devait paraître en 1938. Il est caractéristique qu'un an avant la guerre Duchamp ait ainsi prévu de faire ses bagages et de les réduire à un volume aussi peu encombrant. En effet, sous l'occupation allemande, muni grâce à son ami Candel d'un « Ausweis » au titre de marchand de fromage, il put au cours de plusieurs voyages transporter des *Boîtes-en-Valises* à Marseille, d'où il les emporta aux Etats-Unis pour tout viatique, avec la mince plaquette de ses calembours recueillis en 1939 par les éditions G.L.M.

En juin 1942, Duchamp se trouva donc de nouveau à New York pour y passer la guerre. Il s'y distingua plus que jamais des exilés novices de la « Voix de l'Amérique », alors qu'aucun problème pour lui ne parut jamais se poser. On savait qu'il habitait 210 West 14th Street un petit atelier où bien peu furent introduits. Le bruit courut que, pour vivre, il donnait de nouveau des leçons de français ou d'échecs, mais nul ne se serait permis de l'interroger lorsqu'il apparaissait, toujours très détendu, aux réunions dont Breton fournissait généralement le prétexte. Dès l'automne de 1942, il organisa en compagnie de Breton l'Exposition Surréaliste de New York. Ses innovations nombreuses comportaient notamment un inextricable enchevêtrement de ficelles qui obligeaient les visiteurs à des contorsions peu propices au maintien de leur équilibre et de leur dignité [1]. En 1943, le n° 2-3 de *VVV*, la revue créée à New York par André Breton et Max Ernst, fut pourvu par Duchamp d'une couverture ready-made et son collage *George Washington,* refusé à un concours de *Vogue,* parut dans le n° 4. En 1944, lors de l'exposition « Color and Space in Modern Art »,

---

1. Le feu, qui ne s'était pas déclaré dans les sacs à charbon de Paris, brûla un kilomètre de ficelle lors de l'accrochage. Quelques enfants, que Duchamp avait invités, animèrent de leurs jeux le vernissage officiel. Le collage *A la manière de Delvaux* date de ce moment.

une salle fut dédiée à Duchamp, à Jacques Villon et à Raymond Duchamp-Villon. Cette idée fut reprise l'année suivante par la « Société Anonyme ». Auparavant Marcel avait organisé chez Julien Levy l'exposition « The Imagery of Chess » où il montra un jeu d'échecs miniature de type industriel, flanqué d'un gant de caoutchouc. Enfin le numéro spécial de *View* en 1945 apporta sur lui la documentation de base qui faisait jusqu'alors défaut. On y vit s'inscrire pour la première fois le terme « Infra-mince ».

L'exposition du *Grand Verre,* prêté au Museum of Modern Art de New York pendant la guerre par Katherine Dreier, n'avait pas peu contribué à ce regain de notoriété. La vitrine qu'il disposera chez Brentano, puis au Gotham Book Mart, à New York en 1945 lors de la publication d'*Arcane 17* d'André Breton, créera une sorte de scandale comme l'année suivante sa jaquette et sa couverture pour *Young Cherry Trees Secured Against Hares,* où le visage de Breton est découpé dans une reproduction de la statue de la Liberté, ce qui fut un double sacrilège. De retour à Paris en 1946, il préparera avec Breton l'Exposition Surréaliste de 1947 mais repartira pour New York avant son inauguration, laissant à Kiessler le soin d'assurer l'agencement final et se bornant à marquer de son seing, en l'occurrence un sein de caoutchouc-mousse monté sur velours noir, la couverture du catalogue. Le relief en plâtre, lui aussi monté sur velours, exécuté à New York en 1948-1949 devait être littéralement escamoté par Maria Martins qui l'emporta bientôt à Rio de Janeiro. C'était pourtant, après un dessin au crayon, la première apparition du *Nu* sans tête et au pubis glabre du futur *Etant donnés...* mais Duchamp se garda d'y faire allusion [1].

Depuis 1941, la « Société Anonyme » faisait partie intégrante de l'université de Yale et, en collaboration avec Katherine Dreier et George Heard Hamilton, Duchamp en

1. Mme Duchamp conserve de ce *Nu* une autre étude à la gouache sur plexiglas transparent et perforé.

dressa le catalogue, lequel, lorsqu'il parvint à Paris en 1950, provoqua quelque surprise. Une trentaine de notices sur des artistes contemporains dont Braque, Chirico, Derain, Gleizes, Klee, Léger, Matisse et Picasso, avaient été rédigées par Duchamp d'un ton très élogieux. On y cherchait en vain les traits de son esprit caustique, pourtant si longtemps dirigé contre la plupart de ces peintres. On dut se rendre à l'évidence : le vide du rôle de censeur lui était apparu. Par des louanges indifféremment décernées, il tenait bien mieux ses distances.

Bientôt il allait assister à la disparition successive de plusieurs de ses amis intimes : en 1950, Mary Reynolds au chevet de laquelle il parviendra de justesse, à Paris ; en 1952, Katherine Dreier ; en 1953, Francis Picabia [1] quelques jours après Louise Arensberg que Walter devait suivre au début de l'année suivante. Ceux-ci, dès 1950, avaient fait don au musée de Philadelphie de l'ensemble de leurs collections qui ne comptent pas moins de quarante tableaux et objets de Duchamp. Katherine Dreier y avait joint le *Grand Verre,* partageant d'autres œuvres entre le Museum of Modern Art de New York et la Société Anonyme de Yale.

C'est dire que la France dans tout cela faisait piètre figure puisqu'il fallut attendre 1952 pour que l'on pût revoir provisoirement à Paris, grâce au critique américain J. J. Sweeney, le *Nu descendant un escalier* et la *Mariée* à l'exposition « L'Œuvre du XXe siècle ». En 1953, Duchamp fut de nouveau représenté, quoique insuffisamment, au musée d'Art moderne, lors de la rétrospective du cubisme.

Sortant soudain de sa réserve à New York en 1950, il confectionnera deux « sculptures » : l'une, intitulée *Not a shoe,* s'épanouira dans l'autre, nommée *Feuille de vigne*

---

1. Ce fut l'occasion de l'inquiétant télégramme : « Francis, à bientôt. » Une exposition Picabia-Duchamp eut lieu peu après chez Rose Fried, qui avait organisé en 1952 l'exposition « Duchamp frères et sœur, œuvres d'art », dont il a été question plus haut. Duchamp prit également une part prépondérante à l'exposition « Dada » de 1953 à la galerie Sidney Janis. D'août 1953 date *Clair de lune sur la baie à Basswood,* dessin rehaussé de poudre de talc et de chocolat.

femelle, moulage simulé de l'organe féminin. Puis vint *Objet-dard* (1951) et, dernier objet de cette suite érotique, le *Coin de chasteté,* qui fut le cadeau de mariage du célibataire à Teeny (Alexina) Sattler qu'il épousa le 16 janvier 1954 à New York. En novembre de la même année, tous deux se rendirent en France pour un séjour de trois mois.

Ceux qui incarnaient alors à Paris le pouvoir intellectuel semblèrent s'apercevoir enfin que Duchamp existait. L'hebdomadaire *Arts* et *Les Nouvelles littéraires* lui demandèrent des interviews auxquelles il se prêta sans se départir de son naturel, suggérant à Alain Jouffroy, dans l'une, d'abolir l'idée de jugement, tout en affirmant à Michel Sanouillet, dans l'autre, qu'il n'était qu'un « respirateur ». Une lacune chaque jour moins justifiable restait à combler au Musée national d'Art moderne. On y parvint grâce à l'acquisition d'un des rares tableaux de Duchamp qui fussent restés en France : l'esquisse pour *Les joueurs d'échecs.*

En janvier 1956, la télévision américaine lui consacrait un programme de la série « Elderly Wise Men » ou « Les vieux sages ». Au même moment, les versions n° 1 et n° 2 du *Nu descendant un escalier,* venues de Philadelphie, suscitaient un grand mouvement de curiosité chez Sidney Janis à New York, où elles étaient confrontées avec d'importantes œuvres cubistes.

Une nouvelle exposition des « Trois Frères », inaugurée à New York en janvier 1957 au musée Solomon Guggenheim par James Johnson Sweeney et comportant douze tableaux ou objets de Marcel, se déroula dans un climat d'euphorie. Au Texas, où le musée de Houston l'abrita ensuite, elle fut rehaussée du faste d'un débat sur les destinées de l'art. Duchamp y fit sa fameuse harangue sur le « Processus créatif » et il griffa de ces séances ce bref rapport avec son habituelle absence d'emphase : « ... trois jours de cirque à Houston où j'ai joué mon rôle de pitre artistique aussi bien que possible. »

Cette raillerie systématique souvent dirigée contre lui-même ne l'empêchait pas, on l'a déjà vu, de se portraiturer à l'occasion. Si ses *Autoportraits de profil* (1958-1959) sont d'un aspect impassible, ils sont signés « Marcel déchiravit » parce qu'ils étaient faits de papiers de couleurs déchirés à la main et leur surface reste strictement plane [1]. En revanche, *With my tongue in my cheek* le représente de profil également mais en relief de plâtre, la joue gonflée par la grimace moqueuse. Autre relief, *Torture-morte* ne montre plus que son pied dont la plante est parsemée de mouches. *Sculpture-morte,* exécutée à Cadaquès pendant l'été de 1959 avec les deux objets précédents est une tête arcimboldesque composée de massepain et d'insectes agglomérés.

De cette époque date un dessin, *Cols alités,* projet qui parut alors énigmatique « *pour le modèle 1959 de* " *La Mariée mise à nu par ses célibataires, même* " » [2]. A la fin de 1959, Duchamp ayant accepté d'assurer avec André Breton la « régie » de l'Exposition Surréaliste de la galerie Daniel Cordier, consacrée à l'érotisme, il façonna pour l'édition de luxe du catalogue, outre sa *Boîte alerte* pour « missives lascives », un ready-made en deux parties visiblement mâle et femelle : le *Couple de tabliers.* C'est aussi sur son conseil que furent invités à l'exposition Jasper Johns et Robert Rauschenberg, deux peintres de la nouvelle génération américaine qui le reconnaissait pour précurseur.

On pourrait encore énumérer de lui plus d'une de ces œuvres parfois d'apparence éphémère mais qui attestaient la permanence et la vigueur de sa verve, de sa créativité, de sa férocité, même envers ses meilleurs amis. Témoins le gilet rayé de valet de chambre offert pour la vente au profit de Benjamin Péret en 1959 et le dessin destiné à la vente au profit de Pierre de Massot en 1961 et qui portait sur l'exté-

1. Les premiers de ces *Autoportraits* ont orné les exemplaires de luxe de mon livre de 1959 : *Sur Marcel Duchamp.*

2. Comme presque chaque année désormais, les Duchamp avaient passé une partie de leurs vacances d'été à Cadaquès mais *Cols alités* fut dessiné un peu plus tard au Tignet, près de Grasse, avec un autre *Paysage.*

rieur d'une vespasienne l'inscription manuscrite : « de Ma/ Pissot ierre/ j'aperçois/ Pierre de Massot ».

Ici se place l'épisode des « multiples » que devait marquer à Stockholm en 1961 la réalisation par Ulf Linde d'une copie, avec une légère variante dans les « Vêtements de la Mariée », du *Grand Verre,* approuvée et signée par Duchamp. Des répliques de ready-made furent également exposées à Stockholm dès 1960, à Amsterdam en 1961, à Stockholm en 1963 mais en 1964 l'entreprise prit plus d'ampleur à Milan où Arturo Schwarz édita et exposa, toujours avec l'accord de Duchamp, des séries de ready-made, fidèlement reproduits.

Ce retour au passé ne semble pas avoir affecté la veine inventive de Marcel (on sait à présent qu'il travaillait alors à son ouvrage monumental : *Etant donnés...*), mais dorénavant il utilisera plus volontiers des thèmes déjà anciens de son cru. Son affiche pour l'exposition du cinquantenaire de l'Armory Show en 1963 reprend une partie du *Nu descendant un escalier,* comme son autre affiche pour son exposition rétrospective de Pasadena la même année fait ressurgir le ready-made *Wanted* de 1923. En 1964 la gravure *Renvoi miroirique* évoquera *Fontaine* et *L'obligation pour la roulette de Monte-Carlo* de 1924 recouvrira la jaquette de *Ready-Mades, etc. 1913-1964,* l'ouvrage publié à Milan par Arturo Schwarz en collaboration avec Walter Hopps et Ulf Linde. Pendant l'été de 1965 à Cadaquès, Duchamp gravera sur cuivre neuf détails du *Grand Verre* pour illustrer le volume I du livre d'Arturo Schwarz : *The Large Glass and Related Works* qui paraîtra, en 1967, à Milan.

Seuls peut-être s'écarteront des modèles antérieurs la *Bouche-évier* (Cadaquès 1964), la gravure *Tiré à quatre épingles* [1] ou *Pulled at four pins* (Milan 1964), mais qui rappellerait, croit-on, un ready-made disparu en forme de

1. Une autre gravure du même titre illustrait 4 poèmes de P. de Massot (1959).

casque médiéval ou de girouette. Enfin le dessin préparatoire et le « pliage » de *La pendule de profil* mais qui réalisaient plastiquement une note de la *Boîte verte* sur le temps : « La pendule *de profil,* et *l'Inspecteur* d'espace » [1].

En 1965 Marcel sera dans sa soixante-dix-huitième année. Son frère Jacques Villon et sa sœur Suzanne étaient morts tous deux en 1963. Il faudra noter l'incidence sur sa fortune critique de deux expositions considérables dues au même organisateur, Richard Hamilton : celle de la collection Mary Sisler composée uniquement de ses œuvres et montrée à New York en janvier et février 1965, celle de la Tate Gallery de Londres en juin et juillet 1966. Il ne lui manquera plus qu'une consécration française qui lui sera finalement accordée en 1967 au musée de Rouen et au Musée national d'Art moderne à Paris.

Dans l'intervalle, il ne renoncera pas à s'exprimer au jour le jour par objets ou dessins interposés. A *L'échiquier de poche au gant de caoutchouc* (1966), évocateur de l'exposition « The Imagery of Chess » chez Julien Levy à New York en 1944 [2], va faire écho l'affiche de son exposition chez Claude Givaudan à Paris pendant l'été de 1967 : il y brandit sa main porteuse d'un cigare allumé réminiscent ou annonciateur du « bec Auer » d'*Etant donnés.* Le readymade *Pollyperruque* (New York, 1967) et le dessin « stéréoscopique » *Cheminée anaglyphe* (Cadaquès et Neuilly, septembre 1968) vont clore la série de ces étonnants messages.

Quant aux neuf planches gravées à New York de décembre 1967 à mars 1968 pour le volume II du livre d'Arturo Schwarz *The Large Glass and Related Works,* elles

1. Le « pliage » de *La pendule de profil* illustra mon livre : *La double vue* suivi de *L'inventeur du temps gratuit, op. cit.*

2. Cet objet a été reconstitué, autour d'un échiquier de 1944, sur les indications de Duchamp, qui a fait reconstituer aussi la *Porte pour Gradiva,* montrée à l'exposition « Doors » chez Cordier & Ekstrom. New York, 19 mars-20 avril 1968.

apporteront elles aussi leur charge de surprise. Elles constitueront comme un défilé final, précédant la chute du rideau, des visions fantasmées du peintre sur le thème des « Amants ». Elles traduiront en termes résolument figuratifs les situations érotiques les plus extrêmes, soit que Duchamp les ait vécues, transposées ou imaginées lui-même, soit qu'il les ait observées chez d'autres artistes avant lui. Ce sera un dernier catalogue ou un dernier aveu, mais pour la première fois explicite, de ses scrutations obsessionnelles d'insatiable voyeur.

7

MARCEL DUCHAMP. MAINTENANT ET ICI.
Dialogue avec Robert Lebel

Robert Lebel. — Mon cher Marcel, ce que vous nous apportez de plus incomparable, c'est votre liberté. Vous savez et vous faites savoir que vous ne devez de comptes à personne. Aussi ne peut-il être question pour moi de vous en demander mais la curiosité que vous m'inspirez depuis toujours reste si grande que vous me pardonnerez, peut-être, d'essayer de comprendre comment, ayant été d'abord un « refusé », puis très longtemps un « refuseur », vous êtes assez récemment devenu plutôt un « accepteur ». Il va sans dire qu'on ne saurait relever chez vous la moindre trace de résignation, de lassitude ou de complaisance. Je ne crois pas non plus que le titre de « sage » vous convienne exactement car vous êtes loin d'avoir abjuré votre cynisme et vos tendances autopunitives demeurent très prononcées. Vous n'en finissez pas de châtier en vous l'artiste qui fut et, à ce propos, vos amis vont encore de surprise en surprise. La dernière en date est due aux *Entretiens* que vient de publier M. Pierre Cabanne et d'après lesquels vous seriez un personnage simple, clair, constamment amusé ou ravi, « blagueur » et familier, donc parfaitement à la portée des habitués parisiens du théâtre et des galeries de boulevard. Aucun problème, aucun nuage, aucune intention secrète. Gianfranco Baruchello, le neveu de New York et de Rome, dans un article de *La Quinzaine littéraire,* a estimé que ces *Entretiens* étaient « dans le style exact où l'on interviewerait Jacques Anquetil, parmi les trophées et les maillots jaunes qui décorent son château ». Qu'avez-vous à dire de ce commentaire ?

Marcel Duchamp. — Les entretiens de ce genre sont foncièrement légers par leur formule elle-même. On les destine à un public qui les lit comme on « parcourt » *Match.* Il est possible, néanmoins, qu'ils contiennent de temps en temps des répliques-souvenirs d'une certaine portée. C'est pourquoi j'ai tenté l'expérience.

R.L. — Ce qui étonne aussi dans ces *Entretiens,* c'est la sorte d'agacement que vous témoignez à l'égard des interprétations éthiques, intellectuelles ou transcendantales de vos travaux et de votre personnage. D'Apollinaire suggérant qu'il vous serait peut-être réservé « de réconcilier l'Art et le Peuple » vous dites dédaigneusement : « Il a écrit n'importe quoi. » Vous n'êtes guère plus tendre envers André Breton qui s'est tant dépensé pour accréditer votre « mythe ». Quelques pointes contre lui auraient pu être éliminées avec profit des *Entretiens* mais elles vous ont sans doute échappé car pourquoi auriez-vous fait exception à votre règle de ne pas relire et d'oublier rapidement les textes qui vous concernent ? Vous rappelez-vous au moins ces phrases de *Phare de la Mariée,* publié par Breton en 1935 : « L'originalité se compose étroitement aujourd'hui avec la rareté. Sur ce point l'attitude de Duchamp, la seule parfaitement intransigeante, de quelque précautions humaines qu'il l'enveloppe, demeure, pour les poètes et les peintres les plus conscients qui l'approchent un sujet de confusion et d'envie. » Approuvez-vous toujours cette définition ou êtes-vous prêt à la répudier ? Croyez-vous qu'elle ait été le résultat d'un malentendu ? Jugez-vous à présent qu'en vous hissant sur le pavois surréaliste, André Breton portait atteinte à votre indépendance de « respirateur ». Est-ce pour démentir vos biographes trop exaltés ou trop « respectueux » que vous avez entrepris la désoccultation sarcastique dont vous voulez faire votre dernier chef-d'œuvre ? Dans ce cas, votre portrait d'un caractère « clownesque » si accentué, tel qu'il orne la couverture des *Entretiens*, et à condition que vous l'ayez choisi vous-même, prendrait toute sa signification « histrionique ».

M.D. — Je vous dirai tout de suite qu'on ne m'a pas consulté avant de reproduire mon portrait très « Footit » sur la couverture de devant des *Entretiens.* En ce qui concerne André Breton, les *Entretiens* étaient rédigés bien avant sa mort et je veux me désolidariser des citations désobligeantes qui ont été publiées après. On ne m'a pas consulté non plus pour ces publications. J'ai toujours dit que j'éprouvais envers Breton un sentiment de grande reconnaissance pour sa compréhension à une époque où il était seul à me dévoiler à moi-même. Je ne répudie donc rien de ce qu'il a écrit sur moi mais si je pense à d'autres écrivains — Apollinaire par exemple —, il est vrai que je me méfie d'une certaine enflure littéraire qui passe pour une traduction fidèle du visuel en écrit. La peinture est un langage en soi et ne devrait pas avoir besoin des littérateurs pour être comprise. C'est une tolérance de la part des peintres.

R.L. — Quel qu'en soit le responsable, ce portrait marque nettement le but avéré des *Entretiens* : dévaloriser l'artiste et surtout le dévaloriser *en vous.* Ce penchant n'est certes pas nouveau mais ce qui l'est davantage, c'est votre insistance à récuser toutes les implications « cérébrales » de vos travaux, par exemple du *Grand Verre,* dont l'élaboration serait uniquement d'ordre technique ou artisanal. Puis de dépréciation en dépréciation vous arrivez à dire : « Je ne considère pas que le travail que j'ai fait puisse avoir une importance quelconque » et enfin vous affirmez ne pas même croire en vous, ni d'ailleurs en rien. Cependant on vient d'exhumer et de publier en édition de grand luxe à New York la *Boîte blanche* intitulée : *A l'infinitif* et composée de fac-similés de notes manuscrites datant de 1910 à 1920 : un supplément inédit en somme à votre *Boîte verte* de 1934 et le moins que l'on puisse dire de la *Boîte blanche* est qu'elle confirme l'extrême complexité de votre pensée d'alors. En outre, si vous aviez perdu tout intérêt pour cette pensée, vous auriez déchiré ces notes au lieu de les conserver pendant trente ou quarante ans, ou vous auriez refusé de les laisser éditer au lieu de participer activement à leur publication comme vous l'avez fait. Avouez que votre comportement reste assez énigmatique, malgré l'apparente limpidité de vos *Entretiens*.

M.D. — L'art n'a pas d'excuse biologique. Ce n'est qu'un petit jeu entre les hommes de tous les temps : ils peignent, regardent, admirent, critiquent, échangent et changent. Ils trouvent là un exutoire à leur besoin constant de décider entre le bien et le mal. Logiquement, j'aurais donc dû détruire mes notes mais la logique n'étant pas non plus biologique, on se perd dans un dédale de conclusions illogiques pour arriver à un « sérialisme » irrationnel.

R.L. — Vous déclarez dans les *Entretiens* : « Je n'ai jamais eu de grands malheurs, de tristesse, de neurasthénie » et vous justifiez par « l'humour de jeux de mots : triste, train » le *Jeune homme triste dans un train* que vous avez peint vers la fin de l'année 1911. « Le jeune homme est triste parce qu'il y a le train qui vient après, précisez-vous. " Tr " est très important. » Vous admettez néanmoins vous être représenté vous-même, seul dans le compartiment, au cours d'un de vos voyages de Paris à Rouen où votre père était notaire retraité, mais vous ne dites pas pourquoi la toile bordée de noir a l'aspect d'un faire-part de deuil. Le *Jeune homme* triste étant une esquisse du *Nu descendant un escalier*, qui fut retiré du Salon des Indépendants en mars 1912, à la demande de vos amis peintres et de vos deux frères (vous confessez à M. Cabanne que « l'incident vous a un peu tourné les sangs »), ne croyez-vous pas que votre explication trop exclusive de cette situation par l'humour fasse penser à

Lautréamont qui, des *Chants de Maldoror,* refusés par son éditeur, passa aux *Poésies,* où il se corrigeait « dans le sens de l'espoir » ? Pour Lautréamont comme pour vous, n'était-il pas urgent de surmonter, par un recours systématique au sarcasme, l'inavouable humiliation que venait de subir l'artiste ? N'y aurait-il pas là, dans ce moment très court de désarroi du *Jeune homme triste,* la clé de votre détachement ultérieur, de votre « ironisme d'affirmation » et même de la pitrerie éventuelle des *Entretiens* qui coïncident, ne l'oublions pas, avec vos premières expositions dans des musées français à Rouen et à Paris, réparations très tardives de l'affront de 1912, à l'approche de votre quatre-vingtième anniversaire ?

M.D. — En réalité, la bordure noire du *Jeune homme triste* m'a surtout servi à cadrer le tableau pour le mettre à son échelle mais je reconnais que l'incident du *Nu descendant un escalier* aux Indépendants a déterminé en moi, sans même que je m'en rende aussitôt compte, une complète révision de mes valeurs. Votre parallèle entre mon cas et celui de Lautréamont, malgré d'inévitables différences, me paraît donc très soutenable, bien que je n'y aie jamais pensé.

R.L. — Il peut paraître invraisemblable qu'ayant publié sur vous un livre assez copieux en 1959, j'en sois encore à me poser tant de questions à votre endroit mais c'est justement depuis 1960 que l'on a constaté une évolution de votre attitude. En mai 1960, pour une petite exposition dans une librairie de Stockholm, Ulf Linde et P. O. Ultvedt exécutèrent de leur propre initiative des répliques de la *Roue de bicyclette* et de *Fresh Widow*. L'année suivante, à l'exposition du « Mouvement » à Amsterdam, on put voir une *Rotative plaque-verre,* copiée par Magnus Wibom, P. O. Ultvedt et K. G. Hultèn, ainsi qu'une *Porte du 11, rue Larrey,* reconstruite, par K. G. Hultèn et Daniel Spoerri. Vous auriez pu accueillir ces empiétements sans excès d'enthousiasme, comme jadis le *Rrose Sélavy* de Robert Desnos qui se prétendait en communication télépathique avec vous à travers l'océan, mais, tout au contraire, vous vous êtes empressé de vous rendre à Stockholm pour aider Ulf Linde à terminer sa copie du *Grand Verre* et pour la signer. Avez-vous ressenti comme des « appels attendus » ces gestes de vos admirateurs ? On le jurerait et peut-être vous ont-ils enfin déchargé du souci de « produire » vous-même. Vous y cédiez de moins en moins, certes, mais il vous arrivait encore de surprendre par l'intensité de vos capacités créatrices tandis que, désormais, vous vous bornerez à « laisser faire ». Ce qui ressemblerait à un renoncement chez un autre devient chez vous une libération. Est-ce bien cela ?

M.D. — J'ai acquiescé à ces premières copies dès que j'en ai entendu parler. Elles devaient donc correspondre à ce que j'attendais. Ayant toujours été gêné par le caractère d'unicité décerné aux œuvres d'art peintes, j'ai vu là une solution proposée par d'autres à mon besoin de sortir de cette impasse et de rendre aux ready-made la liberté de répétition qu'ils avaient perdue.

R.L. — Après ce premier lancement de satellites, vous en avez présidé d'autres. De nouvelles répliques de ready-made, réalisées par Ulf Linde avec votre assentiment et d'abord exposées à Stockholm, en 1963, ont finalement rejoint au Moderna Museet les copies précédentes, sauf la *Porte* qui avait été détruite à l'issue de l'exposition d'Amsterdam. On peut donc considérer que toutes ces reproductions constituaient à vos yeux un hommage d'ailleurs platonique, puisque vous n'en tiriez aucun profit, en dehors de la satisfaction compréhensible de voir se former en Europe comme un « relais » du musée de Philadelphie, où sont regroupés la plupart de vos « originaux ». Il restait à placer les répliques sur orbite commerciale et c'est à quoi s'est employé diligemment Arturo Schwarz lorsqu'il a édité en 1964, avec votre accord, quatorze séries de *Ready-mades, etc.* tirés à huit exemplaires numérotés. Une série supplémentaire hors commerce vous était réservée (ainsi qu'à Schwarz) et vous en paraissez enchanté visiblement car elle orne votre atelier de Neuilly.

M.D. — En effet, je suis très satisfait du soin presque fanatique avec lequel Schwarz a réussi à reproduire les ready-made. La *Roue de bicyclette* n'est pas n'importe quelle roue de bicyclette qui aurait eu la fourche courbe. Schwarz s'est donné la peine de faire copier la fourche droite de l'ancienne photographie. Si ces ready-made, qui ont vécu dans le noir pendant quarante, cinquante ans, reviennent sur l'eau, je ne vois pas d'objections à ce qu'on en fasse des éditions, comme pour des sculptures, puisque le *Porte-bouteilles* est reproduit à titre de sculpture dans le livre de Mme Giedion-Welcker.

R.L. — Vous avez certainement remarqué combien les premières répliques d'Ulf Linde semblent plus « esthétiques », plus « raffinées » que vos originaux, même, alors que celles de Schwarz sont entièrement dépouillées d'art et parviennent à la parfaite froideur. Elles répondent par l'affirmative à une question que vous posiez dans une note de la *Boîte blanche* : « Peut-on faire des œuvres qui ne soient pas " d'art " ? »

M.D. — Votre constatation est absolument exacte. Je n'ai pas contribué à l'exécution de la série de Stockholm mais je me suis occupé de celles de Milan au point d'en donner le « bon à tirer ». J'y veillais, voyez-vous.

R.L. — Vous n'ignorez pas les remous suscités par la relative prolifération de vos ready-made. Les répliques, celles que vous aviez faites ou choisies vous-même, n'excédaient guère une dizaine en trente ans. Devaient-elles rester rares tout en sapant la notion de rareté ? Le doute est dû, je crois, à l'ambiguïté de vos notes de la *Boîte verte,* celle notamment où vous envisagez de « limiter le nombre de ready-made par année » et celle qui est relative au « côté exemplaire du ready-made ». Vous avez trop vivement le sens des nuances les plus fines du langage pour que l'ambivalence de cette dernière note soit accidentelle. Tout pivote autour d'une formule à double face, selon que le mot « exemplaire » soit pris pour un adjectif et veuille dire : « qui sert d'exemple », ou bien pour un nom et signifie : « objet de type commun ». Je vous signale que vous avez approuvé successivement, à un an d'intervalle, ces deux interprétations antinomiques du même traducteur : George Heard Hamilton, qui a utilisé la première dans l'édition anglo-américaine de mon livre en 1959 et la seconde dans la version anglo-américaine de la *Boîte verte* en 1960.

M.D. — Malheureusement, je ne résiste jamais au plaisir d'allitérer mais je n'ai pas eu consciemment l'idée de faire une ambivalence là. Ai-je entrevu dans le mot « exemplaire » le sens de l'adjectif : « pour servir d'exemple » ? Cela me paraît probable ; cependant c'est d'abord le substantif qui s'impose actuellement à mon esprit : « l'exemplaire d'une chose fabriquée » en grande quantité justement.

R.L. — Les deux interprétations pouvaient donc être exactes selon le moment ou simultanément même ?

M.D. — Pourquoi pas ?

R.L. — Aujourd'hui, êtes-vous pour ou contre la prolifération ?

M.D. — Je ne vois pas comment je pourrais m'y opposer, même si je suis, en principe, contre. Il y a des roues de bicyclettes dans cinquante millions de maisons de bicyclettes. Une de plus, une de moins, la différence est négligeable et l'idée de ready-made n'en est pas modifiée pour autant puisqu'il s'agissait de tirer cette roue du milieu fonctionnel qui était sa raison d'être. Qu'on en reproduise vingt mille ou vingt millions, ce sera toujours un ready-made dès lors qu'on l'a décidé. L'important est là.

R.L. — L'opération mentale doit être considérée isolément, selon vous, en dehors de ses conséquences sur la productivité.

M.D. — C'est vrai. Que les gens fassent donc ce qu'ils veulent manuellement ou mécaniquement.

R.L. — Ils le font. En 1966, Richard Hamilton, l'organisateur de votre grande rétrospective à la Tate Gallery, franchissait un nouveau pas en cataloguant sous votre nom, de façon peu explicite, des copies ou même des pastiches de sa confection, d'après plusieurs de vos originaux les plus considérables : le *Grand Verre* (qui s'ajoutait à celui d'Ulf Linde), la *Glissière, Neuf Moules Mâlic, Tamis, Témoins oculistes,* sans compter divers dessins. Nous comprenons que seul son zèle d'organisateur l'avait entraîné à « étoffer » l'exposition, pour en faire « the greatest in the world » mais le résultat fut plutôt à l'inverse de ce qu'il espérait. Un mélange confus et disparate à ce degré, dans lequel le *Nu descendant un escalier,* le *Passage de la vierge à la mariée, Tu m',* la *Rotative demi-sphère,* spécialement déplacés d'Amérique, se trouvaient banalement confondus avec les répétitions, provoqua sur beaucoup de visiteurs un effet de malaise, vous l'avez su.

M.D. — Evidemment, les « choses » de Richard Hamilton ne m'ont pas rempli de joie mais on ne doit pas l'accabler, il s'est donné un mal de chien et, sans lui, rien n'aurait été fait. Si les regardeurs se sont trompés, c'est leur affaire. Ils vont au musée comme à l'église. On en parle au déjeuner deux minutes et cela n'a pas plus d'importance. Quant à distinguer le vrai du faux, l'imité de la copie, ce

sont là des questions techniques d'une imbécillité folle, entre nous.

R.L. — Les copies du *Grand Verre* peuvent donc, à votre avis, tenir lieu de l'original ?

M.D. — Ce n'est pas ce que je veux dire : une copie reste une copie malgré tout. A chaque époque les grands peintres ont fait copier leurs tableaux et, sans endosser les copies, ils n'en exigeaient pas la destruction. Celles du *Grand Verre* par Ulf Linde et Richard Hamilton sont bien plus proches de l'original intransportable que ne le seraient des photographies en noir ou en couleurs. Elles ont l'avantage d'avoir gardé les proportions exactes de l'échelle et elles ont un caractère authentique dans ce sens-là. Le reste, le petit plumet esthétique, elles ne l'ont pas — et j'en suis bien content — non plus que les cassures du verre, d'ailleurs. Tout cela va de soi pour ceux qui savent mais il y en a très peu. Il a toujours été dans mes habitudes d'en avoir très peu et je continue.

R.L. — Vous seriez donc attaché à l'ésotérisme bien plus qu'il n'y paraît dans les *Entretiens* mais, puisque vous tenez aux « happy few », auriez-vous été sensible à la déception de quelques jeunes gens qui croient en vous et que j'ai vus sortir de la Tate Gallery les larmes aux yeux ?

M.D. — Bien sûr, les larmes font bon effet dans le tableau. J'ai le plus grand respect pour les larmes qui sont un trait de la jeunesse mais leur verdict n'est peut-être pas définitif. J'adore être aimé mais pas au point de pleurer aussi. Vous comprenez, on n'a pas même ri de moi jadis, on peut donc pleurer un peu maintenant.

R.L. — Vous aviez répliqué sur le même ton lorsque je m'étais un peu inquiété, à tort peut-être, il y a quelques mois, de ce qui serait montré de vous au musée d'Art moderne cet été. Voici ce que vous m'écriviez de New York : « Votre note triste sur l'accueil que Paris me réserve me fait penser au ténor ou à la coloratura devant chanter pour la première fois à l'opéra de Toulouse ou de Rouen. »

M.D. — Et j'ai ajouté : « Dois-je avoir les foies ? »

R.L. — J'ai pu constater que vous ne les aviez pas lors de l'inauguration de l'exposition du musée de Rouen le 15 avril dernier. Cette reprise de contact avec votre Normandie natale n'avait rien d'un retour de l'enfant prodigue et le train du *Jeune homme triste* n'était pas arrivé jusqu'à Rouen ce jour-là. Vous étiez d'une exquise urbanité avec M. le Préfet aux Duchamps qui vous apportait, à vous et à votre famille, une bénédiction officielle très longtemps différée. Je m'émerveille, dans de telles occasions, de votre patience et de votre sourire. Cela devient un véritable ready-made vécu. Avez-vous au moins l'impression d'une revanche ?

M.D. — A peine. Je fais simplement, puisqu'on m'y oblige, mon métier d'homme public, le seul que j'exerce par intermittence.

R.L. — Si j'avais le courage ou l'innocence nécessaires pour écrire sur vous un nouveau livre, je l'intitulerais, parodiant Melville, *Marcel ou les ambiguïtés,* car, en votre compagnie, elles surgissent à chaque instant mais c'est pourquoi vous êtes un personnage aussi attachant et, en quelque sorte, inépuisable. Lorsque vous feignez de vous découvrir, comme dans les *Entretiens,* vous soulevez aussitôt de nouveaux problèmes et celui que pose, d'abord, votre participation aux entreprises les plus contradictoires. Dans le flot montant des exégèses, depuis que l'on vous tient, même en France, pour un grand homme, et en nous limitant à ce qui a paru ou paraîtra cette année, un « abîme » sépare le parti pris de superficialité plaisante des uns de l'effort de transgression des autres. Les *Entretiens* de M. Pierre Cabanne et *The World of Marcel Duchamp,* publié récemment à New York par Calvin Tomkins, diffèrent presque absolument de la préface de M. Bernard Dorival au catalogue de vos expositions de Rouen et de Paris, ainsi que de l'ouvrage d'Arturo Schwarz : *Psychogénèse et développement iconographique du Grand Verre* et du texte superbement poétique d'Octavio Paz : *Marcel Duchamp ou le château de la pureté.* Si l'on vous interroge sur vos préférences, vous vous contentez de sourire et, tout ce que l'on saura, c'est que vous ne dites jamais plus *non.* Votre attitude d'à présent me rappelle un propos de Max Ernst près de qui je viens d'assister à la projection d'une adaptation cinématographique de *La femme 100 têtes.* Je suis fort indiscret, vous vous en êtes aperçu. J'ai donc demandé à Max Ernst, après la représentation, s'il n'éprouvait aucune gêne à se voir « tripoté » de la sorte. « Pas du tout », m'a-t-il répondu, j'aime beaucoup être « tripoté ». Est-ce le mot de la fin ?

(1967)

8

DERNIERE SOIREE AVEC MARCEL DUCHAMP

Le 1er octobre, Teeny Duchamp nous ouvre la porte de l'atelier de Neuilly où nous sommes conviés à dîner. J'aperçois Marcel anormalement pâle sur son fauteuil et j'ai très fugacement la vision d'un de ces tableaux du XIXe siècle qui représentent les fins exemplaires des très grands sages ou des très grands artistes : Socrate, Caton ou Léonard de Vinci. Tout aussitôt cependant la vision se dissipe tant Marcel met d'entrain à nous accueillir et bien que j'aie intercepté une lueur d'inquiétude dans le regard de Teeny. La mémoire enregistre tout mécaniquement et restitue des prémonitions étonnantes.

Nous rejoignons Man Ray et Juliet, assis déjà près de Marcel, et nous échangeons les questions de rigueur sur nos santés respectives, Man Ray décrivant non sans humour l'état de la sienne et Teeny rappelant qu'à Cadaquès, cet été, Marcel a souffert d'un virus, qu'il prononce « birous » à la catalane. Plus que jamais alerte à capter au vol le moindre appel de langage, il ne manque pas de faire observer que le mot prête à calembour.

D'extraordinaires photographies prises récemment par Man Ray passent de main en main. L'une d'elles, commémorant le 81e anniversaire de Marcel, le montre acéphale et se couvrant à son niveau pubien d'un « birthday cake » planté de bougies érectiles. Hilare, il atteste qu'elles sont au nombre de dix, comptant chacune pour dix ans, ce qui lui assure un supplément d'au moins dix-neuf années de puissance mâlique.

Le repas s'entame sur cette note allègre, un instant perturbée par un soubresaut frileux de Marcel qui s'avoue incommodé par un « courant d'air » mais l'euphorie se rétablit bientôt autour de la table chargée de mets diligemment distribués par une Antillaise. Le faisan délicieux vaut à Teeny, rose de plaisir, les félicitations de Marcel, frugal pourtant plus encore qu'à son habitude et piquant avec prudence des bribes dans son assiette.

Il n'en allume pas moins son cigare au dessert et, regagnant son fauteuil, il feuillette devant lui un volume d'une nouvelle édition d'Alphonse Allais dont il nous dit qu'elle le comble de jubilation. » Ce sont les œuvres anthumes seulement, précise-t-il, les œuvres posthumes vont suivre *mais qui publiera les autres ?* « Rien, hélas ! ne peut en présence de Marcel me retenir sur la pente détestable de la contrepèterie et si j'annonce d'emblée mon intention d'écrire sur lui un autre livre qui séparerait nettement ses périodes *an-Tu m'* et *pos-Tu m'*, ma seule excuse est de rester dans le ton joyeusement macabre qui prévaut ce soir-là. Marcel éclate de rire, par goût de la surenchère sans doute, et il nous prend à témoin de sa gaieté, ce qui lui attire cette repartie de Man Ray : « Non, tu es triste, tu l'es depuis toujours puisque tu étais déjà le jeune homme triste dans un train. »

Ce que discerne l'affectueuse acuité de Man Ray me fait regretter d'avoir coupé court à l'évocation par Marcel d'un temps intermédiaire et faste à la limite de la vie et de la mort. J'aurais dû le prier de développer enfin cette notion, assurément non métaphysique, de « passage » qui m'intrigue chez lui depuis son tableau de 1912 : *Le passage de la vierge à la mariée.*

Ce qu'il venait de suggérer à propos d'Alphonse Allais prouvait bien qu'il y pensait encore et peut-être aussi qu'il s'estimait placé lui-même dans une situation de « transit » mais comment lui poser une question si directe et qu'il eût certainement esquivée ? Je l'entends alors relater que, s'étant dernièrement astreint à un voyage spécial pour assister à une conférence qui le concernait, il n'en avait pas entendu un seul mot car on l'avait *placé trop près* de l'orateur, explique-t-il.

L'enjouement général que suscite le récit de cet épisode incite Teeny à en confirmer l'exactitude et à me confier combien il lui est difficile de comprendre l'attitude de Marcel à l'égard de ses commentateurs. Non seulement il ne leur est d'aucun secours, mais il ne prend même pas la peine de les avertir de leurs erreurs et il les mettrait plutôt sur de fausses pistes. Elle en conclut que l'opinion qu'ils se forment de lui ne l'intéresse absolument pas.

Certes, je ne connais que trop son indifférence pour le délire interprétatif qu'inspire si souvent son cas mais la scène à laquelle j'assiste et dont je ne soupçonne encore que très confusément le caractère d'épilogue me semble ajouter un peu d'évidence à l'interminable mise à nu de Marcel Duchamp par ses quémandeurs, même.

On n'ignore plus qu'il a détruit une certaine signification de l'art mais il a rendu caduque aussi la forme apologétique dont l'exégèse d'art ne parvient pas à se dépouiller, fût-ce lorsqu'elle se prétend régénérée par son influence. Trop d'entre nous déjà se sont forgé une bonne conscience d'anti-artistes, sans renoncer pour autant aux tics qu'il a été le seul à s'interdire.

Depuis qu'on l'a publiquement « découvert », on a réussi seulement à faire de lui une « idole ». Il le sait et il ne cesse pas de se dérober à cette servitude. Il notifie sa résistance par un refus évasif et souriant de tout ce qui risquerait de le changer en « gourou » malgré lui, c'est-à-dire de tout ce qui pourrait ressembler à une confidence ou à une transmission de pouvoir.

S'il se laisse malgré tout interroger, il se place mentalement à l'écart, dans ce temps intermédiaire où il est à la fois visible et hors d'atteinte. Contrairement à saint Sébastien, ce patron des artistes dont il a pris ironiquement la pose dans une photographie de 1942, il n'accepte pas d'être la cible douloureuse des flèches voluptueusement décochées par les « regardeurs » et ses réponses sont des traits renvoyés qui manquent délibérément le but.

Placé trop près, ces trois mots prononcés comiquement tout à l'heure par Marcel résument l'essentiel de son échappatoire. Ainsi s'interprète mieux sa *Boîte-en-Valise* avec laquelle il put s'éloigner de son œuvre, en l'emportant réduite à un léger bagage.

Ainsi se justifieraient même les « répliques » tardives qu'il a tolérées parce qu'elles convenaient à son système d'isolation étanche. Elles médiatisaient des liens trop intimes pour être supportables et, à ses yeux, elles sont bien moins des œuvres que des attributs. Derrière l'écran de sa *Roue de bicyclette* toute neuve, il apparaît malicieusement à l'abri. Plus proche des autres et de lui-même aurait-il tenu si durablement jusqu'à ce soir, avec autant d'ostensible sérénité ?

Je me heurte une fois de plus à ces problèmes affectifs que soulève chacune de mes rencontres avec Marcel depuis un quart de siècle. De nouveau, je crois être parvenu à une conclusion que les événements vont immanquablement démentir. Nous prenons congé mais, bien que minuit ait sonné déjà, Marcel tient à nous accompagner à l'ascenseur et il reste debout sur le palier, longuement, sans nous quitter du regard. Emu, je sens renaître mon incertitude, me serais-je mépris sur sa volonté d'absence ? Son rayonnement, qui est particulièrement intense ce soir, ne suffit-il pas à faire de lui l'homme le plus communicatif que je connaisse ? Au retour, Man Ray, qui marche avec difficulté, glisse et s'écroule au moment de monter en voiture. Nous courons le relever mais il est indemne et il nous dit en s'esclaffant : « *You thought I'd dropped dead.* » Sa bouffonnerie nous gagne et nous le reconduisons chez lui en répétant tous : « drop dead », « drop dead », comme un refrain d'une irrésistible drôlerie. Une heure plus tard, Teeny m'avertit par téléphone que Marcel vient de « tomber mort ».

(Paris, novembre 1968)

Deuxième partie

ANALYSE DES ŒUVRES PRINCIPALES

1

LE *NU DESCENDANT UN ESCALIER* ET SES PERIPETIES

La réalisation du *Nu* est certes due à la convergence dans l'esprit de Duchamp de sollicitations les plus diverses, parmi lesquelles on ne doit omettre ni celle du cinéma encore à son aube, ni celle des « chronophotographies » dont les décompositions de mouvements étaient abondamment reproduites dans les revues de l'époque. Résolu d'abord à en finir avec les tergiversations qui s'éternisent autour du cubisme, il voit qu'il ne pourra s'en débarrasser qu'en le surclassant. Il le dotera donc d'emblée d'un mouvement qui lui fait jusqu'ici terriblement défaut. C'est en constatant cette insuffisance et en y pourvoyant sans tarder que Duchamp a pu faire l'économie du cubisme, tel qu'il s'absorbait alors dans le périple de l'objet immuable, et passer sans désemparer du « semi-réalisme » à l'expression « non figurative » du mouvement. C'est ici que doit se placer l'incidence futuriste dont il a compris aussitôt, et en quelque sorte stratégiquement, l'utilité pour un coup d'éclat. Morphologiquement, toutefois, le *Nu* ne s'apparente pas au futurisme avec lequel Duchamp n'a jamais pris contact [1]. Il s'en sépare d'ailleurs sans équivoque par l'introduction d'un élément ironique et en substituant à l'élan vitaliste qui caractérise les Italiens la ligne dépréciative de l'escalier que doit descendre le *Nu* dont le seul titre, au surplus, est pour un futuriste, autant que pour un cubiste, inadmissible. On se reportera,

1. Il n'a connu personnellement que Severini et il a rencontré Boccioni, probablement une seule fois, lors de l'Exposition Futuriste à Paris en février 1912, après que le *Nu* eut été déjà peint.

en outre, au poème de Laforgue « Encore à cet astre » qui exprime l'espoir de la destruction du soleil.

Peint dans des tons de bois strictement et bien qu'il soit souligné par son titre selon la méthode « nominaliste » qu'emploiera désormais Duchamp, le *Nu* se distingue par le fait qu'il n'existe pas, ou tout au moins qu'il n'est pas visible, puisqu'il est sanglé dans une sorte de gaine à soufflets qui le transforme en machine à descendre. Ce *Nu* est donc « habillé » dans une armure qui s'articule et c'est à cela que tiendrait, s'il y en avait une, la mystification.

Mais la plupart des implications de cette œuvre resteraient voilées si nous nous en tenions là. Coûte que coûte, il nous faut forcer, au risque d'une impardonnable indiscrétion, le seuil des premières explications un peu trop immédiates pour pénétrer vers les mobiles. Car si le *Nu* se suffit largement à lui-même esthétiquement et prend place ainsi parmi les œuvres capitales de l'heure, il se sépare d'elles par la multiplicité des plans sur lesquels il peut être envisagé. Quant aux éclaircissements que nous fournit l'humour, ils ne peuvent, si précieux qu'ils soient, prétendre à tout épuiser.

Le mouvement que souligne un pointillé sur la toile devra sans doute être également entendu au sens d'arrachement affectif. Cette mise en marche du monde à laquelle Duchamp procède serait donc aussi la projection de sa propre rupture avec un entourage auquel il se sent encore très attaché. Si l'on osait, on émettrait l'hypothèse qu'il s'est représenté lui-même, avec une amère clairvoyance, dans ce *Nu* descendant lentement vers la vie, encore maintenu par la carapace des habitudes. Dans ce cas, ayant mesuré ce qu'exhalait de mortel pour lui l'ambiance ouatée dans laquelle il s'était complu jusqu'alors, il n'aurait trouvé de solution que dans une mécanisation universelle des êtres, fonctionnant selon les lois vengeresses et dérisoires de « la beauté d'indifférence ». Si, d'ailleurs, nous nous reportons au *Jeune homme triste dans un train,* auquel Duchamp avouait s'identifier au cours d'un trajet vers Rouen et si nous constatons le lien étroit qui unit le *Jeune homme* au *Nu,* nous serons bien près d'établir le caractère autobiographique des deux tableaux, déjà parents par leur coloris austère, voire tragique [1].

Il suffirait alors de déceler dans la « chronophotographie » de la descente, en dehors de son symbolisme freudien, une allusion à l'inexorabilité du temps pour que le *Nu* devînt, entre autres choses, un sablier du nouvel âge, illustrant la vue intégralement pessimiste de Duchamp sur la temporalité.

Après son bannissement du Salon des Indépendants de mars 1912, le *Nu* fut montré à une exposition « d'art cubiste » à la galerie Dalmau de Barcelone (du 20 avril au 10 mai) et ensuite à Paris du 10 au 30 octobre au « Salon de la Section d'Or », et cela sans soulever d'aversion ni d'enthousiasme excessifs. Ce n'est que l'année suivante qu'il fit sensation à l'Armory Show de New York, organisée par des peintres américains plutôt timides.

Le plus surprenant, c'est que cette toile, après trois quarts de siècle, soit toujours considérée en Amérique comme ultra-révolutionnaire et qu'elle reste pour la plupart, initiés ou profanes, un sujet presque quotidien d'ébahissement, d'exégèse ou de plaisanteries.

Aucun tableau moderne, certes, ne suscite un intérêt public aussi soutenu et, même parmi les anciens, il n'y a guère que *La Joconde* qui soit nimbée d'un rayonnement et d'une problématique comparables. Apparemment, dans le *Nu descendant un escalier,* les Américains durent instinctivement reconnaître leur « anti-Joconde », leur *Joconde* iconoclaste qui leur ouvrait les yeux et soudain les plaçait visuellement sur un plan d'égalité avec l'Europe.

Duchamp fut-il surtout l'homme prédestiné de l'art américain ? L'histoire compte plusieurs de ces colonisateurs de la peinture qui partirent à la recherche ou à la conquête d'un terrain propice et le trouvèrent seulement très loin de chez eux. Pour survivre en France, Duchamp aurait dû s'accom-

1. *Le jeune homme triste* est entièrement bordé de noir.

moder de beaucoup d'images, celles de ses frères et sœur et beau-frère et amis, celles un peu condescendantes des cubistes installés et rivaux, sans oublier les siennes comme il en a peintes avec une virtuosité « rétinienne » qui lui donna bientôt la nausée.

En Amérique, la situation de la peinture n'était pas sans poser dans l'ensemble des questions analogues : trop d'images héritées, répétées ou subies. Le choc de l'Armory Show, où les artistes autochtones se révélèrent considérablement « en retard » sur l'Europe, réveilla un iconoclasme latent et fit naître l'espoir jusqu'alors interdit d'un saccage dont le *Nu* importait l'irrésistible exemple.

Bienvenu donc, lorsqu'il survint en 1915 en personne, ce jeune Français missionnaire de l'insolence, ce séducteur sarcastique, ce libérateur délibéré, cet évadé de l'échec, professeur d'échecs et d'évasion. Le geste de Duchamp, à son retour d'Amérique à Paris en 1919, affublant d'une moustache et d'une barbiche *La Joconde* convertie en ready-made, acheva de sceller le pacte de connivence. Acquis à l'Armory Show de Chicago par F. C. Torrey, le *Nu*, après quelques détours, revint aux Arensberg qui devaient en faire don, avec leur collection tout entière, au musée de Philadelphie dont il est, comme on dit, le « joyau » mais il est aussi l'engin à retardement qui, dans les années 40, provoqua l'éruption de l'art américain.

2

TRAVERSEE DU *GRAND VERRE*

" O Looking-Glass creatures ", quoth Alice,
" draw near ! " (Lewis Carroll)

Il nous reste à considérer le *Grand Verre* et d'abord à lever les yeux sur sa partie supérieure où la *Mariée* de 1912 a été mise en place antérieurement à la *Machine célibataire* du bas. Duchamp d'ailleurs ne nous laisse aucun doute quant à la prépondérance qu'il accorde à la Mariée sur les célibataires, puisque ceux-ci n'entrent en action que sur une invitation expresse de celle-là, laquelle, par un système de télécommunication tenant à la fois du « Mané, Thécel, Pharès » biblique et de la publicité lumineuse, leur intime ses commandements, ordres, autorisations, etc. En outre, la Mariée possède un « centre vie » et les célibataires n'en ont pas. « Ils vivent, écrit Duchamp, par le charbon ou autre matière première tirée non pas d'eux mais de leur non eux ». Plus privilégiée, la Mariée dispose de la « liberté des animaux en cage ».

Les notes de la *Boîte verte* sur *La Mariée mise à nu par ses célibataires, même* sont explicites sauf qu'elles varient souvent ou même se contredisent dans les détails. Duchamp a-t-il hésité entre des versions différentes ? A-t-il réintroduit de cette manière dans son œuvre les repentirs que l'exécution précise du *Verre* n'autorisait plus ? Sans doute aussi a-t-il envisagé simultanément plusieurs solutions pour exprimer ce que la psychologie féminine comporte traditionnellement d'insaisissable. Sa position relativiste est clairement exposée dans sa définition du « Pendu femelle » : « forme en *perspective ordinaire* dont on pourrait peut-être essayer de retrouver la vraie forme, cela venant de ce que n'importe quelle forme est la perspective d'une autre forme selon certain *point de fuite* ou certaine distance ». Contrastant avec la rigidité mâlique, la Mariée douée d'imagination, capable de feintes, se prête donc difficilement à la description structurelle que le lecteur attend de nous et qu'il nous faut cependant tenter.

On sait déjà que la « mise à nu électrique » s'effectue à la jonction des deux parties du *Verre*. Au-dessus des lignes médianes, figurant la robe à dégrafer, une sorte de tube à gauche monte au « rouage désir », partie constitutive, squelettique de la Mariée. C'est dans cette partie que « l'arbre type » a ses racines. L'ensemble de ces organes est désigné sous le nom de « Pendu femelle ».

Plastiquement, il s'agit donc des formes occupant dans le *Verre* l'extrême gauche de la partie supérieure, presque de haut en bas. Face à l'extérieur est découpé une sorte de profil humain, très schématisé, qui pourrait être celui d'une femme, coiffée d'un chapeau et le visage couvert d'une voilette ou d'un voile. « Volontairement ce " serait " la tête, nous a spécifié Duchamp, mais accidentellement vous y voyez un profil non volontaire. » Toujours est-il que cette « tête », se terminant en corps atrophié, semble « assise » sur un autre organe qui la relie à une ampoule placée en arrière et prolongée par un long col surmonté de deux petites cornes. Vers le bas, l'ampoule s'appuie sur une pédale de machine à coudre ou de scie articulée. Notre interprétation coupablement réaliste de ces formes n'a pour but que de les mieux situer, sans qu'il nous soit pour autant possible de déterminer, dans ce complexe, les emplacements réciproques des divers rouages énumérés dans la *Boîte verte,* tels que la « guêpe » ou « cylindre sexe » et le « moteur aux cylindres bien faibles », détails restés « intentionnels », nous confie Duchamp.

Pourtant il nous avait averti dans ses notes que le « moteur aux cylindres bien faibles, organe superficiel de la Mariée, est actionné par l'essence d'amour, sécrétion des glandes sexuelles de la Mariée, et par les étincelles électriques de la mise à nu (pour exprimer que la Mariée ne refuse pas cette mise à nu par les célibataires, l'accepte même puisqu'elle fournit l'essence d'amour et va jusqu'à aider à une complète nudité en développant de façon étincelante son désir aigu de jouissance) ».

« Intentionnelle » donc aussi « l'essence d'amour » ou « puissance timide » ou « sorte d'automobiline » ou « rosée » que le « cylindre sexe [1] » doit cracher au tympan pour nourrir la « matière à filaments » et servir à l'épanouissement de la Mariée. Ou bien serait-ce ce liquide qui colorerait en sombre dans le *Verre* certains organes servant de réservoirs ? Duchamp répond que cette substance, se trouvant « à l'intérieur », ne saurait être en aucune sorte visible. Quant aux parties teintées, on sait qu'elles figurent « l'ombre » d'une quatrième dimension.

Néanmoins, selon les lois les plus récentes de l'automation, la « mise à nu électrique » commande « l'épanouissement cinématique » du sommet. Graphiquement, au dire des notes, il y avait « nécessité d'exprimer d'une façon complètement différente du reste du tableau cet épanouissement » et de l'étendre le plus possible en surface. Il jaillit donc de la « tête », vers l'arrière, comme un sillage, pour se prolonger jusqu'à l'extrémité droite du *Verre*. Pourtant il n'est pas, comme on pourrait le croire, une émanation de la Mariée, mais la Mariée elle-même, représentée « cinématiquement » dans son état de « mariée à nu avant la jouissance ». De fait, l'épanouissement se présente sous l'aspect d'une « sorte de Voie lactée *couleur chair* » qui entoure « inégalement densément » trois « pistons de courants d'air », indiqués par trois carrés irréguliers [2].

L'emplacement occupé au tympan du *Verre* par l'épanouissement doit pourtant être aussi considéré comme un écran sur lequel se succéderont plusieurs images. Celle que le *Verre*

1. D'abord les « cylindres seins » dans les anciennes notes.

2. Pour déterminer leurs contours, trois photographies ont été prises d'un morceau de gaze tendu devant une lucarne ouverte. Le courant d'air agite la gaze et déforme le « carré » qui se dessine en transparence. C'est le « Piston de courant d'air », cliché photographique de ces opérations.

nous montre n'est en effet qu'une des phases de la « mise à nu » car les empreintes des pistons doivent servir de supports à une « inscription mouvante » qui transmettra les commandements du « Pendu femelle ». C'est la coordination électronique des phases successives qui assurera le « va-et-vient » entre les ordres de la Mariée et les réactions des célibataires. Ainsi les commandements devront constater l'éclaboussure en provenance du bas, ce qui leur sera loisible grâce à une méthode d'enregistrement régie par les « stoppages-étalon ». Neuf « tirés » ou points d'impact ont été percés au vilebrequin dans le *Verre* selon le tir de hasard d'un canon-jouet, projetant trois fois de trois points différents une allumette imbibée de couleur fraîche. L'éclaboussure dont on se souvient qu'elle a été « éblouie » à travers les « témoins oculistes » est renvoyée « miroiriquement » en haut et à droite du *Verre* et parvient aux neuf « tirés » pour être dûment contrôlée par les commandements. Notons donc que ceux-ci ne contrôlent pas les gouttes elles-mêmes mais leurs images, lesquelles ont subi préalablement l'épreuve d'un « système Wilson Lincoln » de voyeurisme articulé.

Quant à l'épanouissement proprement dit, il s'effectue en ellipse à partir de deux « foyers », celui du réel et celui de l'imaginaire, tous deux devant d'ailleurs se fondre en une « mixture inanalysable par la logique » pour former la couronne (ou auréole). D'une part, commandé électriquement et se rattachant au « moteur aux cylindres bien faibles », « l'épanouissement en mise à nu par les célibataires » aboutit à un mouvement d'horlogerie du type « horloges électriques des gares », le tout en métal mat (cuivre fin, acier, argent). D'autre part, « l'épanouissement en mise à nu volontairement imaginée de la mariée désirante » doit être le « développement affiné de l'arbre type » sur lequel il prend naissance en « rameaux » givrés de nickel et de platine, métaux dont était déjà composé « l'enfant-phare ».

Ajoutons qu'ayant doué sa machine du mouvement Duchamp l'a aussi voulue sonore. Il assimile donc ce deuxième épanouissement, à mesure qu'il s'éloigne de l'autre, à une voiture auto qui monte une côte en première vitesse. « La voiture, écrit-il, désire de plus en plus le haut de la montée, et tout en accélérant lentement, comme fatiguée d'espoir, elle répète ses coups de moteur réguliers à une vitesse de plus en plus grande, jusqu'au ronflement triomphal ».

Tel est très sommairement le résumé de la « mise à nu » qui doit s'accomplir en plusieurs temps dont, encore une fois, le *Verre* ne nous présente qu'un seul. Comme l'écrit Duchamp, à propos des formes de la machine, sa représentation matérielle n'est qu'un exemple en dehors de toute « situation mensurée ». Au surplus, il a toujours été dans ses intentions « de réduire le *Verre* à une illustration aussi succincte que possible de toutes les idées de la *Boîte verte* qui devait être une sorte de catalogue de ces idées ». « Autrement dit, conclut-il, le *Verre* n'a pas à être regardé pour lui-même mais seulement en fonction du catalogue que je n'ai jamais fait ».

Dès que l'on a reconnu dans le *Grand Verre* le plan d'une machine à aimer, sa disposition se précise : la machine mâle et la machine femelle fonctionnent séparément et sans aucun point de contact entre elles. L'horlogisme qui devait déclencher le dégrafage de la robe n'ayant pas été réalisé, la Mariée (comme le *Nu* qui n'en était pas un) n'est *pas* mise à nu par les célibataires. De plus, l'éclaboussure ne lui parvient que réfléchie dans un miroir, selon la technique éprouvée du coït interrompu, ce qui la laisse littéralement suspendue dans l'air : à mi-chemin entre la jouissance qui la ferait déchoir et l'épanouissement qui compenserait sa frustration.

Duchamp aurait-il ainsi livré si ostensiblement le fond pessimiste de son dessein ? Il ne verrait dans l'amour qu'un mécanisme simultané mais n'impliquant nullement l'union spirituelle ou même physique, la femme et l'homme agissant l'un sur l'autre *à distance* et sur des plans séparés, celle-là victime de ses illusions, se tenant toujours au-dessus du point de rencontre, celui-ci, prisonnier de ses instincts, se résignant à n'y jamais parvenir.

Le résultat serait en somme un onanisme à deux, conclusion que corroborerait l'adage de spontanéité : « Le célibataire broie son chocolat lui-même » et les litanies désabusées de la glissière : « Vie lente. Cercle vicieux. Onanisme. Horizontal. Aller et retour sur le butoir. Camelote de vie. Construction à bon marché. Fer-blanc, cordes, fil de fer. Poulies de bois à excentriques. Volant monotone. Professeur de bière. » Tous ces termes n'en exprimant jamais qu'un seul : ECHECS, dont, par goût inné des connotations, Duchamp aurait fait en quelque sorte sa devise.

Telle serait dans son implacable déroulement cybernétique la solution atterrante que nous apporterait ce tableau de ce que Michel Leiris appelle « l'atroce pitrerie des luttes amoureuses ». Soulignons enfin, pour les amateurs de détails vécus sur le refus de procréer, que ni Marcel ni aucun de ses frères ou sœurs n'ont fait souche et que la famille Duchamp irrévocablement s'éteindra [1].

Lorsqu'il reconnaît lui-même avoir obéi à la « nécessité *consciente* d'introduire " l'hilarité " ou au moins l'humour dans un sujet aussi sérieux », ne prend-il pas soin de laisser la part belle à l'inconscient lequel dans son cas, quoi qu'il en dise, n'est pas resté « muet », ne fût-ce qu'en vertu du principe freudien du calembour ? Certes, il ne lui déplaît pas de jouer au « distingué » malgré lui et quelques traces d'esprit voltairien l'aident à s'accommoder, ou peut-être même à se réjouir, que l'on tire de son œuvre une conclusion un peu courte. Celle que nous énoncions ci-dessus nous rappelle tout de même à l'excès le Rabelais « apôtre de la dive bouteille », le Cyrano cocardier d'Edmond Rostand ou les représentations désolantes que les âmes pieuses se font de la vie d'un athée.

---

1. Magdeleine, la plus jeune sœur de Marcel, s'est éteinte la dernière, elle aussi sans descendance, le 16 mai 1979.

Ce qui frappe d'abord lorsqu'on examine le *Verre,* c'est que Duchamp ait tout fait pour qu'il passât inaperçu, et il n'est pas plus visible en pleine lumière que la vitrine, ornée de réclames, d'un café-bar dont apparaît surtout l'intérieur, où des silhouettes s'agitent. Le dessin du *Verre* ne peut donc jamais être vu *seul,* indépendamment de ce qui le prolonge, mais il s'inscrit en surimpression dans une double image sans cesse transformée par un arrière-plan de reflets, auxquels celui du spectateur va se joindre. Cet effet de transparence joue un rôle capital dans la conception de Duchamp qui a fait du fond un ready-made continuellement en mue. La machine fictive ainsi tirée de son tracé statique devient une véritable machine, animée au hasard de ce qui l'entoure et dont elle se saisit, comme d'un mouvement perpétuel analogue à celui de l'horloge solaire.

Cette captation du rythme temporel, incorporé directement pour la première fois dans une œuvre moderne, suffirait à la soustraire à l'interprétation littérale pour faire d'elle un de ces « logis » qu'on ne se lasse jamais d'interroger.

Du Duchamp d'avant 1913, Apollinaire avait écrit déjà qu'il ne craignait pas « d'encourir le reproche de faire une peinture hermétique, voire absconse ». Pourtant, à cette époque, si ses tableaux avaient acquis leur pleine valeur de témoignages datés, ils ne se distinguaient que partiellement dans leur nature, où l'esthétique entrait toujours à titre de composante, des autres œuvres d'avant-garde produites au même moment. Il n'était encore qu'un peintre extraordinairement doué, qui se mettait en question tout entier dans son œuvre. Or, c'est parvenu à ce stade qu'il en éprouva l'insuffisance et décida de se retrancher dans l'incommunicable. Il faut avoir suivi cette progression pas à pas, comme nous nous sommes efforcé de le faire, en s'aidant de tous les indices qui ne sont pas nombreux, pour mesurer l'envergure de cette entreprise.

L'évolution des artistes, si grands soient-ils, s'accomplit parallèlement à leur existence mais sans jamais la modifier. Un peintre devient célèbre, parfois même bouleverse la vie des autres, mais l'homme demeure ce qu'il était et l'on se félicite si le succès ne le rend pas odieux. Rien de ce qu'il a exprimé de saisissant ne semble l'avoir touché lui-même, comme s'il l'avait distillé à son insu. On sait ce que peuvent avoir d'affligeant les propos de la plupart des « grands maîtres ».

Ceux-ci se conforment docilement en cela aux consignes de la société, qui exige d'eux une beauté soigneusement expurgée de tout ferment nocif. La bêtise de tant de peintres est une garantie pour l'ordre que leur clairvoyance menacerait. Le grand artiste est celui qui fait passer son art avant sa vie, par définition « effacée et modeste », selon la tradition des portraitistes-valets de chambre de la cour des Valois. Aujourd'hui encore, malgré les fleurs dont on le couvre, l'artiste n'est jamais qu'un fournisseur.

Il appartenait à Duchamp d'être le seul, entre tous, à prendre conscience de cette domestication et à n'y pas céder. Sans la revendication la plus intransigeante de toutes les préséances qui s'y trouvent à ses yeux attachées, le titre d'artiste lui parut bientôt inacceptable. Le refus de l'art, tel qu'il se pratiquait autour de lui, l'amena donc à cesser de peindre dès fin août 1912. A n'en pas douter, ce fut un geste décisif, mais on oublie souvent que Duchamp ne s'en est pas tenu là.

Son refus n'est qu'un nouveau point de départ comme la « table rase » de Descartes, avec tout ce que ce dépouillement comportait d'intimement périlleux. S'il rompt avec les chères habitudes du milieu d'art dont il est le benjamin fêté, cette rupture entraîne l'écroulement de tous les échafaudages affectifs autour desquels son existence s'ordonne. Il sera seul désormais, sans autre appui que quelques connivences d'humour, à partir à la recherche de soi-même dans un domaine où nul avant lui ne s'est risqué.

De telles aventures ne réussissent dans les fables que par intervention surnaturelle ou, dans la réalité, par un trait de génie. Duchamp dut sans doute à son instinct de *joueur* de trouver une issue dans un renversement radical des situations. La révolution qu'il réalise alors doit être sans hésitation tenue pour copernicienne, car elle modifie diamétralement les rapports entre le spectateur et l'artiste.

En droit et en fait, celui-ci n'existe que par celui-là. De l'un à l'autre, le lien ne saurait être qu'esthétique, les subjectivités restant jusqu'à nouvel ordre impénétrables. L'esthétique est donc une sorte de terrain neutre où spectateur et artiste s'affrontent comme au marché et où le premier suppute, à l'aide de normes tarifaires, les mérites du second. Pour se soustraire à cette servitude, Duchamp coupe purement et simplement, en ce qui le concerne, toute possibilité de relation esthétique.

D'autres artistes avant lui s'étaient enfermés dans une aussi dédaigneuse solitude mais ils en avaient souffert. Aucun d'eux, sauf sans doute Léonard de Vinci, ne s'y était contraint délibérément et avec cette allégresse lucide. Car Duchamp y aspire ardemment et, chaque fois que la rupture se consomme, il exulte comme un aviateur qui atteint des altitudes inespérées. Dans les notes de la *Boîte verte* qui décrivent sa montée vers le parfait dénuement, son humour dissimule à peine une sorte de joie épique. Ce que pouvait avoir de galvanisant l'air des cimes qu'il semble avoir longtemps respiré, nous le pressentons dans les portraits que nous fait Roché de « Victor », au point culminant de son activité américaine.

En édifiant son œuvre, il ne la destine à nul autre qu'à lui-même et toutes les précautions sont prises pour que, du dehors, rien n'en soit intelligible. Plus exigeant encore que Stendhal s'adressant aux « happy few » de la fin de son siècle, Duchamp, pour ce qu'il appelle aussi son « retard » en verre, paraît avoir visé l'anonymat des fouilles futures, après la chute définitive de notre civilisation. Il s'en est fallu de fort peu, on le sait, pour que ce souhait ne fût pleinement exaucé et l'on se demande aujourd'hui comment ces travaux éminemment évasifs, que leur auteur a tout fait pour rendre inaccessibles, ont été remarqués néanmoins [1].

Ce résultat inattendu s'explique uniquement par le véritable ascendant que Marcel exerça sur ceux qui l'approchèrent. Il avait tout calculé pour que rien ne transpirât de ses préoccupations secrètes, sauf qu'il serait trahi par son comportement. Depuis son arrivée à New York, la curiosité que suscitait le peintre du *Nu descendant un escalier* s'était muée en une admirative stupéfaction devant sa manière d'être. Ses familiers d'alors ne se lassent pas d'évoquer son irrésistible charme et sur ce point tous les témoignages concordent, même lorsqu'il apparaît sous les traits romancés de « Pierre Delaire » dans *Love Days* d'Ettie Stettheimer qui a pris le pseudonyme d'Henrie Waste. Pourtant son cas dépasse de très loin celui de la séduction volontaire, puisqu'il n'en a jamais pris avantage et que son aménité s'accompagne d'un soin extrême à éluder les liens. C'est donc dans l'illumination dont il rayonnait et qui était celle de la liberté intérieure enfin possédée que résidait la source profonde de son pouvoir. Son visage avait trop d'attraits pour que cette extase ne fût pas contagieuse.

Sa réputation s'est donc malgré tout établie, mais à l'inverse du déroulement habituel. Tandis que la « qualité » de ses œuvres dignifie généralement la personnalité d'un artiste, c'est le prestige du personnage qui a valorisé les ouvrages de Duchamp. Ceux-ci qu'il n'avait conçus que pour soi furent adoptés par les autres, si l'on peut dire, de

1. Sa déclaration de 1957, à Houston, insistera au contraire sur l'active participation du « regardeur » au « processus créatif ». On doit noter ce passage de l'attitude intégralement narcissique à une confession, certes encore « dédaigneuse » dans son excès même, du rôle prépondérant des autres. Comme Lautréamont qui opposa *Poésies* aux *Chants de Maldoror* et Jarry *Ubu enchaîné* à *Ubu roi,* Duchamp ferme le cycle de sa propre contradiction.

confiance. L'importance qu'ils prirent tint d'abord de celle qu'il leur accordait en s'y consacrant et ils s'imprégnèrent bientôt du dynamisme envoûtant qui émanait de lui. Ce rythme d'appréciation n'est pas sans analogie, on le voit, avec celui des ready-made.

Pourtant on ne saurait assimiler une telle consécration à celles que les critiques sérieux nomment par dérision « littéraires ». Seul l'incroyable aveuglement de nos contemporains les empêche de voir que la beauté est toujours un reflet. Elle ne fait jamais que traduire une certaine somme d'assentiment et il importe donc peu que celle-ci se cristallise autour de l'auteur plutôt qu'autour de l'œuvre, l'identité étant ici totale entre l'un et l'autre.

On pourrait insinuer certes que tant de détours auront été inutiles puisque Duchamp s'est laissé, dans une certaine mesure, rejoindre par l'esthétique. Tel cet orateur ancien, surpris des applaudissements qui saluaient son discours et s'inquiétant aussitôt d'avoir lâché quelque sottise, Marcel dut-il se reprocher de s'être insuffisamment méfié des autres et de lui-même et d'avoir cru trop vite à l'abdication du grand artiste qu'il a été. Mais ce serait méconnaître l'ambivalence essentielle de toute attitude de fuite et faire injure à Duchamp que de supposer qu'il n'en fût pas parfaitement averti. Son entreprise se caractérise justement par l'extraordinaire capacité d'éveil qui en soutient, d'un bout à l'autre, le climat. Duchamp a donc toujours fort bien senti ce qui était sous-jacent dans son attitude et il semble même avoir bénéficié des antennes d'une conscience seconde, grâce auxquelles il dominait la situation jusque dans ses plus lointaines perspectives. De même qu'en travaillant au *Grand Verre* il en a escompté la fêlure à venir, il a dû prévoir, selon les probabilités du jeu, que ses œuvres, malgré lui, seraient tenues pour « belles » s'il perdait son pari pour l'anonymat. Cette ambiguïté s'exprime chez lui par la variété des solutions envisagées, féminisation comprise, laissant entrevoir que, s'étant mis aussi dans la peau de la Mariée, il n'est pas absolument inapte à « l'indiscrétion organisée » dont Barbey d'Aurevilly fait l'apanage du dandysme [1].

L'aspect délirant de ce système a pourtant été souligné par certains auteurs, mais on hésite à s'aventurer avec eux sur le terrain très suspect de la psychiatrie car on se souvient de cet éminent professeur, cité par André Breton en tête du *Second Manifeste,* et qui avait inventé, pour les artistes rebelles à la tradition, le terme moliéresque de « procédistes ». On éprouve la même répugnance envers la tendance actuelle à sérier, selon les classifications les plus funambulesques, les traits caractérologiques estimés « anormaux ». Enfin, nouvelle venue, l'interprétation psycho-pathologique des formes n'est pas exempte d'aussi sensationnelles méprises.

Pour Jean Reboul qui a traité cette question dans une étude remarquable, la schizophrénie de Duchamp ne ferait aucun doute et il cite cette phrase, assez troublante, de Kretschmer : « Il y a comme une vitre entre eux (les schizophrènes) et leurs semblables. » Le *Verre* de Duchamp deviendrait donc le symbole de sa séparation d'avec les autres et d'avec le « cosmos », laquelle aboutit à l'incapacité d'aimer dont la *Machine célibataire* serait l'illustration, d'après Michel Carrouges [2].

Nous nous sommes déjà expliqué sur cette face du problème, et nous avons trop souvent éprouvé, au cours de cette étude, la réalité et l'opiniâtreté de cette volonté de séparation pour nier qu'il n'y ait là, chez Duchamp, une constante du type obsessionnel. Mais pour observer d'autres symptômes

---

1. Une étude « psychique » des lignes de ses mains, parue dans *Minotaure* en 1935, insistait sur ses dons de « stratège né ».

2. Reboul (Jean). « Machines célibataires, schizophrénie et Lune noire », *Journal intérieur du Cercle d'Etudes Métaphysiques,* n° 1, Toulon, mai 1954. Dans ce texte devenu introuvable, Reboul aurait pu signaler à l'appui de sa thèse « l'appareil à influencer » décrit par Victor Tausk.

Carrouges et Reboul ont dû isoler, dans la *Machine célibataire,* l'objet constitué dont ils ont fait un portrait psychologique de l'inventeur. S'ils en avaient au contraire suivi la mise en place, rouage par rouage, la nature libératrice de chacune de ces étapes leur eût sans doute été révélée comme à nous-même. La *Machine célibataire* n'est pas Duchamp, car c'est en la réalisant qu'il s'en est affranchi.

Que la résolution autiste dont elle est née ait été due, à l'origine, à l'apparition de tendances schizoïdes, nous laissons aux spécialistes le soin d'en disputer entre eux, mais ces considérations nous paraissent purement rétrospectives, le point de départ important beaucoup moins aujourd'hui que l'aboutissement. Si chargés affectivement qu'en aient été les débuts, l'œuvre de Duchamp pourrait s'être doublée d'une catharsis menée jusqu'à son terme. C'est dire que la métamorphose du sujet s'y serait accomplie exactement en sens inverse des précédents de Van Gogh ou de Kafka.

Le recours à cette thèse actuellement en faveur est loin pourtant d'épuiser toutes les explications, celles-ci se trouvant, à condition qu'on puisse les y déchiffrer, dans la structure même du *Grand Verre* composé de deux appareils circulatoires qui ne communiquent pas entre eux, sauf par signes. La situation limite est assez bien résumée par le pseudonyme de l'auteur : « A...rrose, c'est la vie », puisque, de cette formule, découle, oserait-on suggérer, l'économie de la *Machine célibataire* qui fonctionne sur sa propre substance, en circuit fermé, sans l'appoint compensateur d'une alimentation d'amour.

Notons que, schizophrène déclaré, Duchamp ne nous plairait pas moins mais il suffit de l'avoir connu pour sentir combien une telle présomption reste loin de compte. Elle escamote en tout cas son exploit le plus prodigieux : sa traversée du *Grand Verre* derrière lequel, « très ignorant de la gravité de son cas », il a déjà « passé une bonne partie de sa vie », selon sa réponse suffisamment catégorique à Reboul.

Ce n'est pas la moindre singularité de Duchamp que d'évoquer, par son comportement et ses ouvrages, des disciplines qu'il récuse de propos délibéré. On doit avouer qu'à cet égard il multiplia les contradictions car son matérialisme mécanique dissimulait à peine un mépris total de la matière. Son occultation minutieuse du *Grand Verre* est suivie, à onze ans de distance, par la publication de la *Boîte verte* où il dévoile ses secrets. Enfin la « négation de la femme », observée chez lui par Carrouges, ne semble pas avoir affecté son intérêt assez prolongé pour les femmes, puisque le « célibataire », après une carrière amoureuse bien remplie, a pu se marier pour la seconde fois.

Rien de tout cela ne serait justifiable si l'on ne posait pas d'abord l'aporie au centre de cette mystérieuse équation. Avant qu'il ne s'en fût, si l'on ose dire, purgé, Duchamp avait laissé pressentir, par l'atmosphère de sarcasme dont il l'enveloppait, que l'univers de ses œuvres était pour lui l'anti-monde, et c'est ici que se noue son accord fondamental, bien que parfois difficile à saisir, avec André Breton. Quelques remarques péjoratives envers ses propres conceptions lui avaient même parfois échappé, tel le « Une chiffe quoi ! » dont il a stigmatisé le gaz d'éclairage. C'est le monde intolérable de la réalité qu'il « écarte » comme on repousse un cauchemar, en le fixant dans le *Verre*.

Celui-ci serait donc spécifiquement pour lui la machine *adulte*, les conclusions volontiers aberrantes de son amertume rejoignant celles qu'adoptent les enfants au spectacle de l'intimité parentale [1]. Les constantes allusions au voyeurisme pourraient étayer cette thèse, depuis les vitres au travers desquelles on ne peut rien voir, les fenêtres toujours bouchées ou brouillées (contrairement aux fenêtres « mythi-

1. Les anciens « nus vites » ont conservé leur pluralité mais se sont figés en célibataires d'autant plus irréductibles que la mariée mise à nu (comme Georges Bataille eût dit mise à mort) sera un squelette.

ques » et transparentes remarquées par Carrouges dans Kafka), jusqu'à l'opacité provisoire faite des « éclaboussures de l'amont et de l'aval », prévue pour l'inscription absente.

Cette hantise de visionnaire où la « Veuve » castratrice invoquée par Reboul apparaît même, on l'a vu, sous le nom de *Fresh Widow,* ce fantasme d'une nature perfide, dont il ne sera pas possible de se détourner avant d'en avoir dénoncé toutes les menaces, cette mise en doute agressive du réel, situent Marcel Duchamp dans sa véritable lignée picturale qui est celle de Jérôme Bosch. Le monde est vomi sous la forme monstrueuse et révoltante d'une *Machine célibataire* qui n'est rien d'autre qu'un enfer incestueux et masculin.

Toutefois, en le réduisant à l'état d'épure, Duchamp ne s'est pas borné à le rendre méconnaissable, il l'a de plus aggravé en y introduisant le supplice moderne de l'indifférenciation, car si les damnés de jadis souffraient d'être frappés directement dans leur être distinct, ceux d'aujourd'hui peinent, en revanche, d'être confondus dans un châtiment anonyme. Et cet accent donné au tourment impersonnel de l'homme-machine devant l'humiliant oubli dont son moi est l'objet nous révèle peut-être « miroiriquement », comme la légende de *Why not sneeze ?,* une des nostalgies les plus refoulées de Marcel Duchamp.

Nul, il est vrai, n'a poussé aussi loin le génie de l'antiphrase. C'est ainsi qu'à l'enfer mâlique se superpose parodiquement, Harriet et Sidney Janis l'ont déjà démontré, une « Assomption de la Vierge », selon la compartimentation hiérarchique du spirituel surplombant la matière. Toute la différence est encore ici dans des nuances si infimes de formulation que Carrouges a pu transformer, comme le relève Jehan Mayoux, l'inscription « du haut » en inscription « d'en haut », tombant sans y prendre garde dans le piège que Duchamp avait tendu. On se réjouit qu'il ait évité celui des « dits commandements ».

Ces quelques réserves ne diminuent d'ailleurs en rien, à notre avis, la valeur du si brillant parallèle proposé par

Carrouges entre diverses machines célibataires [1]. Il faut reconnaître que son étude est une des rares, depuis celles de Breton et de Leiris, qui ait fait notablement progresser l'interprétation du *Grand Verre* et des travaux annexes. Certes, le besoin d'un déchiffrage exhaustif ne s'en fait pas moins sentir et nous avons pu voir, en entrouvrant la *Boîte verte,* que les moines laïcs ou autres y trouveraient aisément matière au labeur obscur de plus d'une vie. Seuls, pourtant, les sauts brusques de l'intuition peuvent mener à une décryptation plausible puisqu'il nous faut envisager à son tour l'hypothèse de l'ésotérisme.

« Etant donné » un homme qui se mure dans le secret, qui obéit visiblement à une règle, qui s'affaire à des travaux épuisants dont il prend soin de ne tirer ni gloire, ni profit et qu'il abandonne tout à coup sans motif apparent, n'est-on pas tenté de lui chercher un lien avec les recherches philosophales ? Ce ne sont pas les indices qui font ici défaut, à commencer par la nature indubitablement initiatique de la pensée et des œuvres, fondées sur l'usage constant d'un langage à clé, d'une symbolique des formes et d'un système des nombres. Devrons-nous citer, entre autres, les trois stoppages-étalon, les trois rouleaux de la broyeuse, le labyrinthe des trois directions, les moules mâlic dont le total fut porté de huit à neuf, les neuf tirés, les trois pistons de courant d'air, etc. ? Est-il nécessaire de rappeler le rôle des métaux dans ces opérations et surtout l'emploi systématique des jeux de

1. Notamment *L'Eve future* de Villiers de l'Isle-Adam, l'instrument de supplice décrit par Kafka dans *La colonie pénitentiaire* et la « hie » ou « demoiselle » introduite par Roussel dans *Locus Solus.* De plus, partant d'un rapprochement avec la *Métamorphose* de Kafka, Carrouges a vu la « Voie lactée » sous la forme d'une chenille et il a découvert dans le Littré que « Mariée » était le nom vulgaire d'un insecte : la noctuelle. Or cette ingénieuse hypothèse semblerait être confirmée par un cauchemar que Duchamp eut à Munich en août 1912 : au retour d'une brasserie où il avait absorbé, dit-il, trop de bière, il rêva la nuit, dans la chambre d'hôtel où il achevait de peindre la *Mariée,* que celle-ci devenait un énorme insecte du genre scarabée et qu'elle le labourait atrocement de ses élytres. C'est peut-être ce souvenir qui transparaît dans un de ses calembours les plus railleusement freudiens : « Rrose Sélavy trouve qu'un insecticide doit coucher avec sa mère avant de la tuer ; les punaises sont de rigueur. »

mots et calembours, selon le principe même de la cabale phonétique ?

Il est infiniment probable que si l'on appliquait au *Grand Verre* la grille utilisée par André Breton pour *Poussière de soleils,* on obtiendrait des résultats aussi surprenants. Tout un travail reste à faire sur la disposition des couleurs noires, blanches et rouges et sur la substitution des références traditionnelles au tarot par d'autres relatives aux échecs.

Davantage encore, les organes du *Grand Verre* sont évidemment les projections platoniciennes des idées, mais parfois même, devant ces recours fréquents à l'impersonnalité du gaz, on se défend mal de songer aux souffles transmissibles des spiritualistes — âme, grâce divine ou mana — qui épousent, eux aussi, des formes humaines ready-made. Pourtant, ayant affirmé en ce qui le concerne « l'absence d'investigations de ce genre », Duchamp ne saurait être soupçonné de croire, fût-ce inconsciemment, à l'immortalité de l'âme. Carrouges, lui-même, ne l'a pas suggéré.

Interrogé par nous, Duchamp a répondu simplement : « Si j'ai fait de l'alchimie, c'est de la seule façon qui soit de nos jours admissible, c'est-à-dire sans le savoir. » Réplique peut-être insuffisamment concluante pour certains, puisqu'il n'est nullement exclu que Duchamp ait redécouvert l'alchimie. Si l'on admet que celle-ci pourrait être une technique oubliée, ou devenue inaccessible aux chercheurs d'aujourd'hui par la voie discréditée du sérieux, l'humour (mais à outrance) serait alors l'unique moyen d'accéder au sublime par ricochet, comme un même mot peut aussi désigner son contraire.

C'est donc sous le signe de l'invention, mais aussi sous celui de la récupération, que l'œuvre de Duchamp s'est érigée au carrefour de deux mondes. Parti, comme tous les grands créateurs, de la dissolution radicale, il ne saurait pourtant être compté avec certitude parmi ceux, de plus en plus nombreux à en croire les récentes exégèses, qui ont emprunté, pour reconstruire, les ressources d'un code déjà donné. Du rapprochement parfois probant des résultats, on ne peut que conclure d'une part à la permanence des thèmes et, d'autre part, à la possibilité de les aborder par des voies différentes. Duchamp nous démontre que le refus des vérités traditionnelles peut aussi conduire à la vérité. Il légitime l'insurrection.

La distinction capitale établie par René Alleau entre les structures imaginaires « ouvertes ou fermées » nous livre une des clés de l'attitude de Duchamp. Son entreprise est absolument moderne parce qu'il en a forgé lui-même les outils et qu'importe finalement si certains d'entre eux existaient déjà pour d'autres [1].

Un providentiel exemple concret nous est fourni par la *Broyeuse de chocolat* qui est à la fois le sexe masculin et un athanor [2]. Or, nous savons que Duchamp l'a tout simplement contemplée pendant son enfance dans la vitrine d'un chocolatier rouennais. On se tromperait cependant en ne retenant dans cette rencontre que la coïncidence prosaïque à la portée de tous les promeneurs, en quête de formes plastiquement inexploitées. Pour Duchamp, dont tout le pouvoir réside dans la souveraineté de son choix, la prise de possession de ce ready-made équivaut à une reconnaissance intuitive.

Le *Moulin à café* nous aiguillerait vers des indices d'un autre ordre. Nous en avons juxtaposé la manivelle à une figure étonnamment analogue, cueillie dans une étude du Dr Jean Vinchon sur le Mandala. On sait que Jung y voit une représentation, commune aux mystiques indo-tibétains et aux névropathes, d'une lutte contre la dissociation psychique et d'un effort vers l'unification par l'essai d'organisation de formes autour d'un centre. Dans les deux dessins que

---

1. *Cf.* René Alleau, « Des Fictions et des Jeux », *Medium,* n° 4 Paris, janv. 1955.
2. Pour l'initié, l'athanor est aussi le symbole du sexe.

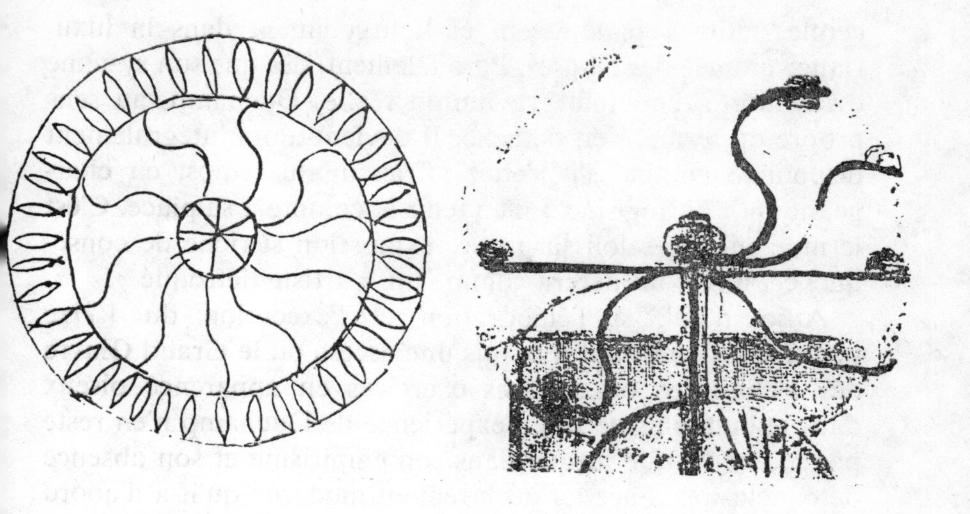

nous reproduisons côte à côte, la rotation est ébauchée sans cependant aboutir. Il n'est donc pas indifférent que le *Moulin à café* apparaisse à une époque où nous avons cru discerner chez Duchamp le début d'une crise, qui s'est manifestée par une rupture morale avec son entourage. On se souvient en outre que le *Moulin à café* fut peint pour la cuisine de Raymond Duchamp-Villon et nous avons signalé, au passage, d'autres cadeaux aussi peu rassurants faits par Marcel à ses proches. Son agressivité sans doute inconsciente s'y exprime ainsi que le trouble où il se débat. Ce n'est donc pas à tort qu'André Breton a deviné dans ce tableau une machine infernale.

Une telle investigation peut encore être poussée plus loin si l'on s'avise de la récurrence des formes circulaires dans le graphisme de Duchamp. Gabrielle Buffet n'a pas hésité à y lire une « hantise du cercle » et il est certain que, pour lui, la rotation semble participer d'une nécessité impérieuse. Longtemps ses engrenages sont demeurés inertes mais, après le *Verre* qu'il a doté d'un mouvement virtuel, les appareils d'optique de précision, les disques et le film *Anémic Cinéma* marquent la mise en marche effective de ses rouages. Les cercles alors s'épanouissent et bourgeonnent dans la luxuriance animée des ellipses. Parallèlement, dès que son système est emporté dans une gravitation réelle, Duchamp, au sens propre du terme, s'en détache. Il devient alors intégralement disponible comme s'il s'était affranchi du temps, en chargeant un « horlogisme » d'en tenir le compte à sa place. C'est le moment où, selon sa propre expression si riche de conséquence, il se considérera comme un « artiste défroqué ».

Aujourd'hui, si l'élaboration et l'exécution du *Verre* peuvent évoquer tout à la fois une ascèse ou le Grand Œuvre des alchimistes ou certains exercices en apparence oiseux dans le bouddhisme zen, l'expérience de Duchamp n'en reste pas moins unique jusque dans son empirisme et son absence de conclusion. Face au déchirement moderne qu'il a d'abord vécu, face à toutes les recettes, à toutes les illusions, à toutes les doctrines, il a élevé son monument énigmatique à la libre disposition de soi, restituant par surcroît une raison d'être à l'œuvre d'art qu'il entendait abolir.

3

LE « CHEF-D'ŒUVRE INCONNU »

Entre le récit de Balzac et l'ultime ouvrage de Duchamp, l'incompatibilité semble d'abord entière puisque Frenhofer discourait volontiers de son projet tandis que Duchamp a conservé vingt ans un mutisme absolu sur le sien.

Pourtant au-delà de ce seuil, les analogies sont nombreuses : tous deux ont médité longuement la représentation plastique d'une femme, tous deux « à force de recherches sont arrivés à douter de l'objet même de leurs recherches », tous deux ne se sont résignés qu'en toute dernière instance à montrer leur « Chef-d'œuvre inconnu », pour tous deux cette révélation fut comme le signal de leur mort.

Il n'est pas jusqu'au titre de « Belle-Noiseuse » qui ne convienne également au corps nu que Duchamp a couché de biais sur des fagots dans une posture de ménade, de sorcière ou de martyre, promise aux flammes du bûcher. Si la créature de Frenhofer reste indistincte sous les couches de couleur, à la seule exception d'un pied, celle de Duchamp, visible en pleine lumière à travers deux trous percés dans une lourde porte, offre au regard un aspect à peine moins fragmentaire de son anatomie : la tête réduite à une tempe recouverte d'une mèche de cheveux d'un « blond sale », un sexe entre les jambes sectionnées, un tronc prolongé du seul bras gauche qui brandit un « bec Auer » incandescent.

Le visiteur distrait ou pressé de la nouvelle salle Duchamp au musée de Philadelphie peut parfaitement, après un coup d'œil exercé de connaisseur d'art, se déclarer, lui aussi, mystifié. Si bien que ces deux chefs-d'œuvre demeureront inconnus pour des raisons identiques car devant celui qui existe et celui qui n'existe pas le spectateur éprouve la même frustration. C'est en cela qu'ils constituent l'un et l'autre des apogées de l'égarement visuel et l'importance de l'ouvrage de Duchamp se mesure au fait qu'on n'en découvre aucun équivalent parmi les réalisations de l'art mais seulement un parmi les fantasmes de la fiction.

Ne nous y trompons pas, le secret dont Duchamp a entouré si soigneusement l'élaboration de ce qu'il nomme son « approximation démontable » en est devenu l'élément essentiel. Il ne s'est pas borné à une narquoise « cachotterie », pas plus qu'il ne s'est ménagé un coup de théâtre posthume, ce qui serait déjà peu banal, avouons-le. On pressent plutôt qu'avant de mourir il a estimé indispensable de rétablir l'énigme qu'il avait incarnée longtemps et dont le flot des récents commentaires tendait à le dépouiller.

Son attitude a été parfois ambivalente, on le sait, vis-à-vis des questionneurs qui le harcelaient depuis quelques années mais, tout en se plaisant à les désorienter, il n'a jamais refusé de leur répondre. Très tôt il avait même pris l'initiative d'un décryptage du *Grand Verre* en publiant ses notes dans la *Boîte verte,* complétées en 1967 par celles d'*A l'infinitif*.

Le « Chef-d'œuvre inconnu » tranche donc sur les précédents en ne s'accompagnant d'aucun indice explicatif mais uniquement d'un mode d'emploi concernant le démontage et le remontage du dispositif livrable en pièces détachées. Le lien de ce nouvel ouvrage avec le *Grand Verre* est pourtant attesté par le titre, repris d'une note de la *Boîte verte* :

Etant donnés :
1° La chute d'eau
2° Le gaz d'éclairage

A partir de ces termes, aussi familiers aux exégètes de Duchamp que les leitmotive d'une symphonie, il devient possible de reconstituer les phases successives de l'éclosion du nouvel ouvrage, en y rattachant quelques croquis, objets, reliefs ou sculptures échelonnés de 1942 à 1968 et qui révélaient chez Duchamp un intérêt inattendu mais de plus en plus prononcé pour le modelage des formes humaines. On remarquera surtout qu'un petit *Nu* en faible relief, exécuté pour Maria Martins en 1948-1949, porte le même titre que le nouvel ouvrage et nous pouvons à présent y reconnaître une première version réduite mais déjà presque achevée du *Nu* de Philadelphie.

C'est la *Mariée* d'antan, arrachée soudain à l'immatérialité qui la sauvegardait, et soumise, dans les deux cas, à un dévoilement intégral. De plus, afin d'accentuer encore le simulacre de sa proximité physique, la version finale en ronde bosse, grandeur nature et gainée de peau de porc « couleur chair », s'inscrit dans une perspective de diorama dont le fond de paysage à la Courbet comporte une « chute d'eau » actionnée par un moteur électrique placé dans les coulisses et qui pourvoit également à l'éclairage du « bec Auer ».

L'illusion serait parfaite si l'intention était ici de *donner à voir,* comme s'y sont naïvement ingéniés les artistes d'autrefois mais elle est, au contraire, d'*empêcher de voir*. Rupture capitale, la seule vraiment *moderne* et qui oblige le spectateur (passif) à se muer en « regardeur » (actif), puis en voyeur (participant), s'il espère transgresser l'interdit visuel.

Pratiquement, plus la Mariée est visible, moins il est permis de la regarder. Conçu pour le voyeur, l'ouvrage ne peut être saisi dans sa totalité que par lui, compte tenu de sa situation précaire, coupable et furtive, les yeux rivés aux deux interstices, raidi dans l'effort d'une scrutation rapide et globale. Littéralement il doit « graver » ce qu'il voit dans sa mémoire puisque aucune prise de photographie n'étant autorisée, autre que celle de la porte, la censure s'exercera jusque sur son souvenir.

Ce veto supplémentaire, il est vrai, n'a pas été prévu par Duchamp mais il résulte d'une décision de l'administration du musée, soucieuse, sans doute, de protéger le public contre la divulgation préalable d'un aperçu féminin trop crûment intime et strictement réservé aux amateurs adultes, de taille suffisante pour se hisser au niveau des trous. « Dramatisée » par ces précautions, la vision que beaucoup pourraient croire « naturelle » acquiert un fumet d'équivoque clandestine et frappe de plein fouet le regard non prévenu qui vient s'y soumettre.

On n'apprendra pas sans surprise que la frustration du voyeur fut éprouvée d'abord par Duchamp lui-même, lorsque, ayant assemblé dans un atelier « secret » les diverses parties de l'ouvrage, il s'efforça en vain d'en obtenir des photographies satisfaisantes. Echec inexplicable si l'on ignore que, pour Duchamp, une sorte de malédiction pèse toujours sur les « témoins oculistes ». Rien ne paraît plus inutilement pénible que l'effort exigé par le « Verre » de 1918 : *A regarder d'un œil, de près, pendant presque une heure.* Au dégoût « rétinien » semble s'ajouter la réminiscence mythique du châtiment encouru par les mortels coupables d'avoir surpris les mystères sacrés. Confiné dans *l'enfer* du musée de Philadelphie, le « Chef-d'œuvre inconnu » s'imprègne d'une aura léthale et chtonienne.

Qu'il en émane un insoutenable malaise, nul n'en saurait mieux témoigner que William Copley, un des très rares privilégiés qui furent admis à s'approcher du « Chef-d'œuvre inconnu » et à en faire le tour dans l'atelier « secret ». Tout en exprimant son enthousiasme spontané, dont il a fourni la preuve en offrant généreusement l'ouvrage au musée de Philadelphie, William Copley ne dissimule pas la répugnance qu'il éprouva devant ce corps au sexe béant, glabre et, de surcroît, androgyne. Jeanne d'Arc, « Vanitas » ou « charogne », la gisante semble exhumée du monde souterrain des Erynnies, avec ce qu'une semblable évocation comporte d'implications sardoniques. On se convainc à la limite que l'auteur d'un tel ouvrage doit nécessairement disparaître car *il en sait trop.*

Mais peut-être sied-il de ne pas insister à l'excès sur le caractère atroce de ce testament érotique ou amoureux de Duchamp et de l'envisager sous des aspects plus édifiants ou plus techniques. Les thèmes ne manquent pas auxquels on pourrait l'associer.

Les vingt années d'effort qu'il a coûtées à Duchamp, outre qu'elles contredisent la légende tenace de son inactivité, confirment l'apparentement du dernier ouvrage au *Grand Verre* dont les laborieuses « mises en perspective » correspondent au moulage et au gainage non moins minutieux du « Nu » tardif. Loin de s'opposer, les deux « grands œuvres » se complètent et nous serions même tenté de reconnaître dans le plus récent l'aboutissement d'une idée contemporaine du *Grand Verre,* où elle n'est que suggérée. Dans la note 1 de la *Boîte verte,* ou Préface, celle dont, significativement le titre : « Etant donnés..., etc. » est devenu celui du nouvel ouvrage, nous sommes avisés déjà d'une préoccupation primordiale de Duchamp : déterminer « les conditions du Repos instantané (ou apparence allégorique) d'une succession (d'un ensemble) de faits divers semblant se nécessiter par des lois ». Appliquée d'abord dans le *Grand Verre* à l'état d'épure, cette proposition atteint son épanouissement explicite dans le « Nu couché » de Philadelphie, véritable « allégorie » du « Repos instantané », dont l'environnement de « faits divers » est figuré par le « bec Auer » flamboyant et la « chute d'eau » ruisselante, garants de la circulation vitale de « l'eau et du gaz ». C'est alors qu'au point de coïncidence érotique de l'agitation et du Repos surgit l'ombre si longtemps invoquée de la quatrième dimension.

Si nous ne montrions de cet ouvrage même que l'image autorisée de la porte close, nous pourrions aussi méditer sur la récurrence caractérielle ou psychopathologique chez Duchamp du motif de l'*ouverture obstruée,* successivement « verre », vitrine, porte ou fenêtre plus propres à masquer l'autre versant des choses qu'à en faciliter la vue, comme le rideau de ficelles aveuglant les murs de l'Exposition Surréaliste de New York. Une allusion savante à la fallacieuse caverne de Platon serait également de mise, visant à démon-

trer que, pour Duchamp, la vérité demeure à jamais insaisissable sous l'opacité des apparences.

Enfin chaque effort optique accompli par le voyeur pourrait être assimilé à une étape d'un rite d'initiation, ce qui corroborerait les références à l'hermétisme relevées par Jean Reboul et René Alleau en 1954 et 1955, puis récemment, plus affirmativement encore, par d'autres. Or les objections formelles de Duchamp à cette théorie ont été consignées en 1959 dans mon livre : s'il a « fait de l'alchimie, c'est de la seule façon qui soit de nos jours admissible, c'est-à-dire sans le savoir ».

« Réplique peut-être insuffisamment concluante, avais-je néanmoins noté, puisqu'il n'est nullement exclu que Duchamp ait redécouvert l'alchimie. Si l'on admet que celle-ci pourrait être une technique oubliée, ou devenue inaccessible aux chercheurs d'aujourd'hui par la voie discréditée du sérieux, l'humour (mais à outrance) serait alors l'unique moyen d'accéder au sublime... »

Nous en arrivons ainsi par un minimum de détours au point où il semble probable qu'ayant, plus qu'aucun autre artiste avant lui, pris conscience des éléments nécessairement répétitifs de chaque système Duchamp ait trouvé son mode d'expression le plus efficace dans la *parodie*. Il aurait donc parodié l'alchimie comme, en qualité de peintre, il a parodié tour à tour le post-impressionnisme, le fauvisme, le cubisme, le futurisme, l'art mécanique, le dadaïsme, l'abstraction, le surréalisme et, dans sa dernière phase d'objecteur, l'op-art, le pop-art, l'art conceptuel, l'art minimal, l'art pauvre, l'art impossible et l'hyper-réalisme, transcendant de la sorte, *à l'avance,* jusqu'aux innovations futures de ses propres suiveurs.

Son immense impact actuel aux Etats-Unis ne se limite donc pas à une action esthétique ou anti-esthétique, contrairement à ce que les critiques d'art ont pris l'habitude de répéter. C'est le comportement social de tous qui est mis en cause dans le « Chef-d'œuvre inconnu », bien plus directement encore que dans les ouvrages plus anciens de Duchamp. Nul à son époque n'a personnifié avec autant de stoïque élégance l'écartèlement de l'artiste désenchanté, seul dans une société qu'il méprise mais sans pouvoir rompre tout à fait avec elle, puisqu'il n'en a pas trouvé d'autre qui fût supportable. On sait que son cas a suscité des interprétations psychiatriques mais là encore quelle est la part de la parodie ? Son « délire » dont nous ne pouvons percevoir que la projection objectivée révèle surtout la profondeur de la révolution qu'il a dû déclencher en lui, ne serait-ce que pour la surmonter et en sourire.

Aussi sa perpétuelle contradiction, ou si l'on préfère sa perpétuelle « palinodie », au sens platonicien du terme, s'affirme-t-elle jusqu'au bout dans toute son ampleur. Avant de s'éclipser, il a pris soin d'assurer à son « Chef-d'œuvre inconnu » un emplacement au musée de Philadelphie, près des salles consacrées à ses autres ouvrages mais, en imposant à cet ensemble, déjà suprêmement allusif et lointain, le voisinage suspect du « repos instantané » d'une Statue de la Liberté jetée à terre, mise à nu et manifestement outragée. En parodiant au musée les « peep shows » du commerce pornographique de New York, il semble avoir voulu faire du dernier Duchamp non seulement un Duchamp autre mais surtout un Duchamp blasphématoire.

Refusant de passer dans l'histoire sous les traits d'un vieux rebelle rallié, il a délibérément soulevé, cinquante-cinq ans après l'Armory Show, un nouveau scandale, prudemment étouffé, certes, sous l'apologétique d'art et les fleurs. Quant à l'interdiction, fixée à quinze ans, de photographier le « Chef-d'œuvre inconnu », il aura suffi de quelques mois pour qu'on se décide à l'enfreindre. Elle n'en est pas moins unique, à notre connaissance, dans les annales muséographiques et elle trahit assez l'embarras d'un puritanisme américain soumis actuellement à de rudes assauts.

Le plus piquant est que le spectateur de 1913, devant le *Nu descendant un escalier,* s'indignait de la volatilisation du

« Nu », tandis que le visiteur de Philadelphie s'offusquerait plutôt aujourd'hui de son évidence. On en déduit qu'une dernière fois Duchamp a réussi son « passage » et, aussi magistralement qu'il avait peint en 1912 *Le passage de la vierge à la mariée,* il a conclu sa vie par « Le passage de la Mariée virtuelle à la Virago lubrique », ce qui nécessairement entraînait l'élimination du Célibataire. Provocante désinvolture à l'heure d'une sortie ponctuée d'un définitif claquement de porte.

(1970)

Troisième partie

BILAN CRITIQUE

1

NOTE POUR UN POST-DUCHAMP

Cinq ans après la mort de Marcel Duchamp, la rétrospective organisée avec dévotion par Anne D'Harnoncourt et Kynaston McShine s'est muée en procession triomphale à travers l'Amérique, de l'automne de 1973 au printemps de 1974 et du musée de Philadelphie au Museum of Modern Art de New York pour aboutir à l'Art Institute de Chicago mais sans passer, bien entendu, par Paris où les musées avaient mieux à faire.

Parallèlement, un considérable volume collectif, également assemblé par Anne D'Harnoncourt et Kynaston McShine, s'est proposé d'accumuler sur Duchamp une véritable somme d'informations, de documents, d'analyses et de commentaires. Jamais de tels moyens, jamais de tels efforts et, pourrait-on dire, autant d'amour et d'enthousiasme n'ont été consacrés à un cas aussi inhabituel [1].

Passé le choc de cette masse de sollicitations visuelles et écrites, on peut tenter d'en évaluer le résultat. Disposée méthodiquement, selon les lois imprescriptibles de la muséographie, la rétrospective se vouait par là même à décontenancer les visiteurs puisque Duchamp se prête mal au déploiement linéaire des salles d'exposition. Il manquait, et les organisateurs ont été les premiers à le sentir, le génial metteur en scène, le « dramatiseur » que Duchamp fut à maintes reprises pour les expositions des autres [2]. Si le *Nu*

1. *Marcel Duchamp,* Museum of Modern Art and Philadelphia Museum of Art, Edited by Anne D'Harnoncourt and Kynaston Mc Shine, 1973, 360 pages.
2. A New York, Kynaston McShine put réaliser cependant un des projets non exécutés par Duchamp pour l'exposition surréaliste de 1938 : celui d'un « couloir de l'humour » au plafond recouvert d'ombrelles renversées, réminiscentes des « ombrelles » ou « tamis » du *Grand Verre.*

descendant un escalier fit scandale à l'Armory Show de 1913, ses ouvrages des époques « post-rétiniennes » sont trop peu spectaculaires, il y a trop *d'infra-mince* en eux pour qu'un public, même relativement averti, puisse aller au-delà d'un effleurement de surface. Mieux loti pour sa part, Richard Hamilton exposait ses propres ouvrages au musée Guggenheim, dont la rampe en spirale eût été plus propice à une désarticulation « chronophotographique » de l'œuvre plastique de Duchamp selon ses mouvements internes.

Ce ne sont là, je le sais, que broutilles si l'on met dans la balance tout ce que la rétrospective et le livre qu'on vient de nous présenter nous apportent de matériel ou d'aperçus variés et nouveaux. Au surplus le léger désagrément que l'on éprouvait à voir Duchamp soumis à l'alignement quasi militaire d'une revue de détail avait au moins l'avantage de mettre mieux en lumière l'impossibilité où il fut toujours de se plier à une classification systématique quelconque. Et surtout on n'en saisissait que plus vivement, par antithèse, ce qui fait son originalité fondamentale : la capacité qu'il eut tout au long de sa vie de se mouvoir simultanément sur les plans séparés de deux réalités différentes.

Aucune interprétation plausible du personnage et de l'œuvre ne saurait être tentée sans tenir compte de ce préalable. Il faudra surtout admettre enfin que, à l'instar de Rimbaud préconisant le « dérèglement de tous les sens », Duchamp s'est fait le cobaye d'une schizophrénie volontairement provoquée (non sans quelques dispositions peut-être). Bien antérieure à la « paranoïa critique » de Dali, sa stratégie mentale s'est révélée beaucoup plus crédible. Elle s'est imposée sans tapage inutile et plus durablement. Le masque de l'humour qu'elle a volontiers revêtu pour moins effaroucher ne dissimule pas entièrement sa violence.

Carlos Castaneda dans son troisième livre : *Journey to Ixlan,* a décrit l'expérience comparable de son accession à une réalité séparée, *sans recours aux hallucinogènes,* par l'unique moyen d'une percée intrépide de l'imagination et de la volonté. Encore Castaneda reconnaît-il avoir bénéficié de l'aide de Don Juan, son « bienfaiteur », alors que Duchamp, en empruntant lui aussi la « voie sèche », est parvenu au même résultat mais absolument seul.

On sait que d'autres artistes du XXe siècle ont délibérément déformé le monde visible. Leurs œuvres, les peintures cubistes, par exemple, représentent un simulacre de réalité séparée. Cette révolution, dont on ne doit pas sous-estimer l'importance, reste néanmoins limitée à l'épiderme des choses. L'artiste crée des formes imaginaires dont la réalité n'est qu'esthétique. Duchamp s'est aventuré plus loin et il s'est attaqué sans merci aux structures. Il a inventé un nouveau langage, une nouvelle physique, de nouvelles mesures, une nouvelle perspective et jusqu'à de nouvelles couleurs avant d'édifier ses dispositifs qui fonctionnent fantasmatiquement, on l'a vu, à la manière des « machines désirantes » analysées par Gilles Deleuze et Félix Guattari dans *L'Anti-Œdipe* [1]. Derrière la vitre du *Grand Verre,* une réalité parallèle fourmille et c'est pourquoi toute scrutation d'un ouvrage de Duchamp en termes d'apparence est aussi loin de compte que le cubage d'un iceberg excluant les quatre cinquièmes immergés.

Dans son essai : *Miroir de la Mariée* [2], Jean Suquet souligne malicieusement le rôle de la virgule, véritable « accroc » qui déchire le titre : *La mariée mise à nu par ses célibataires, même.* Cette virgule intempestive, « entre les célibataires pluriels et le singulier MEME », a pour fonction de projeter le titre à un autre niveau, de le faire dévier dans une autre dimension qui est évidemment la quatrième, celle que Duchamp a introduite *de force,* par un acte d'autorité sans précédent, à l'intérieur de ses ouvrages. On peut capter ainsi sur le vif le passage de l'écart de langage, où il excelle, à

1. Déjà dans *La forteresse vide* (1967), Bruno Bettelheim écrivait : « L'idée délirante moderne typique est d'être mû et influencé par une machine. »
2. Flammarion, 1974.

l'irruption de l'objet dans un espace et un temps démultipliés. C'est à un écartèlement d'abord mental qu'il s'évertue avec une sorte de joie féroce, à une extension de la pensée, comme il a distendu *un peu* les lois physiques et chimiques, pour parvenir à un étirement de la réalité au-delà des confins du visible.

A ce stade, chacun de ses mots, chacun de ces croquis ou de ses objets devenait un « athanor » et il n'y a donc pas lieu de s'étonner qu'un nombre toujours croissant d'auteurs, à l'aide de preuves littérales fort convaincantes, se rangent à la thèse de l'interprétation alchimique de son œuvre. La coïncidence n'est pas niable et elle se vérifierait tout autant avec d'autres disciplines initiatiques comme la gnose, le bouddhisme zen, le tantrisme, voire avec des révélations oubliées, disparues ou futures. Il semble en effet que Duchamp ait atteint pendant ses « crises » le point central d'où toutes ces doctrines se ramifient. Il lui aura suffi dès lors d'en pénétrer les arcanes par des exercices d'assouplissement métaphoriques semblables à ceux que lui imposait le jeu d'échecs mais, à l'inverse des cabalistes d'obédience, il s'est montré trop irrespectueux et trop désacralisateur pour rester complice de la Tradition. Disons donc plutôt de lui ce que Paul Valéry a écrit de Stendhal dans sa préface à *Lucien Leuwen* : « On l'eût amusé (mais flatté dans le fond) de lui faire entrevoir, au travers d'une carafe magique, tout son avenir doctoral. »,

Rien ne le caractérise mieux, d'ailleurs, que sa répugnance à se figer dans une seule tendance, une seule conviction, une seule technique, dans un seul pays, un seul milieu ou même dans une seule identité et un seul sexe, ainsi qu'en témoigne son pseudonyme féminin : Rrose Sélavy. Depuis sa rupture avec l'ambiance artistique de Paris dès l'automne de 1912 et malgré la fortune inattendue du *Nu descendant un escalier* l'année suivante à l'Armory Show de New York, il s'est plu à passer sans cesse, et prestement, d'une activité à une autre afin d'échapper aux périls d'une idéation répétitive. Il a pu tout aussi bien envoyer sous un nom d'emprunt un urinoir de série aux Indépendants de New York en 1917 et réussir à le faire refuser à ce Salon sans jury ni récompense, ou confectionner occasionnellement quelque objet utilitaire inutile comme une cage à oiseau remplie de faux morceaux de sucre en marbre, ou édifier des fenêtres et des portes équivoques, ou construire une machine optique nommée *Rotative demi-sphère,* ou composer un film érotique et abstrait intitulé *Anémic Cinéma,* ou tenter sa chance à la Roulette de Monte-Carlo tout en émettant des obligations fictives, ou figurer dans un ballet à titre de danseur nu, ou participer à des tournois internationaux d'échecs et publier un traité de ce jeu savant. Il a pu également s'astreindre à recommencer patiemment et sans le moindre succès les démonstrations de ses *Rotorelief* dans l'atmosphère déprimante du Concours Lépine, ou se marier en juin 1927 et divorcer en octobre, ou paraître çà et là dans des réunions de cafés présidées par son ami André Breton et se montrer nonchalamment fertile en calembours et en idées neuves recueillis avec gratitude, ou disposer avec un art suprême une exposition surréaliste et disparaître sans bruit à la veille de l'inauguration.

Quelles conclusions pourrait-on tirer de l'énumération de ces faits bien connus ? De toute évidence il était convaincu de n'être qu'un passant et de n'appartenir à aucune catégorie définissable. Il a poussé jusqu'à l'obsession sa crainte de dépendre un peu trop étroitement d'une amitié, d'une inclination, d'un dogme ou d'une habitude et, pour accroître encore la distance — insuffisante à son gré — qui le séparait des autres, sa première recette fut d'utiliser « l'écart » comme une « opération ». S'il devait à tout prix prendre une décision, André Breton relate comment il s'en remettait simplement au sort : « Pile, je pars ce soir pour New York, face, je reste à Paris », ce qui rejoint une phrase à Picabia sur sa « martingale » de Monte-Carlo : « Vous voyez que je n'ai pas cessé d'être peintre, je dessine maintenant sur le hasard. »

S'il eut, malgré tout, un système, il le fonda sur une contradiction à outrance, non seulement de la volonté des autres mais de la sienne aussi. Son va-et-vient entre Paris et New York qu'il fuit alternativement dès qu'il s'y acclimate un peu trop, ses volte-face continuelles de l'art au non-art, de l'oisiveté ostensible au labeur exténuant, de l'unicité aux multiples, du mutisme aux manifestes, de l'action à la contemplation, confirment sa « reluctance » à se laisser enfermer dans un comportement irrévocable.

Son but primordial fut d'éviter d'être un peintre seulement, un artiste seulement, un novateur d'avant-garde seulement, un manipulateur de langage seulement, un humoriste seulement, un inventeur seulement, un théoricien seulement, un joueur d'échecs seulement, un penseur seulement, un séducteur seulement, un Français seulement, un Américain seulement, un hermétiste seulement, un alchimiste, un conceptuel ou un gourou seulement.

Etant donnés..., son dernier ouvrage auquel il a travaillé vingt ans à l'insu de ses amis les plus intimes, n'est rien d'autre que l'affirmation finale de son droit de penser et d'agir à deux niveaux différents, d'être simultanément deux hommes dissemblables, hors de toute pression de l'extérieur.

Alchimie déchirante ou alchimie « hilarante » ? Le débat est ouvert entre les « regardeurs », auxquels il a imprudemment délégué tous pouvoirs et qui sont aujourd'hui maîtres du terrain.

(Paris, juin 1974)

2

MACHINES ET MACHINATIONS CELIBATAIRES

Aujourd'hui, Marcel Duchamp se trouve non seulement dépossédé de sa *Machine célibataire* par des exégètes de plus en plus péremptoires mais ils s'en servent contre lui pour mieux le travestir. On sait que ce passage de la machine à la machination s'est effectué en plusieurs phases et comme au ralenti, depuis la publication du livre de Michel Carrouges en 1954. Lorsque Jehan Mayoux s'en indigna l'année suivante [1], on mit sa colère sur le compte de son intolérance anticléricale.

Indéniablement, Carrouges apportait sur Duchamp des aperçus nouveaux, de nature intuitive, en lui découvrant des analogies avec d'autres personnages aussi mystérieux : Kafka, Roussel, Jarry, Lautréamont. Le système qui les réunissait tous et les expliquait l'un par l'autre sembla plausible et ingénieux. On était à une époque avide de « mythes » et celui que proposait Carrouges comblait une sorte d'attente diffuse.

Duchamp, pour sa part, prit soin d'émettre sans tarder les plus expresses réserves sur les significations que prêtait Carrouges à sa machine mais il ne lui déplaisait nullement d'être l'objet d'interprétations à ses yeux extravagantes. Carrouges peut donc se targuer à juste titre de « l'extrême bienveillance » (légèrement condescendante) de Duchamp, dont il a d'ailleurs l'honnêteté de citer chaque fois intégralement la mise au point sans équivoque.

1. Il est mort et les craintes qu'il exprima dans deux articles de *Bizarre*, en mai et octobre 1955, ne paraissent plus dénuées de fondement.

Vingt ans plus tard, Duchamp et beaucoup de ses proches ayant disparu, les commentateurs tardifs estiment pouvoir se dispenser de ces précautions oratoires. Adopté jadis avec quelque circonspection dans un milieu restreint, le « mythe » ne souffre plus d'être discuté ou contenu. On en a fait un dogme et il ne restait plus qu'à en tirer un spectacle « à succès » pour le grand public.

C'est à quoi s'est activement attelé Harald Szeemann, auteur et metteur en scène, bien plus qu'organisateur de l'exposition « Les Machines célibataires », une superproduction, au sens « show business » du terme, lancée de la Kunsthalle bernoise et ultérieurement en tournée fracassante à travers l'Europe[1].

Parmi les conservateurs de musées, Harald Szeemann se range dans la catégorie de ceux qui, tenant leurs activités professionnelles pour des performances créatives, utilisent l'art et les artistes plutôt qu'ils ne les servent. De brillantes réussites ont confirmé son savoir-faire et, en l'occurrence, il ne nous cache pas que ses ambitions se sont encore amplifiées.

S'il s'est promis d'abord de « visualiser » le « mythe célibataire », c'est-à-dire de le traduire en images et en formes, on le sent surtout habité par le désir de l'assumer à titre de fantasme personnel. Il est fasciné par son projet avant même de le réaliser. Dans son récit de ses longs et minutieux préparatifs, on voit poindre l'aspiration qui va déborder le thème initial et, peu à peu, ses intentions et son état d'esprit se modifient en cours de route. Ce ne sont déjà plus les « machines » des autres qu'il s'apprête à montrer mais *la sienne* qui les englobera et les surclassera toutes.

Son catalogue-programme devient une véritable bible de la doctrine innocemment récapitulée par Carrouges dans un texte d'introduction mais augmentée, paraphrasée, rabâchée, parodiée, voire ridiculisée par une équipe de scoliastes dont Szeemann lui-même aiguillonnera l'ardeur et répartira la

1. « Les Machines célibataires », Kunsthalle, Berne, 5 juillet-17 août 1975.

besogne. Quant à sa préface, elle ne sera rien de moins qu'un « manifeste célibataire », où s'épanchera, dans une intarissable coulée de verve alternativement doctorale et badine, le flux de son zèle didactique, nourri de « preuves » empruntées pêle-mêle aux sciences exactes et à la science-fiction, à la psychanalyse et au cinéma, à la sociologie et à la médecine, à la théologie, l'ésotérisme, la linguistique, la sexologie et, plus généralement, comme l'écrit Alain Montesse, un de ses collaborateurs, à « tout ce qui lui tombera sous la main ».

En sa qualité de célibataire novice, Szeemann est tour à tour le maître de sa machine et sa victime désignée. Il lui doit l'audace, le « courage » méritoires, reconnaissons-le, pour un officiel, de s'être embarqué imprudemment dans cette galère mais aussi les pièges sur lesquels il trébuche à chaque pas. S'il s'inquiète de la démesure de l'entreprise et de ses périls, le souvenir le réconforte de son stage studieux au Collège de Pataphysique, où il a sucé le lait de l'initiation aux « problèmes des équivalences et de la mise en équation de toutes choses ».

Nanti d'un tel bagage, le voilà provisoirement rassuré. L'aveu est d'importance et justifie l'aisance immodérée de ses assertions, soulignées, on présume, de clins d'œil complices. Son but (inconscient peut-être) n'est-il pas de désacraliser le « mythe célibataire » en le « visualisant », en le « mettant à nu », dépouillé des pieuses bandelettes dans lesquelles l'avait enveloppé Carrouges ?

Qu'importe alors que le catalogue, cet « instrument dont, nous prévient Szeemann, on ne peut se passer », soit un salmigondis de lieux communs, de redites, d'approximations, de futilités et de coq-à-l'âne, compilés sous la caution contradictoire d'Aristote, de Léonard de Vinci, de sainte Thérèse d'Avila, de Swift, de Diderot, de La Mettrie, de Malthus, d'Achim d'Arnim, de Mary Shelley, de Fourier, de Zola, de Freud, de Munch, de Fritz Lang, de Burroughs, d'Andy Warhol, de Bruno Bettelheim, de Guattari et de Deleuze, entre autres ?

L'incorporation de ces deux derniers dans la liste des garants de la doctrine (ou de l'anti-doctrine) dissimule pourtant mal son appartenance à une idéologie « réactionnaire », ce dont, au surplus, Szeemann ne disconvient pas puisqu'il n'envisage le « mythe » de la machine que dans un contexte culturel, mystagogique, pataphysique ou hermético-érotique déjà dépassé. Mieux vaut fermer les yeux sur son aspect le plus répandu de *torture réelle,* lorsqu'on se trouve coincé entre le mysticisme et le sarcasme.

Pour ce qui est de Duchamp, mieux vaut oublier que sa « machine célibataire » fut dès l'origine une implacable dénonciation de l'oppression industrielle sous toutes ses formes. Mieux vaut taire, sous peine de le parer d'une auréole « sociale » dont il se passe aisément, son horreur du travail asservi, son refus obstiné de participer à la société marchande et de se plier aux contraintes économiques. Mieux vaut sourire de la phrase si souvent citée et si mal comprise d'Apollinaire, selon laquelle il appartenait à Duchamp de « réconcilier l'art et le peuple », et mieux vaut assigner à la *Machine célibataire* le sens d'un saut dans la quatrième dimension, plutôt que d'une rupture irrévocable avec l'idéalisme et la perception normative [1].

Mieux vaut commettre l'imposture de réduire cette mutation à un mécanisme d'évasion ironique pour intellectuels dilettantes, masochistes ou névropathes. Lorsque Szeemann, sans sourciller, met toutes ces éventualités « en équation », on espère qu'il satisfait son goût inné de la bouffonnerie. Il va cependant plus loin encore quand il nous livre la conclusion majeure de son enquête, à savoir la découverte d'Anton Müller et de sa vie « en tant que parallèle obsessionnel primaire à l'œuvre et au comportement de Duchamp ».

Ouvrier agricole, artiste autodidacte et aliéné authentique, interné pendant vingt-quatre ans jusqu'à sa mort dans la

---

1. Ce qui n'a pas empêché J.F. Lyotard de parler d'une jouissance ou d'une « ascèse » mécanique et d'écrire que « le prolétariat, en y étant soumis, a contribué à la modernité » (dans « Incongruences » 1976-1977).

clinique psychiatrique de l'université de Berne, ville où Szeemann, rappelons-le, dirigeait un musée, Anton Müller est l'auteur de constructions de cercles concentriques qu'il assemblait à l'aide de ses propres excréments. Leurs dates d'exécution, échelonnées entre 1914 et 1923, ont mis Szeemann sur la voie d'une symétrie avec le *Grand Verre.* De même, un grand objet fabriqué plus tard et figurant un sexe féminin qu'Anton Müller contemplait à travers une longue-vue évoque pour Szeemann le dernier ouvrage de Duchamp : *Etant donnés...* Ces correspondances ont paru si probantes à Szeemann qu'il a réuni sans hésiter Duchamp et Anton Müller dans une même salle de son exposition, où leur parenté se déduit moins immédiatement.

Ce rapprochement laisserait simplement rêveur, si l'exposition ne comportait aussi, sous prétexte de « visualisation », des reconstitutions assez dérisoires de la scène finale du *Surmâle,* du « grand diamant aquarium » et de la « hie ou demoiselle » de *Locus Solus,* ainsi que de l'instrument de mise à mort de *La colonie pénitentiaire.* Pour celui-ci, la réalisation littérale grandeur nature en a été confiée à un grand magasin de Berne, voisin sans doute de la clinique psychiatrique et de la Kunsthalle. La construction des trois autres est due à Jacques Carelman qui se montre plus doué lorsqu'il se consacre à ses propres fantasmes. Il n'a pu cette fois — mais cela relevait des interdits bravés par Szeemann — se hisser au-dessus d'un simulacre de théâtre de marionnettes ou de guignol.

Fort heureusement, c'est ce côté fête foraine de l'exposition qui la sauve de la lourdeur et de l'ennui. Sur ce plan la magie malicieusement illusionniste de Szeemann triomphe.

Une profusion de documents annexes : affiches de comédiens ambulants, de prestidigitateurs, de spirites, de charmeurs d'oiseaux, etc., confirme aux visiteurs désorientés qu'ils sont conviés à une kermesse et non au colloque de sémiotique auquel cette manifestation aurait dû donner lieu, pour échapper au reproche d'anachronisme.

Des photographies de machines érotiques par masturbation mécanisée, auto-enchaînement, électrisation, pendaison, strangulation, etc., contribuent, avec le leitmotiv omniprésent de la bicyclette, à créer une atmosphère propice de sex-shop et accentuent les caractéristiques libidinales des divers cas cliniques énumérés sur de grands écriteaux.

Enfin des machines à peindre ou à sculpter, comme la « Méta-Matic » de Tinguely, la « Pseudo-didactique » de Kowalski et celle de Grandville, d'où un « Pouce » à la César surgit prématurément, attestent qu'il s'agit ici de célébrer tout à la fois le comble de l'art et la fin de l'art.

On doit se réjouir en définitive que ce dénouement philosophique, prévu par Hegel mais parachevé par Duchamp, soit offert en spectacle au monde occidental par un directeur de musée, baladin de surcroît.

(1976)

3

DUCHAMP AU MUSEE

Au moment où le plus ambitieux musée d'art moderne que ce pays ait jamais conçu va être inauguré par une rétrospective de Marcel Duchamp, sera-t-il en mesure de proposer autre chose qu'une énigme ? C'est probablement ce que le public risque encore d'y voir, à en juger par le malaise qu'ont provoqué toutes les expositions précédentes en Amérique ou ailleurs. Reconnaissons-le, dans les conditions actuelles, le courant passe mal. Malgré l'abondance et l'emphase des commentaires, beaucoup de spectateurs restent désorientés ou soupçonnent même qu'une poignée d'intellectuels un peu pervers cherche à leur imposer comme géniale une œuvre dont bien peu d'aspects leur sont vraiment accessibles. Qu'en sera-t-il alors à Paris où, sauf chez André Breton et les surréalistes, Duchamp n'a longtemps inspiré que de la méfiance ?

Pour ma part, je dois avouer qu'après avoir poursuivi mes entretiens avec lui pendant trente années jusqu'à la veille de sa mort, et après avoir pris connaissance de la plupart des études très souvent remarquables sur lesquelles ont pâli tant d'exégètes ou d'érudits perspicaces, il m'arrive d'être pris de crainte non pas sur l'importance réelle du personnage mais sur le poids écrasant de ses ambiguïtés.

A qui incombe la responsabilité de cette situation si souvent insupportable ? Assurément à Duchamp d'abord, qui a toujours éludé les questions trop pressantes, mais plus encore aux idéologies de son temps qui toutes, sans exception, interdisaient de regarder la vérité en face.

Si bien qu'à des yeux actuels qui, n'en doutons pas, ont

aussi leurs œillères, Duchamp peut paraître irrémédiablement enfermé dans ses contradictions. Il y a donc lieu de tenter ici d'en analyser deux des plus flagrantes, parmi celles qui semblent imputables à ses hésitations supposées entre le matérialisme et l'idéalisme d'une part, entre la dénégation et le musée, d'autre part.

On notera préalablement que les artistes « modernes » n'ont rompu en rien avec la règle qui, chargeant les peintres de montrer la nature et les corps, les contraignait à travestir la sexualité. Peu soucieux de renverser la vapeur, Cézanne, Gauguin, les impressionnistes, les symbolistes, les nabis et les fauves se sont bornés à des aménagements de surface. La peinture a rapidement évolué vers la sublimation pour aboutir à la suppression de la nature et des corps par les cubistes et les premiers abstraits. C'est contre l'accélération de cette fuite devant la sexualité que Duchamp a effectué dès 1912 sa révolution copernicienne, en introduisant dans l'art un *cynisme sexuel* qui était inconcevable avant lui.

A une représentation dédiée depuis les débuts de l'ère chrétienne à la célébration de la Vierge, il a substitué le dévoilement sarcastique du mécanisme sexuel et de la virginité. Cette signification primordiale des tableaux de 1912, situés encore à l'intérieur de la « bonne » peinture, a été masquée par le fatras des considérations plastiques aussi longtemps que dominait une critique encore teintée d'idéalisme mais il devient impossible de la récuser aujourd'hui.

Elle est en outre la seule qui explique fondamentalement la réaction hostile des amis de Duchamp et de ses propres frères devant le *Nu descendant un escalier*, au Salon des Indépendants de 1912. Ce ne fut ni un hasard, ni un désaccord pictural mais ce tableau qui visait à la démystification de la féminité fut ressenti pour ce qu'il était : une transgression et un sacrilège. Si, à présent, les motifs visibles de ce rejet échappent à notre perception émoussée, le scandale, positif cette fois, provoqué à New York par le même tableau l'année suivante confirme son caractère insoutenable pour l'époque.

A la fin de l'été de 1912, après son voyage en Europe centrale, lorsque Duchamp aura terminé sa dernière série d'études peintes sur le thème auquel il ne cesse de penser : celui de la *Vierge,* de la *Mariée* et du *Passage* de l'une à l'autre, il répudiera définitivement la peinture à l'huile dont l'opacité fait obstacle à son intense scrutation quasi scientifique des corps et de leur fonctionnement interne. Il est désormais persuadé, à l'instar de Freud dont un écho lui sera peut-être déjà parvenu, que le seul sujet possible de l'art, comme le seul sujet possible du discours, s'articule sur la génération, le désir et la mort.

Se dégageant des effets de couleurs et de pâtes, où cependant il était passé maître, c'est au moyen d'un art *sec,* transparent et linéaire qu'il reprendra la démonstration de son matérialisme total, aggravé d'un redoutable humour, en schématisant avec une précision de géomètre-arpenteur les rouages de l'amour-passion, assimilé à un circuit productif.

On chercherait vainement des traces d'idéalisme dans un système dont le but évident est d'en éliminer les résidus, Loin de doubler un autre monde « fantasmé », le but est de pénétrer plus avant dans le réel par une impitoyable « mise à nu » de ses structures, de son régime, de son intimité, de ses répressions et de son refoulé. Cette méthode qui ne recule devant aucune profanation est minutieusement exposée dans la *Boîte verte* et il a fallu d'infinies contorsions à quelques scoliastes pour en faire dévier les définitions ironiques, mais d'autant plus tranchantes.

L'habitude a été prise depuis Carrouges de ranger Duchamp parmi les promoteurs de machines pseudo-humaines en littérature, près de Jarry, Villiers de l'Isle-Adam, Roussel et Kafka, auxquels Jean Clair a judicieusement ajouté Gaston de Pawlowski, sans qu'il faille omettre ce personnage de Powys qui se décernait le titre de « Marquis de la Quatrième Dimension ». Plus récemment s'est accréditée l'analogie entre les « machines désirantes » décrites par Deleuze et Guattari et la « machine célibataire » de Duchamp.

Des contrastes essentiels suffisent pourtant à distinguer la « machine célibataire » de ses prétendues homologues. Elle fut en effet la seule à être réalisée plastiquement et, au niveau de ce qu'on doit malgré tout appeler « l'art », elle marque le surgissement d'une vision entièrement neuve et révolutionnaire, nettoyée des références jusqu'alors indispensables à des précédents, à des modèles, à un savoir, à un surmoi, à des traditions, des mythes ou des styles antérieurs.

Socialement, elle instaure de plus une critique acerbe des normes existantes. Pour la première fois et avec une avance d'un demi-siècle, elle ouvre à la sexologie future l'accès des arts représentatifs. En édifiant sa machine, en la visualisant, Duchamp est donc parvenu mieux que les écrivains à y délimiter les parts respectives du désir et du délire. Rappelons que son pseudonyme : « (a)Rrose Sélavy » atteste sa prescience de la continuité nécessaire des flux.

Il reste néanmoins à déterminer par quelle faille le soupçon mystique a pu s'infiltrer dans ce mécanisme irréprochable. Inquiétant déjà par la singularité de son comportement et de son langage, Duchamp prit beaucoup de risques lorsqu'il décida d'arracher l'art à sa fonction traditionnellement hédonique pour lui faire assumer le rôle de critique de ses propres fins.

On s'irrita bientôt dans son entourage de l'autisme dédaigneux dans lequel il parut se confiner quand, poussant toujours plus loin la provocation, il transforma l'art visuel en une « Némésis » qui poursuivra dorénavant de ses anathèmes et de ses railleries les peintres encore asservis à l'esthétique. Il osera même se constituer vis-à-vis d'eux en reproche vivant et, à leurs kilomètres de toiles peintes, il opposera l'insolent défi de quelques rares, fragiles et menus ready-made investis par lui d'un fétichisme bouffon.

C'est de cela surtout qu'on ne devait jamais l'absoudre à Paris et il n'est pas jusqu'à Picasso, devant lequel je prononçais son nom vers 1960, qui ne m'ait dit avec humeur : « Je ne veux plus en entendre parler. Il a passé son temps à se foutre de ma gueule. »

Au-delà de ces solides rancunes accumulées par Duchamp, mais largement compensées par l'idolâtrie dont il fut aussi l'objet, on doit reconnaître l'ampleur parfois démesurée de ses exigences. En 1955, dans une interview filmée avec J.J. Sweeney qui lui rappelait sa déconvenue du *Nu descendant un escalier* et sa revanche à l'Armory Show, il eut cette réponse typique : « C'est ce qu'on dit aujourd'hui mais il nous a fallu quarante ans de recul pour en prendre conscience. Sur le moment, cela aurait pu n'être qu'une explosion, une semaine ou deux de scandale et puis plus rien... *Je ne pouvais me contenter de si peu.* »

Faudrait-il en déduire, comme on l'a insinué, que, s'étant placé volontairement hors du jeu, il a éprouvé la tentation de l'unique ? Le narcissisme l'aurait-il, par moments, subjugué ? Mais dans ce cas n'a-t-il pas montré lui-même clairement le danger d'un retour à la sacralisation de l'art par le biais d'un moralisme et d'une hiérarchie d'ordre sacerdotal ? D'où son recours presque fanatique à la dérision qui, en définitive, le préserva d'une anagogie larvée et lui vaut à l'heure actuelle son omniprésence.

Ceci nous conduit directement à notre second paradoxe : comment ce négateur-né, comment son mépris de tout affairement culturel et sa répugnance instinctive à l'exhibition de soi se concilièrent-ils avec l'attirance inattendue mais incontestable que les musées ont exercée sur lui ? La question n'est pas anecdotique car elle touche à l'étroitesse du choix qu'il s'était dicté.

Ayant refusé ou fui la compétition professionnelle, le résultat, dit-il encore à Sweeney, fut que son « travail » ne trouva plus d'amateurs. Peu de méventes, soulignons-le, furent autant voulues et mieux organisées. Cela dura une cinquantaine d'années pendant lesquelles il distribua gratuitement ses ouvrages ou les vendit à vil prix. A ceux qui ergotent actuellement, nous répondrons : « Il fallait le faire. »

La surprise n'en est que plus grande de constater qu'en 1920, c'est-à-dire en pleine période Dada, Duchamp accepta la vice-présidence d'un centre artistique fondé à New York par Katherine Dreier, dans son hôtel particulier de la Cinquième Avenue. Man Ray baptisa « Société Anonyme » ce qui fut en Amérique le premier musée d'art moderne.

Ni Duchamp, ni Man Ray, ni aucun autre dadaïste ne semblent s'être préoccupés des incompatibilités que soulevait leur participation à cette sorte d'entreprise. Il appartient aux historiens pointilleux et aux censeurs tardifs de s'indigner après coup de ces entorses à la pureté des principes qu'au surplus Dada n'a jamais professés.

Pour ce qui est de Duchamp, l'initiative de Katherine Dreier lui ouvrit une perspective sur un moyen commode de ne pas se laisser tout à fait déposséder de ses ouvrages *car il les aimait*. Il eut l'espoir de les sauvegarder de la destruction qui menace, dans nos sociétés mercantiles, tous les objets estimés sans valeur vénale.

Vollard, dans son récit d'une tournée à Aix-en-Provence, relate comment les Aixois lui jetaient par la fenêtre des toiles de Cézanne, simplement pour en débarrasser leurs combles. D'après les statisticiens, nombreuses sont les œuvres d'art qui, livrées aux caprices de leurs détenteurs, finissent dans les poubelles ou les dépôts de détritus [1]. Duchamp était trop lucide pour ignorer ces hécatombes, il avait trop d'humilité pour ne pas en craindre l'épreuve. Il avait également, et nous rejoignons là son matérialisme, percé à jour les tortueux engrenages économiques et politiques, très proches de ceux dont relève l'amour, qui régissent les critères

1. Cette thèse a été confirmée par la découverte dans une décharge publique de près de trois cents objets préhistoriques provenant du musée de Flers, dont ils furent éliminés par le conservateur même.

d'appréciation des tout-puissants « regardeurs ». Sous cet angle, la justice immanente n'étant plus qu'une farce sinistre, l'alternative du musée, en dépit de son relent de mort, et parce qu'elle impliquait peut-être le consentement à la mort plutôt qu'à une vie diminuée, représentait le moindre mal.

Durant les quinze années qui suivirent l'inachèvement du *Grand Verre,* Duchamp s'éclipsa de la scène artistique pour s'adonner au jeu d'échecs mais deux publications à compte d'auteur : la *Boîte verte* en 1934 et la *Boîte-en-Valise* de 1938 à 1942, confirmèrent sa volonté de ne pas laisser son œuvre plastique sombrer dans l'oubli. Si la *Boîte verte* revêt l'apparence d'une liasse de documents et de notes, la *Boîte-en-Valise* fut de l'aveu même de Duchamp un « musée portatif », contenant la quasi-totalité de ses ouvrages reproduits en miniature.

Parallèlement, il s'était mis à la recherche des principaux originaux dispersés, afin de les réunir chez un petit nombre d'amis collectionneurs — ils ne furent pas plus de deux au total : Katherine Dreier et Walter Arensberg — qui se proposaient de les laisser à des musées, selon la coutume du mécénat américain.

Intégrée en 1941 à l'université de Yale, la « Société Anonyme » se mua la première en un musée public et permanent, dont le catalogue paru en 1950 eut pour attrait principal les nombreuses notices que Duchamp, affectant de prendre au sérieux sa fonction de conservateur *in partibus,* se fit un devoir de rédiger à rebours de ce qu'on attendait de lui, sur un ton d'aménité confondante.

Cette même année 1950, ses autres mécènes américains, les Arensberg, non sans des négociations laborieuses, firent don au musée de Philadelphie de leurs collections considérables, avec un irremplaçable corpus d'œuvres de Duchamp, recueillies grâce à son aide diligente. Visible depuis 1954, cet ensemble auquel fut joint le *Grand Verre,* légué par Katherine Dreier, dut constituer pour Duchamp le « sanctuaire » qu'il préméditait puisqu'il fit en sorte de le compléter par un dernier ouvrage, dit « démontable » mais pratiquement inamovible, dévoilé après sa mort.

Si, cédant à la mode, on avait l'imprudence ou l'impudence de se hasarder à une approche plus ou moins psychanalytique de cette vie fermement gouvernée en surface, au point de sembler avoir atteint la perfection d'une sorte de sagesse mêlée d'indifférence, on n'aurait aucune peine à y déceler la sous-jacence de multiples courants antagonistes, le penchant au secret, à l'occultation, à l'auto-répression le disputant sans cesse au besoin de poser des jalons, de lancer des signaux, de s'assurer un abri posthume, comme sous l'effet d'une incroyable méconnaissance de soi. Mais à quoi nous servirait d'épiloguer encore sur les contradictions non résolues de Duchamp puisqu'il reste le seul, entre tous les artistes modernes, qui ait réussi le tour de force d'entrer de son vivant au musée, sans subir le long purgatoire de la commercialisation ? C'est probablement ce qu'il désirait et il l'a eu enfin, mais au prix de quels malentendus.

A l'appui de ce que nous suggérions plus haut quant à sa « préméditation », qu'on nous permette de citer cette requête qu'il inscrivit en 1950 au verso d'un dessin préparatoire de 1913 pour *La mariée mise à nu* : « Serais infiniment reconnaissant au possesseur de ce dessin s'il consentait à le léguer à l'Institution qui possédera éventuellement le grand verre (dont ce dessin est la première mise en place). Actuellement le grand verre est la propriété de Miss Katherine S. Dreier et elle a l'intention de le léguer à un Musée. »

Lorsque je crus devoir lui demander ce qu'il entendait par « Institution », sa réponse que j'ai transcrite fut on ne peut plus directe : « J'emploie ce mot dans le sens d'hospice ou d'asile pour aveugles, sourds-muets, vieillards ou aliénés. C'est bien ce que les musées sont pour les artistes, non ? Surtout des maisons de fous congelés, où des conservateurs-infirmiers étudient rétrospectivement les cas les plus typiques. D'ailleurs si l'on est fou, mort ou vivant, ne vaut-il pas mieux être enfermé ? C'est trop dangereux au dehors. »

Est-ce l'écho de ces dires que l'on perçoit chez Marcelin Pleynet, un des rares critiques contemporains qui soit nanti de quelques idées inhabituelles sur l'art et selon qui l'Institution est désormais « condamnée à collectionner les symptômes » ?

Pour revenir à cet « au dehors » dont s'alarmait Duchamp, il gardait en mémoire ce qu'il y était advenu du *Nu descendant un escalier* et de *Fontaine,* bannis l'un des Indépendants de Paris en 1912, l'autre des Indépendants de New York en 1917. Bien plus tard, le magazine *Vogue* refusa froidement l'*Allégorie de genre,* présentée en 1943 et l'éditeur Knopf en fit autant pour *Jaquette* en 1956, alors que Duchamp passait depuis longtemps pour célèbre. Personnellement je n'ai pas oublié que la première en date de ses expositions particulières à Paris, organisée en 1959 à « La Hune », au moment de la publication de mon livre, fut complètement ignorée, comme d'un commun accord, par le concert soudain aphone de la critique française [1].

J'ajouterai ce fait moins connu : je reçus en 1959 d'une maison d'éditions parisienne la commande d'un livre que nous aurions eu, Duchamp et moi, toute latitude d'illustrer et d'écrire séparément, sans nous concerter. Mais lorsque Duchamp, s'exécutant aussitôt, expédia de Cadaquès trois caissettes hermétiquement scellées qui contenaient en guise d'illustrations : *With my tongue in my cheek, Torture-morte* et *Sculpture-morte,* la commande fut annulée sans autre forme de procès.

Or il est ressorti que ces sculptures, tenues pour de mauvaises plaisanteries par leur destinataire, s'inscrivaient, après la *Feuille de vigne femelle* de 1950, *l'Objet-dard* de 1951 et le *Coin de chasteté* de 1954, dans la série des expériences très spéciales de relief auxquelles se livra Duchamp pour

1. A la même époque, une émission télévisée réalisée à grands frais fut supprimée le jour précis où elle avait été annoncée dans la presse et le film a disparu des archives.

Etant donnés..., qu'il préparait secrètement depuis 1946 et où, portant le cynisme sexuel à son comble, il célébra sardoniquement les noces de l'érotisme et de la mort.

Qu'on ne s'imagine surtout pas que le don de cet ouvrage par la fondation « Cassandra » de William Copley fut accepté avec un enthousiasme unanime au musée de Philadelphie, nécropole pourtant libérale et gérée par des amis déférents, mais où certains estimaient que Duchamp occupait déjà trop de place. Evan Turner, le directeur, dut déployer toutes les ressources de sa diplomatie et de sa ténacité pour vaincre les réticences de son conseil d'administration et pour obtenir un exequatur, assorti d'une interdiction pendant quinze ans de la reproduction photographique de l'ouvrage et de la divulgation des notes explicatives que Duchamp a laissées. Ce n'était pas le cabanon mais cela ressemblait beaucoup à l'infirmerie.

(Paris 1977)

4

DUCHAMP PARATONNERRE

On ne s'engagera pas ici dans la querelle idiote qui s'éternise à propos de Beaubourg. On ne débattra ni de sa beauté, ni de sa laideur, ni de son utilité, ni de sa futilité, ni des possibilités nouvelles que, selon certains, il apporte aux créateurs, ni du coup que, selon d'autres, il leur porte.

Ce qui étonne surtout dans cette entreprise, c'est que, pour l'inaugurer, on ait choisi Duchamp. Choix tardif, nul ne l'ignore, puisqu'il n'en était pas question dans le programme initial.

On aurait mauvaise grâce de se plaindre que Pontus Hulten ait réussi presque in extremis à imposer le projet qui lui tenait à cœur. Ne fut-il pas en Europe le premier directeur de musée à prendre, dès 1960, contact avec Duchamp ? Néanmoins, on s'interrogeait sur les véritables raisons qui avaient incité les sujets supposés savoir des Affaires culturelles à modifier leur politique en cours de route et à se rallier aux suggestions de Hulten. Il aurait dû lui-même, peut-être, se méfier d'avoir obtenu, sans trop de difficultés, gain de cause.

La visite de l'exposition était sur ce point édifiante. Au 5e étage, sous les combles, Duchamp servait à Beaubourg de paratonnerre.

On espère que des égards particuliers, plutôt qu'une pénurie d'espace, conduisirent les organisateurs à hisser Duchamp tout en haut, quasiment à ciel ouvert, afin de mettre en valeur sa silhouette de grimpeur infra-mince, telle que l'esquissa son dessin *Avoir l'apprenti dans le soleil,* en écho à la définition de Jarry : « La Passion considérée comme course de côte. » Car c'était bien à une Passion qu'on le conviait pour préserver la saveur d'avant-garde de ce qu'on montrait de lui, pour lui éviter de faire « sérieux » contrairement aux grands artistes patentés que l'alignement didactique et les affûtiaux des étages de maîtres amoindrissaient singulièrement.

Confiné pour sa part entre des cloisons de série industrielle, dans de petits alvéoles et des couloirs mal éclairés ou à plat sous des vitrines, cerné par un amoncellement de documents comparatifs et de reconstructions naïves, il atteignait sans peine à l'occultation parfaite et à l'ascétisme qu'il a toujours préconisés. Pour intriguer encore davantage, un chalet genre suisse, barrant l'entrée de l'exposition, s'ornait d'épisodes soigneusement vulgarisés de sa vie.

L'intention officielle ne s'en manifestait pas moins avec évidence. Comme un rapin d'autrefois dans sa mansarde ou un stylite sur sa colonne, on l'*exposait* à la foudre dont la réprobation des Justes, ou plus mortelle encore leur approbation, ne manquerait pas de frapper Beaubourg.

Duchamp, victime expiatoire ? Ce ne serait pas la première fois mais l'ampoule d'air de Paris (de 1919), qui ne le quitte jamais dans ses déplacements, devrait malgré tout le sauver.

(Paris 1977-1978)

5

DETOURS ET DERIVE DE L'OBJET

Les dates, dont abusent les historiens d'art pour établir les *priorités,* reprennent toute leur valeur lorsqu'elles servent à révéler les *coïncidences.* Ainsi l'étude de Heidegger *L'origine de l'œuvre d'art* fut d'abord une conférence prononcée en novembre 1935 à Fribourg-en-Brisgau, puis renouvelée en janvier 1936 à Zurich où, vingt ans plus tôt, était né Dada et où Lénine rongeait son frein. Or à Paris, cette même année 1936, en mai, eut lieu chez Charles Ratton l'*Exposition surréaliste d'objets* dont rendit compte un numéro spécial de *Cahiers d'art.* Marcel Duchamp en illustra la couverture de *Cœurs volants* et André Breton y publia *Crise de l'objet,* qui pourrait passer pour une réponse à la thèse que venait d'énoncer Heidegger [1].

Quelles sont les grandes lignes de cette thèse ? Afin de découvrir l'essence de l'art, Heidegger s'applique à distinguer le plus nettement possible entre la *chose,* le *produit,* et *l'œuvre.* A partir de ces prémisses, Breton et Heidegger se rejoignent dans une sorte de dialogue d'autant plus frappant et significatif qu'il s'engage et se poursuit à l'insu de l'un comme de l'autre.

Si, de toute évidence, Breton ne savait rien encore de l'argumentation de Heidegger, on peut présumer que ce dernier ignorait ou tenait pour négligeables, sinon néfastes, les expériences déjà amplement commentées de Dada et du

1. Sa traduction française a paru dans le recueil *Chemins qui ne mènent nulle part (Holzwege),* Gallimard, 1962. La version traduite contient trois autres conférences faites à Francfort-sur-le-Main en novembre et décembre 1936.

surréalisme. On ne doit pas oublier qu'en 1936 le nazisme triomphant menait contre « l'art dégénéré » une lutte à mort qu'Heidegger n'a nullement désavouée, que l'on sache. Tout au contraire devant l'agression nazie la révolte et l'indignation de Breton s'exacerbent car il est particulièrement perméable à « l'anxiété inhérente à un temps où la fraternité humaine fait de plus en plus défaut ».

Néanmoins, de *L'origine de l'œuvre d'art* à *Crise de l'objet* il n'y a pas que des incompatibilités mais également une extraordinaire connivence entre deux esprits que tout, à ce moment, sépare. Leur est commune en premier lieu la volonté de pousser jusqu'au bout l'interrogation. Breton aurait pu faire sienne cette déclaration de principe de Heidegger : « Il nous faut ainsi résolument parcourir le cercle. Ce n'est ni un pis-aller, ni une indigence. S'engager sur un tel chemin [1] est la force, y rester est la fête de la pensée... » Heidegger n'eût pas moins approuvé la proposition par Breton « ... d'une pensée non plus réductive mais indéfiniment inductive et extensive ».

Certes l'envolée, l'impatience de Breton s'accordent mal à la foulée volontairement pédestre, piétinante de Heidegger qui, incidemment, ironise sur « le petit coup d'œil vers l'irrationnel, avorton du rationnel impensé... ». Pourtant Heidegger est-il si loin de Breton lorsqu'il écrit : « Par moments, nous avons encore le sentiment que depuis longtemps on a fait violence aux choses en leur intimité, et que la pensée y est pour quelque chose : est-ce alors une raison pour renier la pensée, au lieu de s'efforcer de la rendre plus pensante ? Mais que peut bien valoir un sentiment, si sûr soit-il, lorsqu'il s'agit de définition essentielle et que seule la pensée a droit à la parole ? »

Combien parente est l'orientation de Breton telle que lui-même il la désigne : « ... on peut s'attendre à ce que le rationnel épouse en tous points la démarche du réel et, effec-

1. ... sans doute celui qui ne mène nulle part (« Holzwege »).

tivement, la raison d'aujourd'hui ne propose rien tant que l'assimilation continue de l'irrationnel, assimilation durant laquelle le rationnel est appelé à se réorganiser sans cesse, à la fois pour s'affermir et s'accroître. »

Mais nous devons venir sans plus tarder aux contrastes entre deux conceptions antinomiques de l'œuvre d'art, celle-ci, selon Heidegger, s'exceptant à la fois de la chose et du produit tandis que Breton préconise de « rompre en art les barrières » au moyen de la *contradiction surmontée*.

On constate ici de nouveau que, malgré sa rigueur et son obstination, Heidegger est loin de se fermer à l'humour des analogies. Il voit bien que « les œuvres ne sont pas autrement présentes que les autres choses. La toile est accrochée au mur comme un fusil de chasse et un chapeau. Un tableau, par exemple celui de Van Gogh qui représente une paire de chaussures de paysan, voyage d'exposition en exposition. On expédie les œuvres comme le charbon de la Ruhr ou les troncs d'arbres de la Forêt Noire. Les hymnes de Hölderlin étaient, pendant la guerre, emballés dans le sac du soldat comme les brosses et le cirage », etc.

Il conclut donc à « une choséité qui va de soi dans l'œuvre » mais, ajoute-t-il, « l'œuvre d'art est encore autre chose, en plus et au-dessus de sa choséité », de même que l'œuvre diffère du produit qui est essentiellement *utile* et *solide*.

Heidegger enregistre ces inconciliabilités avec calme, avec résignation, peut-être même avec plaisir et la constatation de l'état de fait est toujours pour lui la « fête de la pensée », alors que fréquemment Breton s'en indigne. C'est à ce propos que s'affirme la divergence car Breton ne se borne pas à marquer la limite entre le produit et l'œuvre, il appelle au combat contre « l'envahissement du monde sensible par les choses dont, plutôt par habitude que par nécessité, se servent les hommes. Ici comme ailleurs traquer la bête folle de l'*usage* ».

Comment envisage-t-il d'y parvenir ? En recherchant la perturbation et la déformation « pour elles-mêmes, étant admis toutefois qu'on ne peut attendre d'elles que la rectification continue et vivante de la *loi* » (devant laquelle Heidegger impassiblement s'incline). Et André Breton justifie en ces termes l'exposition de 1936 : « Les *objets* ainsi rassemblés ont ceci en commun qu'ils dérivent et parviennent à différer des objets qui nous entourent par simple *mutation de rôle.* »

On se souvient alors que Marcel Duchamp avait pour sa part, dès 1913, engagé le combat en posant quelques ready-made sur l'échiquier pré-dadaïste. Simple geste qui passa longtemps inaperçu dans le tintamarre esthétique de la conjoncture, geste pourtant ponctué de définitions percutantes, car le langage faisait partie intégrante de la sémiotique de Duchamp. Ainsi la définition où il préconise de « se servir d'un Rembrandt comme planche à repasser » : c'était bien le comble de la « mutation de rôle ».

Etrange débat qui s'est ébauché avec Freud et son investissement libidinal de l'*objet* mais, plus lointainement peut-être, avec le défi lancé par Sade à l'Etre Suprême. Les avatars de l'*objet* « moderne » se sont répercutés en une suite de défis que suscitait la haine grandissante vouée à l'esthétique, au fur et à mesure que s'esthétisait au XIXᵉ siècle la quasi-totalité du champ social. Tout y est passé depuis la morale, le capitalisme, la révolution, l'économie, la politique, la philosophie, la psychologie et, bien entendu, la littérature et l'art, et jusqu'à l'existence même dont l'idéal sublimé deviendra le dandysme. L'important sera de dissimuler la friponnerie sous de nobles intentions et une belle âme mais, dans Dostoïevski déjà, Raskolnikov, l'anti-héros de *Crime et Châtiment,* se reprochera moins son crime que l'esthétisme dont il l'a entaché. Cette même exécration de l'esthétisme va conduire l'avant-garde russe, aux approches de la révolution d'Octobre, à proclamer dès 1915 l'autonomie de l'*objet* et à répudier, parallèlement à Duchamp, le caractère « fétichiste » de l'œuvre d'art.

Aujourd'hui, l'*objet,* qui se dit encore « moderne » après

plusieurs vagues successives « d'objecteurs », prétend toujours rejeter l'esthétique mais n'oppose plus qu'un bien fragile rempart au déferlement des marchandises culturelles dont il se différencie de moins en moins. Figé en *anti-objet,* il réitère l'invective initiale sans l'avoir vraiment élucidée, pas plus que ne s'est précisée sa fonction dans la *relation d'objet,* impasse engorgée de la psychanalyse.

Tout au plus une technique de l'*objet* supposé perturbateur s'est-elle instituée dans le sillage de Dada et du surréalisme, en misant sur le double effet du choc d'une systématisation de l'automatisme et d'une escalade calculée de la provocation. Ce furent en leur temps le *collage* et le *frottage* de Max Ernst, puis la *paranoïa critique* de Dali, élaborée, on s'en souvient, avec l'aide de Jacques Lacan, alors jeune psychiatre.

Marqué sans doute par cette expérience vécue de l'*objet* surréaliste notablement réesthétisé, Lacan, vingt ans plus tard et nanti cette fois de l'arme encore secrète de l'analyse linguistique, dont d'autres se sont si lourdement servis, braquera l'impitoyable pinceau de son phare sur le théâtre de l'inconscient, que Freud a nommé « l'autre scène ».

Efforçons-nous de rassembler en une formule lapidaire ce qu'a établi Lacan de plus révélateur pour ce qui concerne notre propos. Serait-ce à la fois la primauté du *désir* dans la constitution de l'*objet* et, inversement, le « caractère essentiellement non satisfaisant » de l'*objet* relativement au *désir* [1] ? Comme Heidegger et Breton, chacun à sa manière, prenaient soin de distinguer entre le *produit* et l'*œuvre,* Lacan refuse de réduire le *désir* au *besoin.* Si l'on ajoute que, dans ce dédale, le phallus surgit à titre de *signifiant* mais qu'il « ne peut jouer son rôle que *voilé* », on mesurera quelle lumière froide projette sur « l'autre scène » de l'*objet* la dialectique paradoxale de Lacan [2]. Quant à Duchamp, rien ne me semble

1. *L'identification* (1962), édition de 1977, p. 35.
2. *La signification du phallus* (1958), dans *Ecrits,* 1966 pp. 685 à 695, Le Seuil.

mieux lui convenir que les détours de ce langage et de cette méthode pour tenter à son endroit une nouvelle approche.

Ici doit s'insérer la parenthèse du scrupule qui m'a retenu de verser sans mesure, comme tant de commentateurs de Duchamp, dans l'interprétation hermétique que j'avais d'abord moi-même envisagée. Je n'ai jamais pu me défendre d'un malaise devant les déductions pourtant très astucieuses d'Ulf Linde, d'Arturo Schwarz, de Nicolas Calas, de Jack Burnham dont le conceptualisme herméticomystagogique culmine dans la thèse plus récente de Maurizio Calvesi [1]. En revanche, confiner Duchamp entre les cloisons des données normatives de l'histoire et du milieu me paraît par trop restrictif et pauvre.

C'est pourquoi j'oserai prendre ici le risque d'une différente lecture de Duchamp, s'appuyant sur ce que Jacques Lacan nous apporte d'aperçus et de repères insoupçonnés, dont quelques-uns ont été trop brièvement évoqués plus haut. Il va de soi que j'ai tenu à prier leur auteur de m'éviter de fâcheuses méprises en vérifiant le bien-fondé de mes gloses. En effet il ne s'agit plus de plier Duchamp, malgré lui, au moule d'une tradition alchimique à laquelle il s'affirmait étranger mais, au contraire, de préciser ses liens à des recherches et à une pensée contemporaines, dont il s'est senti proche et qu'il suivait avec sympathie et cet intense amusement que lui procuraient les exercices de voltige intellectuelle. J'en fus témoin en assistant en sa compagnie à un cours particulièrement brillant et incantatoire de Lacan à l'Ecole normale supérieure.

Posons en préambule que, jusqu'à Duchamp et en n'exceptant aucun des maîtres qui ont bouleversé (ou cru bouleverser) les arts plastiques à la fin du XIXe siècle et au début du XXe, l'œuvre est demeurée très classiquement une « parade

1. Certains ont prétendu que la vocation ésotérique du Duchamp daterait de son voyage en Europe centrale pendant l'été de 1912. Or une lettre récemment retrouvée qu'il adressa de Berlin à ses frères en septembre 1912, se révéle très éloignée de cet état d'esprit.

amoureuse[1] », une entreprise de séduction de l'Autre, en vue de stimuler son désir de « possession ». Etre ou ne pas être reconnu, c'est-à-dire désiré par l'Autre, reste une question de vie ou de mort pour l'artiste, comme elle l'est pour son semblable, l'Enfant.

D'où la nécessité du leurre hédoniste de l'œuvre, dont la « beauté », selon le mot de Stendhal, est (pour l'Autre) une « promesse de bonheur ». L'artiste méconnu n'est qu'un « mal aimé », à en croire l'expression d'époque, dont Duchamp m'a dit avoir eu horreur. Nul n'était donc plus apte à mettre fin à un état, jugé par lui puéril, de dépendance affective, dont il éprouvait au plus haut point l'humiliation.

Mais il ne s'est pas borné à rompre sans retour avec l'attitude de soumission esthétisante de l'artiste envers le groupe social, il ne lui a pas suffi de s'affranchir du jugement de l'Autre en imposant lui-même sa propre notion de valeur, par sa signature apposée sur un ready-made de bazar, ce qui n'était encore qu'une libération partielle. Il a poussé l'insolence jusqu'à renverser la situation en bafouant et en piégeant l'Autre, en lui infligeant une privation, un refus, une absence, au lieu d'exaucer, ne serait-ce que fictivement, son désir[2].

Là réside l'éclatante nouveauté de l'*objet* qui n'est plus de *délectation d'art* mais *d'insatisfaction,* tel que Duchamp l'a introduit le premier et qui s'apparente au « mauvais objet » psychanalytique de Mélanie Klein. Véritable coup de force, tant sur le plan des arts visuels que dans l'ordre du comportement, et qui notifie l'interversion des rôles entre les protagonistes de « l'autre scène » esthétique.

Il ne serait pas inutile à ce stade de souligner les analogies et les affinités qui rattachent le système représentatif de

---

1. C'est le titre, probablement inspiré par Duchamp, d'un tableau « mécanique » de Picabia.

2. La pointe est si outrageusement castratrice que Duchamp, bien plus tard, afin de rétablir l'équilibre (« Et qui libre ? » dira-t-il), restituera ironiquement au « regardeur » (ne pas confondre avec le « voyeur ») son droit de participation au « processus créatif ».

Duchamp à celui que Lacan a fait passer dans le langage. C'est d'abord, chez chacun d'eux, l'usage d'une expression elliptique, narquoise et désinvolte, non sans une propension au coq-à-l'âne, à l'ésotérisme et au rébus mais pour mieux capter les multiples facettes du sens, sous le contenu littéral des formes et des mots. Il s'ensuit une assez semblable économie de l'*objet* dont il importe surtout de faire valoir la « pure perte », « l'annulation » dans le double jeu de la présence et de l'absence. Si « nihilisme » il y a, le reproche qu'ils encourent tous deux tient mal devant la fondamentale jubilation qui sous-tend leur commune attitude.

On a, chez Duchamp, l'embarras du choix quant aux exemples : le nu s'est absenté déjà en « descendant un escalier » comme la « Vierge » s'éclipsera du *Grand Verre*, comme la *Roue de bicyclette*, le premier ready-made, reste comiquement unique dans la répétition, comme la pesanteur interloque, c'est-à-dire parle dans le sucre en marbre de *Why not sneeze ?*, comme le temps lui-même est « détourné » par « l'horlogisme » de la *Pendule de profil* ou par la métonymie de *Cols alités*, comme le calembour s'érige en « signifiant » de l'appareil génital dans la *Feuille de vigne femelle* et dans *l'Objet-dard*, comme *Anémic Cinéma* inaugure le film pornographique en déclenchant le mécanisme du bricolage sexuel, sans l'intervention de figurants humains mais presque « abstraitement », par la seule alternance des saillies et des reculs, suggérés par la giration des spirales en « rotorelief ». Telles furent, des années 10 aux années 60, quelques-unes des intuitions déviantes et parasitaires égrenées par Duchamp et sur la base desquelles il procéda négligemment au lancement de ses *objets*, dont beaucoup se comportèrent en véritables engins à retardement. En rupture irrévocable avec les idéologies dominantes, et le parallèle avec Lacan s'impose ici encore, quelle prise eurent néanmoins ces objets sur l'inconscient de l'époque pour lui imprimer si durablement leur impact !

Etant donnés..., qui achève définitivement la série, est

un monument, peut-être plus explicite, élevé à la défaillance de l'Autre. Rappelons une fois de plus qu'il consiste en une épaisse porte percée de deux trous, au travers desquels on aperçoit en très vive lumière une femme mûre, couchée et nue, les jambes écartées, qui brandit de la main gauche un « bec Auer », détail sciemment anachronique, désignant un temps antérieur. Ce n'est plus la « Mariée mise à nu par ses célibataires, même » du *Grand Verre,* puisque à l'évanescence non figurative de la « Vierge » s'oppose l'antithèse absolue de la présence très réaliste et charnelle d'une vieille prostituée « tombée dans le ruisseau », contribution peut-être au chapitre sur les « Mères profanées » que Proust n'osa pas écrire.

Ce serait donc à une vision vengeresse de « la mère » déchue que l'on se trouverait confronté. Dans ce cas le fantasme pourrait, sans invraisemblance, être imputable à Duchamp et à son goût prononcé de la dérision et du sarcasme macabre. On se remémore aussi que, tout en simulant l'oisiveté, il a travaillé vingt ans, en secret, à cet ouvrage, lequel, selon sa volonté expresse, a été montré seulement après sa mort. La problématique s'aggrave encore de cette décision délibérée de s'annuler soi-même physiquement comme sujet, avant que l'ouvrage où s'articule sa dernière et plus mortelle invective ne soit divulgué.

Je ne sais rien qui fasse plus penser à la jouissance posthume, donc masochiste, que se promet le testament sadien et c'est ce qui m'a conduit à relire ce texte de Lacan, à propos de Sade : « *... qu'est-ce que veut dire cette sorte de transfert à la mère incarnée dans la nature d'une certaine et fondamentale abomination de tous ses actes ?... c'est-à-dire quoi ? redonner sa place au créateur... Sade l'a dit sans le savoir, il articule ceci par son énonciation : je te donne ta réalité abominable, à toi le père en me substituant à toi dans cette action violente contre la mère* [1]. »

1. *L'identification, op. cit.* pp. 74 et 75.

Le moins que l'on puisse en dire est que la plausibilité de cette analyse de Lacan vaut bien celle des vénérables grimoires cabalistiques ou du *Traité élémentaire de géométrie à quatre dimensions* d'Elie Jouffret.

Faut-il en conclure que Duchamp a proféré à son tour, et lui aussi sans le savoir, l'imprécation attribuée à Sade ? Il ne resterait plus alors qu'à reconnaître dans *l'objet* que la « mère » soulève de son bras tendu, comme un flambeau de vérité, le simulacre dégainé du phallus, ce « signifiant » superlatif.

(1966-1977)

6

MARCEL DUCHAMP ET L'ELECTRICITE EN LARGE

Duchamp électricien ? Gazier plutôt et hydraulicien peut-être à en juger par la formule :

Etant donnés

1° la chute d'eau

2° le gaz d'éclairage

qui figure en « Préface » de ses *Notes* des années 1911-1915 et à laquelle il s'est strictement tenu d'une extrémité à l'autre de sa vie créative, comme à une décision prise une fois pour toutes [1].

On sait que ses deux ouvrages majeurs, conçus à trente ans d'intervalle et qui ne se ressemblent en rien, procèdent de cette même formule. Le *Grand Verre* (1915-1923) est une surface transparente ne comportant aucun élément figuratif mais *Etant donnés...* (1946-1966) est un assemblage implacablement réaliste et entièrement clos, visible seulement à travers deux trous percés dans une porte.

Pourtant la *Boîte de 1914* contient une note qui nous met déjà sur une autre piste :

« L'ELECTRICITE EN LARGE

Seule utilisation possible de l'électricité " dans les arts ". »

Cette note, comme tous les manuscrits et tous les propos elliptiques de Duchamp, doit d'abord être interprétée et c'est là que les malentendus commencent car il fut toujours avare de commentaires sur ses propres travaux. Du peu

---

1. *La mariée mise à nu par ses célibataires, même* ou *Boîte verte*, Edition Rrose Sélavy, Paris 1934. Ces *Notes* ont été republiées par Michel Sanouillet.

qu'il m'a dit, j'ai personnellement déduit que « l'électricité en large » serait celle qui n'est pas « en long », contrairement au gaz qui, dans le projet du *Grand Verre* « parcourt l'unité de longueur dans un *tube de section élémentaire*... se trouve (congelé) solidifié en forme de baguettes élémentaires... sort de son tube et se casse par fragilité en *paillettes* inégales *plus légères* que l'air... qui tombent dans le " Piège des ombrelles ", perdent la " connaissance de situation " et s'éparpillent en " vapeur d'inertie " ». « Une chiffe, quoi ! » s'exclame Duchamp déçu de cette défaillance anticipée du gaz d'éclairage.

Quant à la « sorte de jet d'eau arrivant de loin en demi-cercle par-dessus les moules mâlic », il aboutit lui aussi à « l'éclaboussure » par des « plans ou pentes d'écoulement » « en forme de toboggan mais plutôt un tire-bouchon ». Afin de souligner l'insuffisance à son gré de « l'éclaboussement » ou « débouchage », Duchamp précise qu'il n'a « rien de commun avec le champagne ».

Manifestement il ne croit pas en l'efficacité des deux sources d'énergie : l'eau et le gaz, dont il dispose pour réaliser son *Grand Verre*. En prévoyant l'usage éventuel de « l'électricité en large », il se ménage une réserve d'énergie plus libre et plus fiable parce que supposée moins servile, moins passive, moins confinée et moins conditionnée dans la capillarité d'un conduit de section « infra-mince ». Il imaginera une électricité « sans fil », comme on le disait vers 1914 de la télégraphie et il lui assignera un rôle quasi métaphysique dans la communication, difficile à établir à distance, entre les parties séparées du *Grand Verre*, la *Machine célibataire* du bas et la *Mariée* du haut. Les « liens seront *électriques* et exprimeront ainsi la mise à nu : opération alternative. Court-circuit au besoin », écrit-il.

« L'électricité en large » devenue (mentalement) opérationnelle dans le *Grand Verre*, à titre d'émettrice d'étincelles, il convient de tenir compte d'une des *Notes* posthumes, publiées en 1980 par Paul Matisse et que celui-ci a transcrite en ces termes [1] :

74 *(recto)* Peut être ? : / Comme "fond" à la : **mariée . . . . . célibataires** / une **fête électrique** rappelant le / décor lumineux de Luna Park \ Magic City / Guirlandes de lumières sur fond noir. / Lampes à arc – / Feu d'artifice – au figuré – / Toile de fond féérique / **(lointaine)** / se laquelle se présente la / "**mariée . . . . . célibataires . . .**" –

Duchamp a donc un moment envisagé d'aller beaucoup plus loin dans la direction de la « Fée électricité » et de ses effets chromatiques mais, passées les premières années de peinture haute en couleur, il a choisi pour son *Grand Verre* un « sous-titre général » suffisamment catégorique : *Un monde en jaune.*

D'autres mutations importantes subies par le *Grand Verre* au cours de sa lente élaboration s'expliquent par ses rapports continus avec la photographie. On doit à Jean Clair [2] d'avoir élucidé cet aspect jusqu'ici peu exploré des travaux de Duchamp. La fameuse formule « Etant donnés... » etc., citée au début de ce texte et qui ne cesse de rythmer toutes les entreprises de Duchamp, jusqu'à constituer le titre de l'ouvrage final, cette formule n'a pas la rigidité que l'on pense, puisqu'elle est doublée d'une variante [3] où les mots : « (dans l'obscurité) » évoquent la chambre noire du photographe. De plus le terme sibyllin « Repos instantané », dont il est question dès la première version, est remplacé promptement par « la pose extra rapide », puis par « l'exposition extra rapide » dont la connotation photographique est incontestable.

1. Marcel Duchamp, *Notes,* Paris, Centre Pompidou, 1980.
2. *Marcel Duchamp et la photographie,* éditions du Chêne, Paris, 1977.
3. Dans « l'Avertissement » qui suit la « Préface ».

Jean Clair en a conclu que « le *Grand Verre,* à l'origine conçu comme plaque de verre sensibilisée, avait été la tentative de photographier l'ombre portée d'une réalité supérieure : la *Mariée...* », « la partie basse du *Verre* est... un dispositif de photographe braqué sur l'invisible, sur l'extra-rétinien, sur le non-perceptible aux sens tridimensionnels ». J'avoue que cette trouvaille, avec son brin de métapsychisme que Duchamp admettait tout en le limitant avec soin, ajoute beaucoup à la saveur des exégèses déjà si nombreuses et si variées d'une œuvre qui demeure néanmoins abyssale.

La photographie eut l'avantage sur l'électricité d'être mise très tôt en pratique par Duchamp, au lieu de s'attarder à l'état d'épure (comme l'eau et le gaz d'ailleurs) sur le *Grand Verre.* Dans son *Autoportrait* [1], Man Ray relate sa première visite à New York chez Duchamp, péniblement absorbé par un « grattage d'argenture » sur le *Verre,* posé à plat sur des tréteaux, à la lueur d'une seule ampoule, sans abat-jour. Stupéfait d'un tel effort qui dura plusieurs années, Man Ray proposa d'utiliser la photographie. Le cliché d'*Elevage de poussière* inaugura une collaboration permanente qui faillit tourner mal en 1920, lorsque les deux amis expérimentèrent ensemble leur première véritable machine : *Rotative plaques verre (Optique de précision),* qui explosa.

Le mariage de l'électricité et du dadaïsme s'effectua surtout sous les auspices de Picabia qui publia en couverture du n° 6 de la revue *391,* New York, juillet 1917, une ampoule électrique intitulée « Américaine ». Seuls les mots « Flirt » et « Divorce », vus en reflets, laissaient affleurer une arrière-pensée critique dont la virulence s'affirmera rapidement dans les groupes dada d'Europe.

Lorsque André Breton et Philippe Soupault, encore dadaïstes, firent paraître *Les champs magnétiques* à Paris en 1920, ils se souciaient peu de l'électricité, déjà rangée du

---

1. Robert Laffont, Paris, 1964.

fait de la guerre parmi les accessoires domestiques, installés à tous les étages, comme il était indiqué du gaz et de l'eau sur les plaques dont les façades des immeubles cossus furent longtemps ornées [1]. En revanche les surréalistes, héritiers de Duchamp, se passionnèrent pour « l'électricité en large » dans la mesure où elle se manifeste à la fois dans les perturbations atmosphériques et mentales, volontairement confondues : éclairs, tonnerre, démence, hypnose, états seconds, amour fou.

Quelques titres de tableaux de Max Ernst, de Miró, de Masson, de Tanguy, de Dali, de Brauner, d'Hérold, de Matta, par leurs allusions à des orages plus intérieurs que météorologiques, ont pu prêter à méprise. *La machine à coudre électro-sexuelle* d'Oscar Dominguez se réfère à Lautréamont, à Raymond Roussel, à Jarry, à Duchamp, plus qu'aux mirages de l'électricité. Cependant la publicité lumineuse a été perçue par les premiers surréalistes comme une instigation aux fantasmes. André Breton a rejoint Picabia et son ampoule, dès qu'il n'a pu voir sans trouble cligner l'affiche lumineuse de « Mazda », qui occupait presque toute la façade de l'ancien théâtre du « Vaudeville ». Ce qui le bouleversa ne fut certes pas la prouesse technique, ni même le scintillement à la « Luna Park », jadis noté par Duchamp mais la vision de *Nadja* « qui s'est plu à se figurer (dans un de ses dessins) sous l'apparence d'un papillon dont le corps serait formé par une lampe « Mazda » (Nadja) vers lequel se dresserait un serpent charmé [2]... ». C'est pour marquer la valeur poétique et « convulsive » d'un point d'incandescence électrique surgissant dans la nuit qu'une revue surréaliste, plus tard, fut nommée *Néon* ; Jean-Louis Bédouin l'a dit : l'électricité des surréalistes, c'est le coup de foudre.

On n'aura pas une idée juste de ce siècle, si l'on oublie que

---

1. Duchamp s'en est servi comme ready-made pour la couverture de l'édition de luxe de mon livre en 1959.
2. André Breton, *Nadja*, N.R.F., 1928.

Duchamp a précédé le surréalisme mais qu'il lui a en outre survécu puisqu'il est mort en 1968, deux années après Breton. Leurs itinéraires se sont souvent entrecroisés sans jamais tout à fait se confondre. Ce qui importait à Duchamp et ce qu'il accomplira, avec la lenteur tenace, les moyens et l'insolence du bricoleur, c'est d'abord le « passage » de l'immobilité picturale au mouvement réel. Ensuite et plus discrètement encore, il passera de la perspective géométrique du *Grand Verre* à la vision stéréoscopique d'*Etant donnés*. Son but ne fut pas de rivaliser avec le « progrès » mais de créer une « allégorie » dite par lui-même « de genre » et dotée d'une « quatrième dimension ».

Pour en revenir à l'électricité, il se résignera à en faire une consommation directe (mais parcimonieuse), notamment en 1925, pour sa construction motorisée *Rotative demi-sphère*, qui anticipe de très loin les effets ultérieurs de l'art optique et cinétique. Son film *Anémic Cinéma,* court métrage tourné avec Man Ray et Marc Allégret, visera lui aussi à l'illusion optique en alternant des disques ou *Rotorelief,* tantôt à enroulements de calembours, tantôt à sinuosités de spirales.

En 1947, à New York, il crayonnera pour Maria Martins la première esquisse de nu pour *Etant donnés...*, auquel il va travailler en secret pendant près de vingt ans, qui sera terminé en 1966 mais dont le dévoilement au musée de Philadelphie ne sera effectué qu'en 1969, un an après sa mort. Parallèlement à la préparation de cet ouvrage, il a produit et montré quelques objets et quelques dessins dont la véritable signification n'est apparue qu'après la constitution de l'ensemble. Il incombait à Anne D'Harnoncourt et Walter Hopps [1] d'analyser le nouvel ouvrage et d'y reconnaître d'em-

---

1. *Etant donnés : 1° la chute d'eau 2° le gaz d'éclairage.* Reflections on a New Work by Marcel Duchamp. Philadelphia Museum of Art, 1969. Dans leur inventaire des signes avant-coureurs, D'Harnoncourt et Hopps ont également inclus des œuvres plus anciennes, comme le *Réseau des stoppages,* de 1914.

blée, malgré les antinomies apparentes, « l'alter ego » du *Grand Verre,* exposé dans une salle voisine, du même musée.

Il leur fallait surtout raccorder les pièces intermédiaires aussi enchevêtrées que celles d'un jeu de patience et représentant chacune, à elle seule, une énigme. Sans entrer ici, comme l'ont fait Anne d'Harnoncourt et Walter Hopps, dans le labyrinthe des détails, nous nous bornerons à l'exemple d'un dessin qui offre la commodité de concerner directement notre sujet : « l'électricité en large ».

C'est un croquis à la plume et au crayon du *Grand Verre,* auquel s'ajoute, à droite, un poteau télégraphique avec ses isolateurs et ses fils, sur un fond de collines. Au verso, l'inscription : « COLS ALITES. Projet pour le modèle 1959 de " La Mariée mise à nu par ses célibataires, même ". » La contrepèterie de « Cols alités » avec la « causalité ironique » des *Notes* de 1911-1915 sautait, si l'on peut dire, aux yeux mais le rappel de l'ironie jetait un doute sur le « sérieux » du projet, Duchamp étant coutumier de ces traits d'humour et de pastiche sur lui-même et ses œuvres passées. Comment imaginer qu'ayant renoncé depuis longtemps à l'art et affectant de se complaire dans une oisiveté ostensible, rarement interrompue d'un geste, d'un dessin ou d'un objet déroutants, il se soit engagé à son âge dans des travaux de longue haleine, assortis de dures épreuves physiques ?

En vérité, ce dessin était un signal qui n'a pas été entendu parce qu'il ne voulait pas l'être. L'eût-il été malgré tout, car l'intuition de ses amis se tenait en alerte, qu'il perdait son effet de surprise, essentiel, pour lui, bien que la mort l'en ait frustré mais cette éventualité s'insérait aussi dans sa problématique. Il entendait à tout prix éviter la situation, humiliante et ridicule à son goût, de l'artiste vieilli, tentant sa dernière chance. Sa relation dialectique avec ses « regardeurs » a conservé jusqu'au bout ce caractère érotiquement ambigu.

Qu'annonçait ce dessin sinon l'intention de Duchamp (qu'il jugeait peut-être encore inavouable en 1959) de créer un équivalent réaliste du *Grand Verre* ? Cette semi-confidence exigeait quelques précautions à une époque où la galère de l'abstraction et de l'informel commençait à pressentir la fuite de ses rats. Un peu à l'écart, le poteau télégraphique suggérait la domination possible ou probable de l'électricité sur le futur dispositif mais serait-ce encore de « l'électricité en large » ou, par concession à la nécessité pratique, du courant banal canalisé dans des fils nettement indiqués ?

La publication par Hellmut Wohl [1], en 1977, d'un autre dessin d'un poteau télégraphique sur un fond de collines (mais sans le *Grand Verre*), l'a incité à relancer le débat sur le « non-dit » de Duchamp dans *Cols alités*. Le nouveau dessin semble avoir été exécuté un peu avant l'autre, sur le même site, au Tignet, près de Grasse, où Marcel et Teeny Duchamp furent les invités de M. Marcel Fogt, du 18 juillet au 10 août 1959. Il faut remercier Hellmut Wohl d'être si précis sur les dates.

Son étude remarquable, débordante d'érudition, se situe dans une perspective bizarre car il s'exprime en 1977 comme il eût pu ou dû le faire lors de l'apparition de *Cols alités*, s'il avait eu déjà connaissance d'*Etant donnés...*, pourtant encore dans les limbes. Il en résulte qu'il reproche implicitement et non sans une certaine hargne, aux deux dessins anticipateurs de 1959, dont celui qu'il a eu le mérite de découvrir, leur infidélité au « modèle » final d'*Etant donnés...*, achevé seulement sept ans plus tard. C'est un cas psychologique du plus vif intérêt. J'y décèle pour ma part le remords commun à tous les amis de Duchamp, mais à une intensité rare, de ne pas avoir su lire le présage d'*Etant donnés...*, en temps utile.

Ceci n'ôte rien à l'extraordinaire acuité de la plupart de ses observations et lorsqu'il estime que, sur les crêtes arides du Tignet, la machine érotique du *Grand Verre* cesse de fonctionner, parce qu'elle s'effondre dans le monde du paysage tridimensionnel et que le poteau télégraphique, désor-

1. « Beyond the Large Glass. Notes on a Landscape drawing by Marcel Duchamp », *The Burlington Magazine*, CXIX, Londres, novembre 1977.

mais préposé à la distribution du courant électrique, seulement, n'aura plus à transmettre les messages de la *Mariée*, il prend place dans la phratrie des amis inconsolables de Duchamp, qui ne lui pardonnent toujours pas de s'être éteint, sans leur avoir livré personnellement son secret.

(Août 1983)

7

DU REBUS ET DE L'INFRA-MINCE AU COURANT D'AIR (OU D'ART) DU JAPON

Nul doute que, s'il en était encore besoin, la stature actuelle de Marcel Duchamp se trouverait amplifiée par deux événements internationaux qui le concernent. Ce fut d'abord à la fin de 1980 la présentation à Paris, au Centre Pompidou d'une édition bilingue, française et anglaise, de ses *Notes* inédites, rassemblées et traduites par Paul Matisse, son beau-fils, et précédées d'une préface de Pontus Hulten, l'initiateur de ce projet, qui fait de Duchamp le précurseur téléologique de cette quintessence qu'est à ses yeux l'Art Conceptuel. Vint ensuite, durant l'été et au début de l'automne de 1981, la fervente rétrospective japonaise superbement organisée au nouveau musée Seibu de Karuizawa et au musée Seibu de Tokyo par Ken-Ichi Kinokuni, Akira Moriguchi et Yoshiaki Tono.

Il est incontestable que l'un et l'autre de ces événements sont de nature à modifier une fois de plus l'éclairage sous lequel Duchamp nous apparaissait jusqu'alors. Obligeront-ils ses exégètes, comme l'avait fait la révélation d'*Etant donnés...* en 1969, à reconnaître qu'il était prématuré de déposer sur son cas des conclusions définitives ? Mieux encore, Duchamp aurait-il délibérément tout préparé, calculé, échelonné, planifié dans ses ouvrages, son langage et ses gestes, dans ses projets et ses notes, en vue de cette perpétuelle remise en cause de l'interprétation ?

J'y pensais en revoyant chez Matta le dessin présumé original, à la plume sur papier calque, signé et daté 61, du *Rébus,* titré pour la circonstance *Matta-Rebus,* dont 109 exemplaires gravés et nécessairement en contrepartie furent tirés en 1961 à Milan (n° 360 du catalogue Schwarz). La solution du *Rébus,* calligraphiée en capitales, en bas et en sens inverse, se lit en transparence : *Tout-à-l'égout sont dans la nature.* Il s'agit ici d'un *rébus explicite,* sans doute même un peu trop évident car Duchamp y cède, comme dans quelques-uns de ses calembours, à son penchant scatologique, plus qu'il ne l'avait fait dans le *Nous nous cajolions* de 1925 mais, en fin de compte, il s'est très peu servi picturalement de ce procédé facile. S'il y sacrifia néanmoins ce fut surtout, je crois, pour attirer l'attention sur le caractère de *rébus implicite* de la plupart de ses autres œuvres plastiques, du *Grand Verre* à *Etant donnés...,* dont son texte *Le processus créatif* laissait très clairement au spectateur le soin de déchiffrer la solution.

Dans cette perspective, un examen comparatif de ses cinq principaux recueils de notes : la *Boîte de 1914,* la *Boîte verte* de 1934, la plaquette de jeux de mots *Oculisme de précision* de 1939, la *Boîte blanche* de 1967 et les *Notes* posthumes de 1980, montre que Duchamp a sciemment dispersé ou écarté les indices pouvant mener à une solution globale qui certainement existait, tout au moins pour lui, se résumât-elle comme dans les rébus à quelques mots mais qu'aucun commentateur, sans excepter le signataire de ces lignes, n'a pu exactement reconstituer.

Le piège le plus redoutable, à mon sens, est celui des notes d'apparence répétitive dont le recueil posthume contient une abondante quantité. On réalise aujourd'hui que, parfois, le déplacement d'un seul mot modifie la signification de la phrase. Il y a là pour les scoliastes une mine qu'ils ne manqueront pas, espérons-le, d'exploiter. Malheureusement les épaisseurs de gloses accumulées entre-temps forment, je le crains, un mur infranchissable qui nous sépare irrémédiablement de l'époque encore innocente où ces mêmes variantes nous eussent peut-être aiguillé sur la voie. Il y faudrait un génie égal à celui que Duchamp y a mis à nous égarer.

Déjà la *Boîte blanche* n'apportait guère de précisions que

sur la perspective et l'étendue mais, surtout, divulguant certaines de ses sources, Duchamp désignait nommément trois auteurs : le père Jean-François Niceron, dont le *Thaumaturgus opticus,* paru en 1646, dissertait des anamorphoses, Elie Jouffret à qui l'on doit un *Traité élémentaire de géométrie à quatre dimensions* publié en 1903 et enfin le mathématicien Henri Poincaré auquel Duchamp empruntait son explication des « continus ». Ces préoccupations scientifiques ont beaucoup surpris, bien qu'elles se fussent manifestées précédemment dans la *Boîte verte* et, si Duchamp se réfère ouvertement cette fois à des savants sérieux, on doit se souvenir qu'il s'est toujours défendu d'avoir sérieusement étudié leurs livres.

Ce qui l'a séduit, ce sont leurs aperçus, leurs formules, leur part inévitable d'élucubrations, dont il alimenta ses propres « cervellités », terme qui le distingue nettement des « vrais penseurs », pour en tirer un système « hilarant », déviant et subversif. Son intuition ultra-fine, son esprit aussi « infatigable et strident » que celui de Pantagruel lui ont permis de capter au passage, et comme en se jouant, nombre d'idées stimulantes, laborieusement argumentées par les sciences dites exactes, depuis la perspective anamorphique expérimentée sur le *Grand Verre,* jusqu'à la théorie de la relativité ou la mécanique quantique, intellectuellement pressenties.

Le recueil de 1980 nous est primordialement précieux par sa récupération des notes sur l'*Infra-mince,* datant de 1935 à 1945 environ, et dont Duchamp a peu parlé, hors de la « fumée de tabac » évoquée en 1945 dans *View* mais dont il semble avoir fait un de ses objectifs, en tant qu'inépuisable possibilité tout à la fois de devenir, de transparence et d'oubli. L'*Infra-mince* (qui s'écrit comme ready-made en un seul ou en deux mots) est l'imperceptible ciment grâce auquel son œuvre et son personnage, pourtant fragiles, diaphanes et furtifs, ont si longtemps et si solidement tenu. Ce serait peut-être à l'aveu de précarité qu'il implique malgré tout, que l'*Infra-mince* devrait d'avoir été mis en sourdine par Duchamp.

Plus encore que par leur aspect extérieur ou leur contenu, la *Boîte verte,* la *Boîte blanche,* et les *Notes* de 1980 se différencient par la façon dont les fac-similés de notes manuscrites, souvent, on le sait, de simples morceaux de papier de forme irrégulière, y ont été groupés. Dans la *Boîte Verte,* ils sont placés « en vrac », apparemment sans ordre précis mais avec quelques points de repère et seul leur nombre total est stipulé. Dans la *Boîte blanche,* ils sont répartis entre sept « dossiers » pourvus de titres en anglais. Quant aux *Notes* posthumes, elles sont reproduites dans un fort volume relié sur les pages duquel Paul Matisse, après les avoir divisées en quatre chapitres distincts : *Inframince, Le Grand Verre, Projets* et *Jeux de mots,* les a disposées de manière à produire un effet esthétique, agrémenté par d'occasionnels fonds de couleurs. L'ensemble est un magnifique rébus.

Certains rigoristes ont cru déceler dans cet arrangement « rétinien » quelque infidélité à l'esprit de Duchamp mais ils ignoraient que celui-ci, vers 1934-1935 probablement, s'était livré à une expérience du même ordre. C'est ce que montre un « assemblage », sur une planche de bois, de fac-similés de diverses notes de la *Boîte verte,* pour la plupart réduites ou fragmentées et toutes collées au verso de clichés de zinc, ayant eux-mêmes servi pour la *Boîte verte* et de formes plus ou moins assorties à celles des notes. Duchamp m'en avait parlé comme d'un essai de dessin dans l'espace, réminiscent du geste involontairement « plastique » effectué par le joueur d'échecs mais la note n° 186 du recueil posthume fait intervenir une signification supplémentaire. Duchamp y a introduit le concept d'*être plastique* du mot, c'est-à-dire qu'en reproduisant des ensembles de mots déjà énoncés mais dans une succession différente, « sans interprétation... l'ensemble des mots... n'exprime *enfin* plus une œuvre d'art (poème, peinture ou musique) ». Une note précédente (185 verso) précise sous le titre : « 2° *Nominalisme* (littéral) = Plus de distinction générique spécifique numérique entre les mots... Le mot perd aussi sa valeur musicale... il est lisible des yeux et peu à peu prend une forme à signification plastique ; il est une réalité sensorielle une vérité plastique au même titre qu'un trait, qu'un ensemble de traits ».

A quoi vise cette dialectique sinueuse sinon au *rébus implicite* et c'est en tant que tel, à mon avis, que l'on doit appréhender cet « assemblage » fatalement équivoque, puisqu'il n'est ni un texte à interpréter, ni une œuvre d'art à contempler ? Sa solution qui m'échappe, je l'admets, reste à découvrir.

J'ajouterai qu'il s'était niché dans une collection particulière où je ne l'ai retrouvé qu'assez récemment mais je l'avais catalogué sans le voir, d'après la description sommaire de Duchamp, dans la seconde édition américaine de mon livre (*Paragraphic Books* 1967, n° 166, page 194.). On peut certes se demander si Duchamp a procédé lui-même, physiquement, au collage des clichés sur la planche ou si, se bornant à les disposer comme des pions sur un échiquier, il a laissé le soin de les fixer à Man Ray qui a longtemps conservé cet « assemblage ». Quoi qu'il en soit, en y apposant son cachet, Duchamp s'en est déclaré l'auteur mais ce ne serait pas le seul objet, signé par l'un ou par l'autre, qu'ils auraient réalisé en collaboration. Je rappelle en outre l'existence d'un autre cliché de zinc pour la *Boîte verte,* utilisé en juin 1959 par Duchamp pour illustrer la page 94 du livre de Michel Sanouillet *Marchand du Sel* mais, contrairement à ce qui a été fait pour l' « assemblage », c'est la face intérieure en creux qui est visible. Aussi, après l'avoir fait dorer, Duchamp l'a nommé *Eclair intérieur* en l'offrant à Mme Michel Sanouillet (catalogue Schwarz n° 421).

Un problème se pose également à propos de dix pièces d'échecs en bois ayant appartenu à Duchamp, puis à sa sœur Suzanne. Elles ne ressemblent ni aux pièces déjà connues, ni aux dessins publiés, ni aux esquisses inédites pour l'*Echiquier de poche,* reproduites par Paul Matisse dans le recueil posthume (n°ˢ 203 à 207) mais elles ont quelques rapports avec des pions de l'échiquier dessiné par Duchamp pour le catalogue de l'exposition « Through the Big End of the Opera Glass », chez Julien Levy à New York en décembre 1948. Leur provenance et leur style peuvent faire croire que Duchamp ne fut pas étranger à leur conception.

Je les livre à la perspicacité des oracles du jeu d'échecs, en leur suggérant de tenir compte du point de vue de Duchamp sur la notion d'authenticité, tel qu'il le définit dans la note n° 169 du recueil posthume : « acheter ou prendre des tableaux connus ou pas connus et les signer du nom d'un peintre connu ou pas connu — *La différence* entre la « facture » et le nom inattendu pour les " experts ", — *est l'œuvre authentique* de Rrose Sélavy, et défie les contrefaçons ».

Car tout ne se déroule pas forcément sans embûche chez ceux qui s'instituent les décrypteurs des intentions sous-jacentes de Duchamp. Dans son catalogue de la rétrospective de 1977 au Centre Pompidou, Jean Clair a relaté ce qui est advenu d'une interprétation hermétique du dessin intitulé *Première recherche pour : la Mariée mise à nu par les célibataires,* dont l'acquisition par le musée national d'Art moderne en 1978 a un peu étoffé la collection bien maigre encore d'œuvres de Duchamp conservées dans les musées français. L'illustration reproduite dans *Alchimie* d'Eugène Canseliet (édition de 1964, planche XIV) et sur laquelle Ulf Linde se fondait pour sa glose, ne représentait pas, selon la symbolique initiatique, une vierge « mise à nu » par deux hommes afin d'être conduite à la couche nuptiale mais, après vérification du manuscrit de Solidonius à la bibliothèque de l'Arsenal, un éphèbe personnifiant le Soleil entre Mercure et Pluton. Une note (n° 71) dans le recueil de 1980 réitère les avertissements de Duchamp contre de telles méprises : « Répéter, comme dans les démonstrations logiques, des membres de phrases entiers pour ne pas tomber dans l'erreur d'hermétisme. Que toute idée, la plus trouble, puisse être entendue *clairement.* »

Assertion trop catégorique peut-être que nuance une autre note (n° 3) du même recueil : « les porteurs d'ombre travaillent dans l'infra mince », justifiant les lectures variées du dessin en question, sans doute un rébus lui aussi, très proche par conséquent du « rébis » alchimique. John Golding y a déchiffré plutôt la schématisation de deux escrimeurs phalliques et sadiques à l'assaut concerté d'une forme génitale femelle située au centre. Suivant une semblable optique anthropomorphe, J.F. Lyotard a décelé un « polichinelle » dans l'image renversée de la femme nue de l'étude en relief pour *Etant donnés...* exécutée en 1948-1949 à l'intention de Maria Martins.

En revanche, cet auteur a détecté une « mécanique dissimilante » dans ce qu'il nomme *Les Transformateurs Duchamp* et, la finalité des « phrases et produits » de cette firme lui paraissant être de nous conduire à les commenter, il nous entraîne sur la pente des voltiges langagières de haute école, aussi édifiantes que ne l'est, dans un autre genre, l'exténuante quête microbiographique de Jacques Caumont et Jennifer Gough-Cooper, réussissant l'exploit de déterminer l'emplacement exact, à Puidoux près du lac Léman, de la *Chute d'eau* d'*Etant donnés...*, ainsi que du *Grand Verre.* Quant à Hervé Fischer, renchérissant sur le thème incestueux d'Arturo Schwarz, il impute à Duchamp « l'obsession d'un crime rituel », accompli dans *Etant donnés...* où l'inceste avec la sœur s'achève par un assassinat. Déduction de Fischer : *L'Histoire de l'Art est terminée* (Balland, 1981) et l'impulsion meurtrière de Duchamp y est pour beaucoup. Ce n'est pas le moindre paradoxe de ce personnage aussi *cool* d'apparence qu'il inspire autant d'interprétations frénétiques.

La persistance de son emprise sur notre époque postmoderne vient au surplus d'être confirmée par la publication en cours à Zurich de la totalité de ses *Ecrits*, comprenant les textes posthumes, reproduits en fac-similé et traduits en allemand. (Regenbogen-Verlag 1981-1982). Ce travail énorme est dû à Serge Stauffer, dont le dévouement de longue date à la cause de Duchamp reste exemplaire et communicatif puisque, en Suisse encore, Hans Christoph von Tavel apporte sa contribution personnelle en analysant le *Mémorial intime de Duchamp*, une sculpture d'Isabelle Waldberg, acquise en 1981 par le Kunstmuseum de Berne et à laquelle l'artiste a incorporé deux pièces d'échecs que Duchamp lui offrit. L'une d'elles, à gauche, pourrait s'apparenter au jeu de Buenos Aires, ce qui nous raccorde au problème déjà évoqué précédemment.

On ne sait enfin si l'on doit se réjouir ou non qu'un éloge de Duchamp ait été glissé par Nicolas Schöffer dans son discours de réception à l'académie des Beaux-Arts en mai 1982. Plus saisissant et cocasse est un roman noir : *C'est toujours les autres qui meurent*, dont l'auteur, Jean-François Vilar, a emprunté le titre à Duchamp mais a fait également de lui le véritable protagoniste de son scénario. La théâtralisation d'*Etant donnés...*, amorcée, on l'a vu, par quelques commentateurs, s'y accélère singulièrement, dès la découverte de sa reconstitution exacte (avec un vrai cadavre) dans une vitrine du Passage du Caire. Le plus surprenant dans ce livre présenté sous la forme d'un quelconque « polar », griffonné à la diable par un endeuillé de Mai 68, est qu'il agit à la façon d'un révélateur, en projetant à la surface et en dynamisant les fantasmes paroxystiques de Duchamp, son délire masqué sous la dérision et son inépuisable capacité d'insolence. L'épisode final de l'occupation du Centre Pompidou par les « célibataires » du « commando Rrose Sélavy » atteint à la bouffonnerie épique et nocturne de la bataille de Morsang, affabulée par Jarry dans *La dragonne*. Duchamp, dont les aptitudes scéniques sont attestées par une photographie de 1921, aurait pu y mimer son propre rôle.

Mais qu'en est-il des « machines désirantes » de l'*Anti-Œdipe,* muées en « machines abstraites » par Deleuze et Guattari dans *Mille plateaux* ? Interrogé par moi, Gilles Deleuze a bien voulu me répondre en ces termes : « ... l'idée qu'il y a des machines abstraites dans la peinture, et qu'elles ne font qu'un avec une sorte de " catastrophe " que le peintre affronte et maîtrise (avec beaucoup de risques), cela me semble vrai de Duchamp mais aussi de beaucoup de peintres plus anciens. S'il y a des machines abstraites dans la peinture, elles réuniraient à la fois l'idée de catastrophe et celle de " diagramme " »

Serait-ce alors le caractère inéluctable, perçu très tôt, de cette catastrophe qui, l'arrachant à la « vraie peinture », confina Duchamp pendant un demi-siècle dans le « diagramme », pour terminer sa vie par le « diorama » d'*Etant donnés...,* où la catastrophe se réalise ? Pourtant son œuvre visible à Karuizawa et à Tokyo, dans la cérémonieuse ambiance nippone, offrait plutôt un aspect de péril maîtrisé, de violence contenue en suscitant autour de soi des multitudes bourdonnantes d'interactions, d'harmoniques, d'intensités ou d'échos complices que répercutaient sur place les textes liminaires du catalogue, dont les survols d'Anne D'Harnoncourt et de Yoshiaki Tono, la *Reproduction interdite* de Michel Butor en version japonaise, le poème en anglais de John Cage ou le « cercle vicieux » de Tatsuhiko Shibusawa.

Jamais transplantation ne fut mieux en accord avec son nouveau site. La réplique made in Japan du *Grand Verre,* bien que rigoureusement conforme, diffère des deux précédentes et de l'original par le « courant d'air » qui en émane, accentue son effet « miroirique » de quatrième dimension et lui fait, à la japonaise, « gagner du temps sur l'Inframince ».

Unisson rarement durable néanmoins à propos de Duchamp. Pour peu que le malaise un instant se dissipe, d'autres chercheurs s'engouffrent dans des brèches inexplorées mais félicitons-nous que toujours de nouveaux livres, loin de laisser s'enliser dans l'érudition les études duchampiennes, accentuent encore leur caractère aventureux. Ainsi dans *Notes from the Large Glass. An N-Dimensional Analysis* (Ann Harbor, Michigan 1983), Craig E. Adcock insiste sur la validité des conceptions géométriques de Duchamp et propose de réunir tous ses ouvrages, du plus complexe au plus simple, et les notes qui les accompagnent en un seul polyptyque quadridimensionnel. André Gervais va plus loin dans « *La raie alitée d'effets* » (Ville La Salle, Québec 1984). Il n'hésite pas à s'approprier le langage anagrammatique de Duchamp et à l'appliquer comme un code parfois poussé jusqu'au délire, mais souvent fulgurant d'efficacité, au déchiffrage d'un corpus de 291 aphorismes. Une note de Duchamp sert de titre au livre de Thierry de Duve : « Nominalisme pictural. Marcel Duchamp la Peinture et la Modernité » (Paris 1984). J'ai déjà mentionné cet apport à l'interprétation du « Nominalisme pictural » mais le principal intérêt de l'analyse de Thierry de Duve réside, à mon avis, dans le fait qu'il ait braqué son projecteur sur la période munichoise de Duchamp, envisagée « comme un rêve », et qu'il en ait tiré des conclusions saisissantes. Quant à *Aurore à zéro,* le livre à paraître de Jean Suquet, il apporte la confirmation de son engagement passionnel, vital pourrait-on dire, dans l'élucidation des *mots premiers* et dans l'affirmation de la « machine-mère » ou « mère machine » (la nuance est capitale) dont le fantôme surgit des *Notes* de 1980. La fête continue.

(1982-1985)

POINTS DE REPÈRES BIOGRAPHIQUES

1887

Naissance le 28 juillet à Blainville Crevon (Seine-Inférieure) de Henri Robert Marcel Duchamp, troisième fils de Justin Isidore (dit Eugène) Duchamp, notaire, et de son épouse Marie Caroline Lucie, née Nicolle. Les deux frères aînés de Marcel sont Gaston (plus tard Jacques Villon) né le 31 juillet 1875 et Raymond (plus tard Duchamp-Villon) né le 5 novembre 1876.

1889

Naissance de Suzanne Duchamp le 20 octobre.

1893

Marcel à l'école communale de Blainville.

1894

Décès du grand-père maternel, le graveur Emile Nicolle. Etudiants à Paris, les deux frères aînés de Marcel : Gaston à la faculté de droit, Raymond à l'école de Médecine, commencent à fréquenter les milieux artistiques. Gaston à l'atelier de Cormon.

1895

Naissance d'Yvonne Duchamp le 14 mars.

1897

Service militaire de Gaston dont les premiers dessins sont publiés par *Le Rire* et *Le Courrier Français.*

A la rentrée Marcel élève de sixième au lycée Corneille et pensionnaire à l'école Bossuet de Rouen.

1898

Installation de Jacques Villon à Montmartre au 71, rue Caulaincourt.

Naissance de Magdeleine Duchamp le 22 juillet.

Atteint de rhumatisme articulaire, Raymond interrompt sa dernière année de médecine et songe à devenir sculpteur.

1902

Une sculpture de Raymond Duchamp-Villon est admise au Salon de la Société nationale des Beaux-Arts.

Marcel Duchamp s'exerce à l'aquarelle et peint ses premiers tableaux qui sont des vues de Blainville. Dessins représentant Suzanne.

1903

Reçu à la première partie du baccalauréat, Marcel obtient le premier prix de dessin, son condisciple Robert Pinchon le devançant pour la médaille d'excellence des Amis des Arts.

Voyage de vacances à Jersey et sur la Côte d'Emeraude.

Mariage de Raymond avec Yvonne Bon, dont le frère est peintre.

1904

Succès à la deuxième partie du baccalauréat (Lettres-Philosophie) et Marcel remporte cette fois la médaille d'excellence des Amis des Arts. En octobre, il débarque à Paris où son frère Jacques Villon, qui gagne désormais sa vie comme dessinateur humoriste, l'hébergera chez lui 71, rue Caulaincourt. Marcel s'inscrit à l'académie Julian.

1905

Eugène Duchamp prend sa retraite de notaire, quitte Blainville et s'installe à Rouen, en face du musée de Peinture.

Marcel est refusé au concours d'entrée à l'école des Beaux-Arts de Paris. En revanche, après un apprentissage dans une imprimerie, il obtient le diplôme d'ouvrier d'art, ce qui lui permettra de s'engager dès le 3 octobre et de limiter son service militaire à un an.

1906

Libéré le 3 octobre de l'année suivante, il rejoint ses amis de Montmartre, habite 65, rue Caulaincourt où il se lie avec un voisin Gustave Candel.

1907

Envois au premier Salon des Artistes Humoristes au Palais de Glace.

Déménage du 65 au 73, rue Caulaincourt.

Passera plusieurs étés de suite avec sa famille ses vacances à Veules-les-Roses, dans la villa louée par son père.

1908

Rétrospective des œuvres d'Emile Nicolle au musée de Rouen. Marcel expose au deuxième Salon des Humoristes et au Salon d'Automne. Il emménage 9, rue Amiral-de-Joinville à Neuilly-sur-Seine. Son dessin humoristique *La femme curé* est publié dans *Le Courrier Français* auquel il collaborera jusqu'en 1910.

1909

Expose au Salon des Indépendants, au Salon d'Automne et à la Société normande de Peinture moderne, dirigée par Pierre Dumont à Rouen. Publie un dessin dans *Le Rire.*

1910

Expose au Salon des Indépendants puis au Salon d'Automne, dont il devient sociétaire. Participe à la première exposition de la Société normande de Peinture moderne à Paris, 3, rue Tronchet. Continue à publier des dessins humoristiques, notamment dans *Le Témoin.* Fait la connaissance de Francis Picabia.

1911

Expose au Salon des Indépendants, au Salon d'Automne, à la deuxième exposition de la Société normande de Peinture moderne à Rouen ainsi qu'à la deuxième exposition de cette même société à Paris, où Guillaume Apollinaire prononcera une conférence. Mariage à Rouen le 24 août de Suzanne Duchamp avec le pharmacien Charles Desmares. A cette occasion Marcel peindra *Jeune homme et jeune fille dans le printemps,* tableau exposé au Salon d'Automne et qu'il offrira aux jeunes époux. Fréquente les « Dimanches de Puteaux », où ses deux frères se sont installés au 7, rue Lemaître depuis 1906 et qui deviennent un des centres d'élaboration de l'art contemporain. Marcel peint, entre autres, *Sonate,* la série des *Joueurs d'échecs, Jeune homme triste dans un train* et *Moulin à café.*

1912

Exposition futuriste à Paris, galerie Bernheim-Jeune.

Marcel envoie au Salon des Indépendants *Le Nu descendant un escalier* qu'on lui enjoint de retirer. Ce même tableau fera partie un mois plus tard d'une exposition d'Art cubiste à la galerie Dalmau, de Barcelone. Représentations d'*Impressions d'Afrique,* de Raymond Roussel au théâtre Antoine (11 mai-5 juin). Troisième exposition de la Société normande de Peinture moderne à Rouen où Marcel envoie *Portraits* et *Portrait de joueurs d'échecs.* Départ le 18 juin pour Munich avec arrêts à Bâle et Constance. Séjour à Munich d'environ deux mois ; exécute quatre dessins dont deux rehaussés : *Vierge* n° 1 et n° 2, *Première recherche pour : la Mariée mise à nu par les célibataires, Aéroplane* et deux peintures : *Le passage de la vierge à la mariée* et *Mariée.* Marcel visite ensuite Vienne, Prague, Berlin, Dresde, Berlin encore où fin septembre se tient l'exposition de la *Sécession* et peut-être Cologne, où a lieu l'exposition du *Sonderbund.* De retour à Paris en octobre, il parcourt le Salon d'Automne où il a expédié de Munich un dessin de la *Vierge* et l'exposition rivale de la *Section d'Or* où le *Nu descendant un escalier* est placé en vedette. Voyage en automobile avec Apollinaire et les Picabia à Etival (Jura) chez les parents de Gabrielle. Projet de la « Route Jura-Paris ». Conclusion de Marcel en fin d'année : « Plus de peinture, cherche du travail », et il en trouve à la bibliothèque Sainte-Geneviève.

1913

Néanmoins le *Nu descendant un escalier* envoyé à l'Armory Show inaugurée à New York le 17 février fait aussitôt scandale et le rend célèbre. Ce tableau est acquis par un amateur ainsi que les trois autres toiles qui l'accompagnent. Sans broncher Marcel conserve son emploi à la bibliothèque Sainte-Geneviève et poursuit son élaboration de ce qui deviendra le *Grand Verre* : « *Esquisse en perspective de la Machine célibataire, la Mariée mise à nu par ses célibataires, même, Trois stoppages-étalon, Broyeuse de chocolat n° 1* », etc. Vacances d'été en Angleterre avec sa sœur Yvonne. Quitte Neuilly pour le 23, rue Saint-Hippolyte, Paris V^e. *Roue de bicyclette* (Paris). *Erratum musical* (Rouen).

1914

Pharmacie. Porte-bouteilles. Dessins pour les « Tamis ». *Glissière* et *Neuf Moules Mâlic,* premières œuvres sur verre. Malgré la déclaration de guerre, Marcel qui, réformé, n'est pas mobilisable continue ses travaux. *Boîte de 1914,* premier état de la *Boîte Verte* où il réunira ses notes et croquis pour le *Grand Verre.* Divorce de Suzanne.

1915

Sa réforme étant confirmée, il décide, sur le conseil de Walter Pach, de partir pour les Etats-Unis. S'embarque de

Bordeaux sur le *Rochambeau.* Arrivé à New York le 15 août, il sera hébergé pendant plusieurs semaines par Louise et Walter Arensberg, les mécènes de l'avant-garde. Nombreuses interviews de Duchamp dans la presse et les revues. Retrouve Picabia en mission et fait la connaissance de Man Ray. Arrivée de Jean et Yvonne Crotti et d'Edgard Varèse venant de Paris. Marcel habite successivement dans un meublé Beekman Place et Lincoln Arcade Building, 1947 Broadway. Pour se rendre indépendant donne des leçons de français, notamment aux trois sœurs Stettheimer. Choisit le mot « ready-made » pour une pelle à neige qu'il inscrit : *In Advance of the Broken Arm* (« En avance du bras cassé »).

1916

Participe à des expositions où il prête des œuvres apportées de Paris. Va habiter en octobre au-dessus de chez les Arensberg, 33 West 67th Street. Confie à Jean Crotti qui repart pour la France des messages pour Suzanne. Arrivée à New York d'Henri Pierre Roché.

1917

Un des directeurs de la « Society of Independent Artists », il envoie à l'exposition de ce groupe un urinoir signé R. Mutt qui est refusé. Retour de Picabia de Barcelone où il a publié quatre numéros de *391*. Marcel, Beatrice Wood et H.P. Roché font paraître *The Blind Man* à l'occasion des « Independent ». Deux numéros suivis d'un bal costumé. Conférence mouvementée d'Arthur Cravan. Un numéro de *Rongwrong.* Fête donnée par les sœurs Stettheimer pour les trente ans de Marcel. Miss Dreier lui commande une peinture pour sa bibliothèque. Picabia quitte New York tandis que Jean et Yvonne Crotti s'y retrouvent divorcés. Marcel travaille sur le

Grand Verre tout en signant plusieurs ready-made : *Peigne, A Bruit Secret, Apolinere Enameled,* etc.

1918

Exécute sa dernière peinture commandée par Miss Dreier et intitulée *Tu m'*. Décide de quitter les Etats-Unis en guerre et part pour l'Argentine. Arrive à Buenos Aires le 23 août, en compagnie d'Yvonne Chastel (ex-Crotti). Mort de son frère Raymond le 9 octobre et de Guillaume Apollinaire le 9 novembre. Annonce de l'armistice.

1919

Intérêt accru pour les échecs, s'inscrit au club local, sculpte lui-même diverses pièces qu'il fait reproduire sur des tampons. Se fait raser les cheveux. Mariage à Paris de Jean Crotti avec Suzanne à qui il fait parvenir le projet d'un *Ready-made malheureux*. Accepte de participer à New York à une exposition organisée par Marius de Zayas. Confectionne à Buenos Aires le verre *A regarder d'un œil, de près, pendant presque une heure* et un ready-made : *Stéréoscopie à la main*. S'embarque pour la France, via Londres, et arrive à Paris fin juillet. Retrouve sa famille, Picabia qui est lié avec Germaine Everling et Georges Ribemont-Dessaignes, codirecteur de *391,* où paraîtra dans le n° 12 (mars 1920) *L.H.O.O.Q.,* sans barbiche. Règle avec un faux chèque des soins dentaires au Dr Daniel Tzanck.

1920

Retour à New York au début de l'année avec l'ampoule d'*Air de Paris* apportée à Walter Arensberg. Habite 246 West

73rd Street, puis de nouveau au Lincoln Arcade Building. Première machine optique : *Rotative plaques verre.* Création avec Miss Dreier et Man Ray de la « Société Anonyme ». Participe à l'exposition inaugurale (30 avril-15 juin). *Fresh Widow* signée Rose Sélavy. Continue son travail sur le *Grand Verre.*

1921

Le ready-made : *Why not sneeze ?* commandée par Dorothea Dreier. Publie avec Man Ray le seul numéro de *New York Dada,* avec sur la couverture *Belle Haleine, Eau de Voilette* et son portrait en travesti. Refuse de prendre part au Salon Dada de Paris (6-30 juin). Travaille sur le *Grand Verre* jusqu'à son départ pour la France en juin. Rencontre André Breton, Philippe Soupault, Louis Aragon, Jacques Rigaut, Paul Eluard et Gala, Max Ernst, Pierre de Massot, René Crevel, Benjamin Péret, Tristan Tzara, Robert Desnos auxquels va se joindre Man Ray dès son arrivée à Paris. Signatures sur le tableau de Picabia : *L'Œil cacodylate,* Marcel signe « Rrose Sélavy ». Se fait raser sur le crâne une étoile prolongée d'une queue par Georges de Zayas, frère de Marius. Dessins de spirales filmées par Man Ray.

1922

S'embarque en janvier pour New York et se réinstalle au Lincoln Arcade Building. Reprend son travail sur le *Grand Verre.* Met en page *Some French Moderns Says McBride.* Pour être « teintre » exploite une teinturerie avec Leon Hartl. De retour à Paris en été. Publie en octobre des calembours signés Rrose Sélavy dans *Littérature* n° 5 où figure un texte d'André Breton sur lui. Il repart pour New York et dans le n° 7 de *Littérature* Robert Desnos fera paraître des calembours inspirés des siens « par télépathie ».

1923

Reprend son travail sur le *Grand Verre* et, tout à coup, décide de le laisser « inachevé ». Part pour Bruxelles où il restera quelques mois, faisant une courte apparition à Paris en avril pour le mariage de sa sœur Yvonne avec Eugène Duvernoy. Retour à Paris en juin, habite 37, rue Froidevaux. Début de sa liaison durable avec Mary Reynolds.

1924

Participe à de nombreux tournois d'échecs. Entreprend la machine optique : *Rotative demi-sphère* pour Jacques Doucet. Jeux de mots publiés sous le nom de Rrose Sélavy dans *The Wonderful Book* de Pierre de Massot. Emet le 1er novembre 30 obligations de 500 francs de la *Roulette de Monte-Carlo*. Pour les Ballets Suédois au théâtre des Champs-Elysées (23 novembre-31 décembre) joue dans le film *Entracte* de Picabia et René Clair, musique d'Erik Satie, projeté au cours du ballet *Relâche*. Apparaît en Adam nu dans *Ciné-sketch* pour le réveillon de fin d'année.

1925

A Rouen pour la mort de sa mère et de son père. Séjours à Monte-Carlo. Tournois d'échecs. Visite de Florence et de Rome.

1926

Vente d'œuvres de Picabia à l'Hôtel Drouot (8 mars, préface au catalogue signée Rrose Sélavy). A Milan et Venise avec Miss Dreier. *Anémic Cinéma,* film tourné avec Man Ray et Marc Allégret. Loue un atelier 11, rue Larrey, 7e étage sans ascenseur. Part aussitôt après pour New York (octobre) où il négociera et exposera (galerie Brummer) des sculptures de Brancusi provenant de la collection John Quinn. Est associé pour ces opérations avec Mme Rumsey et H.P. Roché. « International Exhibition of Modern Art », organisée par la « Société Anonyme » au Brooklyn Museum (19 novembre 1926-9 janvier 1927) et dans divers autres musées. *Le Grand Verre,* prêté par Miss Dreier, est endommagé au retour.

1927

A Paris fin février. Le 8 juin épouse Lydie Sarazin-Levassor dont il se séparera fin octobre. Divers tournois d'échecs.

1928

Tournois d'échecs à Paris, Hyères (où il se classe 1er ex-æquo à la Coupe Philidor avec Vitaly Halberstadt et J.J. O'Hanlon), Marseille, La Haye, Nice, Prague et Folkestone.

1929

Tournois d'échecs. En Espagne avec Katherine Dreier. Visite à Kandinsky au Bauhaus de Dessau. Vacances avec Mary Reynolds à Villefranche où Brancusi vient les voir.

1930

Tournois d'échecs. Envois en mars à la galerie Goemans à Paris pour l'exposition « La Peinture au Défi », organisée par Aragon. Le *Nu descendant un escalier* reparaît à New York en avril dans une exposition cubiste à la galerie De

Hauke. Publication du *Second Manifeste du surréalisme*, où André Breton reproche à Duchamp « d'abandonner la partie qu'il jouait aux environs de la guerre pour une partie d'*échecs* interminable... »

1931

Participe à l'organisation de l'exposition internationale de la « Société Anonyme », New York et Buffalo. En juillet, membre de l'équipe de France au tournoi d'échecs des Nations à Prague.

1932

Délégué auprès de la Fédération internationale des Echecs, joue dans divers tournois, publie en collaboration avec V. Halberstadt le traité d'échecs : *L'opposition et les cases conjuguées sont réconciliées*, dont il a réalisé la mise en page et la présentation. Aperçoit au café de la Régence Raymond Roussel jouant aux échecs mais n'ose pas l'aborder.

1933

Tournois d'échecs, obtient le titre de « maître » d'échecs par correspondance. Vacances à Cadaquès avec Mary Reynolds. En octobre à New York pour une exposition Brancusi chez Brummer.

1934

Retour à Paris. Publie la *Boîte verte*, choix de notes, dessins, croquis ayant servi à la préparation du *Grand Verre* et reproduits en fac-similé. 300 exemplaires dont la fabrication s'échelonnera pendant six ans.

1935

Capitaine de l'équipe de France de la Ire Olympiade des échecs par correspondance. Envois à l'exposition surréaliste de Ténérife (mai). Expose ses disques optiques ou *Rotorelief* au 33e Concours Lépine (30 août-7 octobre). André Breton publie dans le n° VI de *Minotaure* : « Phare de la Mariée, la première étude sur le *Grand Verre* ou *La mariée mise à nu par ses célibataires, même.* »

1936

Cœurs volants en couverture des *Cahiers d'art,* nos 1-2 pour illustrer un article de Gabrielle Buffet. Le *Nu descendant un escalier* figure dans l'exposition « Cubism and Abstract Art » au Museum of Modern Art de New York. En mai, s'embarque pour les Etats-Unis pour aller réparer le *Grand Verre* chez Katherine Dreier, dans le Connecticut. Est représenté successivement à l'« Exposition surréaliste d'objets » chez Charles Ratton à Paris, à l'« International Surrealist Exhibition » de Londres et de nouveau au Museum of Modern Art de New York à l'exposition « Fantastic Art Dada Surrealism » (9 décembre-17 janvier). Après avoir rendu visite aux Arensberg installés à Hollywood. Duchamp, sans attendre l'inauguration de cette exposition où il sera mis en vedette, s'embarquera pour la France le 2 septembre.

1937

En son absence, le « Arts Club » de Chicago présente sa première exposition particulière (5-27 février). Accepte la rubrique des échecs au journal *Ce Soir* à Paris. Expose ses

Rotorelief à la revue *Orbes.* Exécute la porte en verre de « Gradiva », la galerie d'André Breton. Se rend à Londres avec Mary Reynolds.

1938

Exposition internationale du Surréalisme organisée à Paris par André Breton et Paul Eluard, galerie des Beaux-Arts (17 janvier-février) Duchamp est « générateur-arbitre » et conçoit la grotte centrale où sont suspendus 1 200 sacs de charbon au-dessus d'un brasero. Il expose aussi plusieurs œuvres et habille un des mannequins en Rrose Sélavy. Ensuite part pour Londres pour l'inauguration de la galerie de Peggy Guggenheim « Guggenheim jeune ». Commencera la réalisation de ses « *Boîtes-en-Valise* ».

1939

Publication en avril de *Rrose Sélavy* par les éditions G.L.M. un opuscule où sont réunis ses calembours. Travaille à ses « *Boîtes-en-Valise* ».

1940

La guerre, l'offensive allemande, Duchamp part pour Arcachon avec Mary Reynolds, Suzanne et Jean Crotti. Retour à Paris en septembre.

1941

Fait plusieurs aller-retour de la zone occupée à la zone libre et passe chaque fois, grâce à un « Ausweis » de représentant de commerce, des éléments de la *Boîte-en-Valise* qu'il déposera chez sa sœur Yvonne à Sanary. Il a obtenu son « Ausweis » grâce à son vieil ami Gustave Candel.

1942

En possession de son visa pour les Etats-Unis, il gagnera New York en bateau par Marseille, Casablanca, Lisbonne. Arrivée le 25 juin. Séjourne d'abord chez Peggy Guggenheim et chez Frederick Kiesler. En octobre ouverture de la galerie de Peggy Guggenheim « Art of This Century » où Duchamp est représenté. Simultanément, il organise avec André Breton l'exposition « First Papers of Surrealism » (14 octobre-7 novembre) où il dispose un mur de ficelle et illustre la couverture du catalogue. Collage : « A la manière de Delvaux ».

1943

Vitrine chez Brentano avec André Breton et Kurt Seligmann pour *La part du diable* de Denis de Rougemont. Réalise la couverture de la revue surréaliste *VVV*, n°s 2-3 parus en mars. Son portrait de *George Washington* (*Allégorie de genre*) refusé au concours de *Vogue* sera publié dans le n° 4 de *VVV* (février 1944). Habite 210 West 14th Street.

1944

Exposition « Color and Space in Modern Art », galerie Mortimer Brandt, New York (19 février-18 mars). Une salle est réservée aux trois frères et Marcel expose *Les joueurs d'échecs,* 1910, *Passage de la vierge à la mariée,* 1912 et une des premières *Boîtes-en-Valise,* en cours de fabrication. Exposition « The Imagery of Chess » à New York chez Julien

Levy : Marcel y montre son *Echiquier de poche au gant de caoutchouc.* Premier dessin du *Nu* pour « *Etant donnés...* » (coll. Maria Martins).

1945

Exposition des 3 frères, University Art Gallery, Yale (25 février-25 mars). Publication du numéro spécial de *View* dont il illustre la couverture. Vitrine avec Enrico Donati, Matta, Isabelle Waldberg, etc. pour *Arcane 17* d'André Breton, d'abord à la librairie Brentano et, devant la protestation d'une Ligue féminine, au Gotham Book Mart. Nouvelle vitrine avec Enrico Donati chez Brentano pour la deuxième édition du *Surréalisme et la peinture* d'André Breton. Achat par le Museum of Modern Art de New York du *Passage de la vierge à la mariée* de la collection de Walter Pach.

1946

Publication par James Johnson Sweeney de *Eleven European Artists in America* avec des déclarations de Duchamp qui illustrera la couverture de *Young Cherry Trees Secured against Hares,* le livre d'André Breton. Retour à Paris où il habitera 11, rue Larrey. Suggère à André Breton des projets et des idées pour l'Exposition Surréaliste en préparation.

1947

Duchamp quitte Paris pour New York le 13 janvier. Joue un rôle dans le film de Hans Richter *Dreams that money can buy*. Exposition « Le Surréalisme en 1947 », organisée par

André Breton, galerie Maeght Paris (juillet-août). Plusieurs projets de Duchamp : le *Dédale* et la *Salle de pluie* ont été réalisés sur ses plans par Frédérick Kiesler. Enrico Donati, d'après ses indications, a disposé sur la couverture du catalogue un sein de caoutchouc-mousse avec l'inscription « Prière de toucher ».

1948

A la Biennale de Venise, présentation de la collection Peggy Guggenheim avec le *Jeune homme triste dans un train* de Duchamp lequel se trouve à New York où il se classe premier dans un tournoi d'échecs.

1949

Participe à San Francisco à la « Western Round Table on Modern Art ». Rend visite aux Arensberg, à Beatrice Wood, à Man Ray et à Max Ernst et Dorothea Tanning. Assiste à l'inauguration de l'exposition de la collection Louise et Walter Arensberg à l'Art Institute de Chicago, où figurent trente de ses œuvres. Achève le relief du *Nu* d'*Etant donnés...* que Maria Martins emportera à Rio de Janeiro.

1950

Publication du catalogue de la collection de la « Société Anonyme » de Yale avec 33 études critiques de Marcel Duchamp. Retour à Paris au chevet de Mary Reynolds qui mourra le 30 septembre. Rentre à New York où il produira deux « sculptures » : *Not a shoe* et *Feuille de vigne femelle.*

1951

Autre « sculpture » érotique : « *Objet-dard* ». Exposition « Brancusi to Duchamp » chez Sidney Janis (17 septembre-27 octobre).

1952

Exposition « Duchamp Frères et Sœur, Œuvres d'Art », galerie Rose Fried, New York, organisée par Duchamp qui expose sept de ses œuvres (25 février-mars). Décès de Katherine Dreier le 29 mars. A Paris, en l'absence de Duchamp exposition, « L'Œuvre du XXe siècle » organisée par James Johnson Sweeney au musée national d'Art moderne (mai-juin). On y revoit le *Nu descendant un escalier*.

1953

A Paris, toujours en son absence, Exposition « Le Cubisme » au musée national d'Art moderne où il est représenté (30 janvier-9 avril). A New York, Exposition « Dada » dont il réalise l'affiche- catalogue chez Sidney Janis où douze de ses œuvres sont montrées (15 avril-9 mai). Décès de Louise Arensberg 25 novembre et de Francis Picabia le 30 novembre. Exposition « Marcel Duchamp-Francis Picabia » chez Rose Fried, New York (7 décembre-8 janvier).

1954

Mariage le 16 janvier avec Alexina (Teeny) Sattler, ex-femme de Pierre Matisse. Il lui offre en cadeau de noce une nouvelle « sculpture » érotique : *Coin de chasteté*. Ils habitent dans l'ancien appartement de Max Ernst et Dorothea Tanning 327 East 58th Street mais Marcel conserve son atelier. Décès de Walter Arensberg le 29 janvier. Participe à la présentation de ses œuvres provenant de la collection Arensberg et données au musée de Philadelphie. Après avoir été malade et deux fois opéré se rend à Philadelphie en octobre pour l'inauguration. Les époux Duchamp partent pour Paris au début de novembre et s'installent dans l'appartement de H.P. Roché, 99, Bd Arago. Le musée national d'Art moderne fait l'acquisition de l'esquisse des *Joueurs d'échecs* provenant de chez Jacques Villon. Succès d'estime.

1955

Retour à New York en janvier. Marcel devient citoyen américain.

1956

En janvier interview télévisée par J.J. Sweeney au musée de Philadelphie dans la série « Elderly Wise Men ». Son dessin *Jaquette* pour la jaquette d'un livre de Rudi Blesh est refusé par l'éditeur Knopf. Rédige la préface du catalogue de la collection Mary Reynolds : « Surrealism and its affinities » à l'Art Institute de Chicago.

1957

Exposition « Jacques Villon, R. Duchamp-Villon, Marcel Duchamp », organisée par James Johnson Sweeney, Solomon R. Guggenheim Museum, New York (8 janvier-17 février) et ensuite au Museum of Fine Arts, Houston Texas (8 mars-8 avril). A la Convention of the American Federation of Arts à Houston (3-11 avril) Duchamp intervient et traite du « Processus créatif » (« The Creative Act »). Premier *Gilet* destiné à Teeny Duchamp.

1958

Mort de Jean Crotti, le beau-frère de Duchamp (30 janvier). Exposition « 50 ans d'Art Moderne » pour l'Exposition Universelle de Bruxelles (17 avril-19 octobre), de Duchamp : *Passage de la vierge à la mariée, Broyeuse de chocolat n° 2, 1914, Réseaux des stoppages, 1914.* Vacances en Europe : Sainte-Maxime, Vence, Nice, Barcelone et passe le mois d'août à Cadaquès, séjour à Madrid (1er-15 septembre) et ensuite à Paris où il prend contact avec le « Collège de Pataphysique » dont il est déjà membre et Satrape. Retour à New York. *Gilets* pour Paul Matisse et Benjamin Péret. Il enverra ce dernier à Paris pour la vente au profit de Péret le 25 juin 1959 à l'Hôtel Drouot.

1959

Publication du livre de Robert Lebel *Sur Marcel Duchamp,* mise en page par Marcel avec son *Autoportrait de profil* et la plaque *Eau et gaz à tous les étages* pour l'édition de luxe. Présentation du livre avec diverses œuvres de Duchamp : Sidney Janis Gallery, New York, librairie La Hune, Paris, Institute of Contemporary Art, Londres. Quitte New York et son appartement, arrive à Cadaquès où il apprend le décès de H.P. Roché (le 9 avril) et où il restera jusqu'au 30 juin. Exécute trois « sculptures » : *With my tongue in my cheek, Torture-morte* et *Sculpture-morte.* Part ensuite pour Paris où le couple occupera l'appartement de Max Ernst, 58, rue Mathurin-Régnier. Du 18 juillet au 10 août, vacances chez Marcel Fogt au Tignet, près de Grasse où Duchamp a dessiné *Cols alités* et un autre *Paysage*. Retour à New York fin septembre : nouvelle adresse 28 West 10th Street. Publication à Paris de *Marchand du Sel, écrits de Marcel Duchamp* réunis et présentés par Michel Sanouillet. Pour l'Exposition Surréaliste de la galerie Daniel Cordier qui ouvrit le 15 décembre, Duchamp orna l'édition de luxe du catalogue d'une *Boîte alerte* et d'un *Couple de tabliers*.

1960

Elu membre de The National Institute of Arts and Letters (New York, 25 mai). Exposition « Dokumentation über Marcel Duchamp » organisée par Serge Stauffer au Kunstgewerbemuseum de Zurich (30 juin-28 août), catalogue signé par Duchamp sur la couverture et contenant diverses citations de ses écrits. Organise avec André Breton l'exposition « Surrealist Intrusion in the Enchanter's Domain » et dessine la couverture du catalogue. Galerie D'Arcy, New York, 28 novembre 1960-14 janvier 1961. Publication à Londres d'une traduction anglaise de la *Boîte verte* par George Heard Hamilton et Richard Hamilton. Exposition « Les Sources du XXe siècle », musée national d'Art moderne, Paris (4 novembre 1960-23 janvier 1961), *Sonate, Joueurs d'échecs*, étude, *Nu descendant un escalier n° 2*.

1961

Exposition « Bewogen Beweging », Stedelijk Museum Amsterdam, Moderna Museet Stockholm (mars-juillet), catalogue par K.G. Hulten. A Amsterdam répliques de la *Roue de bicyclette*, de la *Rotative plaque verre* et de la *Porte de la rue Larrey*. A Stockholm, réplique du *Grand Verre* par Ulf Linde. Duchamp se rend à Stockholm pour la signer. A New York, exposition « The Art of Assemblage », Museum of Modern Art (2 octobre-12 novembre), Duchamp fait une communication : « A propos de Ready-Made ». Vente à Paris de l'*Anagramme pour Pierre de Massot. Matta-Rébus,* dessin et *Rébus,* gravure, Milan.

1962

Conférences de Duchamp au Mount Holyoke College dans le Massachusetts et à la Norton Gallery à Palm Beach en Floride. Fin décembre subit une seconde opération de la prostate.

1963

Exposition du cinquantenaire de l'Armory Show. Duchamp dessine sur l'affiche une partie du *Nu descendant un escalier* et donne une conférence la veille de l'inauguration de l'exposition à Utica (17 février-31 mars) avant New York où elle a lieu à l'Armory (6-28 avril). Voyage à Capri et en Sicile interrompu par le décès de Jacques Villon le 9 juin. Marcel assiste aux obsèques à Puteaux. Vacances à Cadaquès interrompues elles aussi par la mort de sa sœur Suzanne le 11 septembre. Retour à Paris. Il avait dessiné en Sicile *Aimer tes héros* pour la couverture de la revue *Metro* de Milan mais le numéro qui devait lui être consacré ne parut pas. Départ pour New York, puis pour Pasadena, Californie, où Walter Hopps a organisé la première rétrospective de ses œuvres. Duchamp a réalisé l'affiche et le catalogue (114 numéros). Conférences « Apropos of Myself » au musée de Baltimore et à la Brandeis University. Publication de l'étude d'Ulf Linde sur Duchamp. A cette occasion exposition des « répliques » réalisées par Ulf Linde, galerie Burén, Stockholm. Film de Jean-Marie Drot *Jeu d'échecs avec Marcel Duchamp.*

1964

Exposition à Milan des multiples de ready-made édités par Arturo Schwarz (5 juin-30 septembre). Publication à cette occasion de *Ready-Mades, etc. (1913-1964)* par Arturo Schwarz, Walter Hopps et Ulf Linde. Lithographies de Duchamp pour *Il Reale assoluto* de Arturo Schwarz. Courtes vacances à Cadaquès où est produit *Bouche Evier,* puis à Milan la gravure *Pulled at four pins,* puis à Paris *La pendule de profil.* Retour aux USA où il donne sa conférence « Apropos of Myself » au musée de Saint Louis (Missouri 24 novembre).

1965

Exposition « Not seen and/or Less seen of/by Marcel Duchamp/Rrose Sélavy » organisée par Richard Hamilton. Il s'agit de la collection Mary Sisler composée uniquement d'œuvres de Duchamp. Le catalogue (90 numéros) a pour couverture une photographie en couleurs de la *Porte du 11 rue Larey.* Galerie Cordier & Ekstrom, New York (14 janvier-13 février), ensuite au musée de Houston, Texas et dans d'autres musées. Marcel signe deux faux chèques : l'un qu'il nomme Czech Check est la carte de membre de John Cage d'une Association mycologique tchèque, l'autre est un chèque manuscrit sur la Banque « Mona Lisa » à l'ordre de Philip Bruno. Il signe aussi un ready-made : « *L.H.O.O.Q.* » rasée. A Paris où le couple Duchamp, depuis la mort de Suzanne, habite son ancien atelier 5, rue Parmentier à Neuilly. Dîner offert en l'honneur de Rrose Sélavy et en sa présence par Michel Sanouillet, président de l'Association pour l'Etude du Mouvement Dada (Restaurant Victoria, Paris 15 mai). Vacances à Cadaquès où Marcel grave les neuf planches qui illustreront *The Large Glass and Related Works,* vol. I par Arturo Schwarz. Exposition de huit toiles par G. Aillaud, E. Arroyo et A. Recalcati figurant la « Mort tragique de Marcel Duchamp » (galerie Creuze, Paris, septembre). Marcel refuse de protester et rentre à New York où il doit abandonner son atelier de la 14e Rue. En loue un autre 80 East 11th Street et y transportera *Etant donnés...*

1966

« Hommage à Caïssa », exposition où il montre un échiquier dont 30 exemplaires seront vendus au profit de l'American Chess Foundation (New York 8-26 février). A Londres le 15 juin pour l'exposition « The almost complete works of Marcel Duchamp » organisée à la Tate Gallery par Richard Hamilton qui a construit une seconde réplique du *Grand Verre*. Mort d'André Breton le 28 septembre à Paris. Les Duchamp assistent aux obsèques. Retour à New York où *Etant donnés...,* toujours en secret, s'achève. Publication à New York de « The World of Marcel Duchamp » de Calvin Tomkins.

1967

Publication des *Entretiens avec Marcel Duchamp* de Pierre Cabanne, éd. Pierre Belfond, Paris (25 janvier). Exposition « Dada », provenant du Kunsthaus de Zurich et montrée au musée national d'Art moderne de Paris jusqu'au 10 janvier : neuf œuvres de Duchamp. Il se rend à Rouen pour aider à la disposition de l'exposition « Les Duchamps » : Jacques Villon, Raymond Duchamp-Villon, Marcel Duchamp, Suzanne Duchamp ». 82 œuvres de Marcel préfacées par Bernard Dorival, musée des Beaux-Arts de Rouen (15 avril-

1er juin) ; du 7 juin au 2 juillet les œuvres de Raymond Duchamp-Villon et de Marcel Duchamp seront exposées au musée national d'Art moderne de Paris. Exposition « Ready-mades et éditions de et sur Marcel Duchamp » chez Claude Givaudan, Paris pour qui Duchamp dessine l'affiche (8 juin-30 septembre). Claude Givaudan publie *Marcel Duchamp ou le château de la pureté* d'Octavio Paz. Publication à New York de la deuxième édition américaine de *Marcel Duchamp* par Robert Lebel avec un texte mis à jour et révisé. Edition à tirage limité de la *Boîte blanche* ou *A l'infinitif* contenant 79 notes inédites pour le *Grand Verre*. Sur la couverture, reproduction de la *Glissière contenant un Moulin à eau en métaux voisins* (New York, Cordier & Ekstrom édit.) Exécute son dernier ready-made : *Pollyperruque*. Met la dernière main à son œuvre encore inconnue : *Etant donnés...* et prépare les notes et photographies qui serviront à son montage. Commence à graver les neuf planches pour le vol. II de *The Large Glass and Related Works* d'Arturo Schwarz.

1968

Montre *Etant donnés...* à Bill Copley et lui suggère d'en faire don au musée de Philadelphie. A Buffalo, représentation à laquelle il assiste de *Walkaround Time*, ballet de Merce Cunningham, décor d'après le *Grand Verre* réalisé par Jasper Johns. Assiste aussi au vernissage de l'exposition « Dada, Surrealism and their heritage » organisée par William Rubin au Museum of Modern Art de New York, (27 mars-9 juin) avec neuf œuvres de Duchamp. Début d'avril à Monte-Carlo pour assister à un tournoi d'échecs. Reste à Paris pendant les événements de mai qu'il suit avec attention. Ensuite voyage en voiture, passe par Bâle, Lucerne, Milan, Gênes d'où il s'embarque pour Barcelone. Arrive le 12 juin à Cadaquès où, d'après sa cheminée, il dessinera des études pour un *Anaglyphe*. En automne, retour de Marcel et

Teeny dans leur appartement de Neuilly. Le 2 octobre dans la nuit, après un dîner avec ses amis Man Ray et Juliet, Robert et Nina Lebel, il tombe subitement victime d'une embolie. Après incinération ses cendres seront portées dans le caveau familial au cimetière de Rouen.

BIBLIOGRAPHIE ESSENTIELLE

par ordre chronologique

GLEIZES (A.) et METZINGER (J.). *Du cubisme,* Paris 1912, E. Figuière.

APOLLINAIRE (Guillaume). *Les peintres cubistes,* Paris 1913, E. Figuière.

GREGG (F.J.) et DAVIES (A.B.). *Catalogue de l'Armory Show,* New York, Chicago, Boston, 1913.

GREGG (F.G.). *For and Against the Armory Show,* New York 1913.

EDDY (A.J.). *Cubists and Post-Impressionism,* Chicago 1914, Mc Clurg.

DUCHAMP (M.). « A complete Reversal of Art Opinions by Marcel Duchamp, Iconoclast », *Arts and Decoration,* New York 1915.

DUCHAMP (M.), ROCHE (H.P.), WOOD (Beatrice), etc. *The Blind Man,* nos 1 et 2, New York 1917.

DUCHAMP (M.), PICABIA (Francis) etc. *Rongwrong,* New York 1917.

PICABIA (F.). « Portrait de Duchamp par Picabia », *391,* n° 6, New York 1917.

WILLIAMS (W.C.). « A prologue », *The Little Review,* n° 11, New York 1919.

PICABIA (F.). « Tableau Dada par Marcel Duchamp », *391,* n° 12, Paris 1920.

DUCHAMP (M.) et MAN RAY. *New York Dada,* New York, avril 1921.

MCBRIDE (Henry). *Some French Moderns Says McBride.* Mise en page de Duchamp, Société Anonyme, New York 1922.

BRETON (André). « Marcel Duchamp » dans *Littérature,* n° 5, Paris octobre 1922.

DESNOS (Robert). « Rrose Sélavy », *Littérature,* n° 7, Paris décembre 1922.

BRETON (André). *Les pas perdus,* Paris 1924, N.R.F.

MASSOT (Pierre de). *The Wonderful Book.* Paris 1924, éd. de l'auteur.

CLAIR (René). *Entr'acte,* film avec Picabia, Erik Satie, M. Duchamp, Man Ray. Paris 1924.

WATSON (Forbes). Préface au catalogue de la vente John Quinn, New York 1926.

DREIER (Katherine). Catalogue de l'exposition organisée par la

« Société Anonyme » au musée de Brooklyn avec le *Grand Verre,* 1926.

BRETON (André). *Le surréalisme et la peinture* (1re version), Paris 1928, N.R.F.

ARAGON (Louis). *La peinture au défi.* Paris 1930, José Corti.

DUCHAMP (M.) et HALBERSTADT (V.). *L'opposition et les cases conjuguées sont réconciliées.* Paris-Bruxelles 1932, éd. L'Echiquier.

DUCHAMP (M.). « La mariée mise à nu par ses célibataires, même », dans *Le Surréalisme au service de la Révolution,* nos 5-6, Paris 1933.

DUCHAMP (M.). *La mariée mise à nu par ses célibataires, même.* (*Boîte verte*), éd. Rrose Sélavy, Paris 1934.

BRETON (A.). *Phare de la Mariée,* dans *Minotaure,* Paris 1935.

BARR Jr. (Alfred). Catalogue de l'exposition « Fantastic Art Dada Surrealism » avec des textes de Georges Hugnet. Museum of Modern Art, New York 1936.

READ (Herbert). *Surrealism,* Londres 1936, Faber and Faber.

BUFFET (Gabrielle). « Cœurs Volants », *Cahiers d'Art,* Paris 1936.

LEVY (Julien). Préface à l'exposition Marcel Duchamp, Arts Club, Chicago 1937.

PACH (Walter). *Queer Thing Painting,* New York 1938, Harper ed.

BRETON (André) etc. *Dictionnaire abrégé du surréalisme,* Paris 1938, Galerie des Beaux-Arts.

DUCHAMP (Marcel). *Boîte-en-Valise,* Paris-New York, 1938-1944, éd. Art of This Century.

DUCHAMP (Marcel). *Rrose Sélavy. Oculisme de Précision,* Paris 1939, éd. G.L.M.

BRETON (André). *Anthologie de l'humour noir,* Paris 1940, Sagittaire.

DUCHAMP (M.) et BRETON (A.). *First papers of Surrealism,* New York 1942.

BRETON (A.), ARP (J.), MONDRIAN (P.). Préfaces au catalogue d'Art of This Century, galerie de Peggy Guggenheim, New York 1942.

DUCHAMP (M.). Collaboration à *VVV,* nos 2-3 (mars 1943) et no 4 (février 1944) New York.

JANIS (Sidney). *Abstract and Surrealist Art in America,* New York 1944, Reynal & Hitchcock.

DREIER (Katherine) et MATTA ECHAURREN. *La mariée mise à nu.* New York 1944, éd. Société Anonyme.

LEBEL (R.) et PACH (W.). Préfaces à l'exposition « Color and Space in Modern Art » (avec une salle consacrée aux trois frères) Mortimer Brandt, New York 1944.

BRETON (A.). *Le surréalisme et la peinture* (édition augmentée), New York 1945, Brentano.

FORD (Ch.H.) etc. N° spécial de *View* sur Marcel Duchamp, New York 1945.

LEIRIS (Michel). « Arts et métiers de Marcel Duchamp », Paris, *Fontaine,* été 1946.

SWEENEY (J.J.). « Eleven Europeans in America ». *M.M.A. Bulletin,* New York 1946.

BRETON (A.). *Young Cherry Trees secured against Hares.* Poèmes traduits par E. Roditi. Dessins de A. Gorky. Couverture par M. Duchamp, éd. View, New York 1946.

BRETON (A.) et DUCHAMP (M.). *Le surréalisme en 1947,* avec des textes de B. Péret, H. Miller, J. Gracq, G. Bataille, J. Arp, R. Lebel, A. Césaire, J. Hérold, F. Alquié, etc., éd. Pierre à Feu, Paris 1947.

KUH (Katharine) et RICH (Daniel Catton). Préface au catalogue de l'exposition de la collection Arensberg. Art Institute de Chicago, 1949.

LEBEL (R.). « Picabia et Duchamp ou le Pour et le Contre », *Paru,* Paris 1949.

BRETON (A.) et PÉRET (Benjamin) etc. *Almanach surréaliste du Demi-Siècle,* avec des textes de O. Paz, G. Schéhadé, J. Suquet, A.P. de Mandiargues, etc., Paris 1950, Sagittaire.

DUCHAMP (M.) et HAMILTON (George Heard). Catalogue de la collection de la Société Anonyme, Yale University Art Gallery, Newhaven 1950.

SARGENT (Winthrop). « Dada's Daddy », *Life,* New York, 28 avril 1952.

PACH (W.). Préface exposition « Duchamp Brothers and Sister », New York 1952.

MCBRIDE (Henry). « Duchamp du monde », *Art News,* New York 1952.

CLIFFORD (Henry). Préface au catalogue de la collection Arensberg, musée de Philadelphie, 1954.

CARROUGES (Michel). *Les Machines célibataires,* Paris 1954, Arcanes.

MAYOUX (Jehan). « Les Machines célibataires de M. Carrouges », *Bizarre,* Paris 1955, mai et octobre.

DUCHAMP (M.). Préface au catalogue de la collection Mary Reynolds, Chicago Art Institute 1956.

LEBEL (R.). « L'Inventeur du Temps gratuit », *Le Surréalisme, même,* n° 2, Paris 1957.

SCHUSTER (Jean). « Marcel Duchamp, vite », *Le Surréalisme, même,* n° 2, Paris 1957.

BRETON (A.) et SWEENEY (James Johnson). Préfaces au catalogue de l'exposition J. Villon, R. Duchamp-Villon et M. Duchamp, New York et Houston, 1957.

LEBEL (R.). « L'humour absurde de Marcel Duchamp », *XXe Siècle,* Paris 1957.

BUFFET (Gabrielle). *Aires abstraites,* Genève 1957, éd. Cailler.

LEBEL (R.). « Marcel Duchamp, liens et ruptures, *Le Surréalisme, même,* n° 3, Paris 1957.

DUCHAMP (M.). « The Creative Act », Conférence à Houston, Texas, avril 1957.

SANOUILLET (Michel) et POUPARD-LIEUSSOU. *Marchand du Sel,* écrits de Marcel Duchamp. Paris 1958, le Terrain Vague.

LEBEL (R.). « Marcel Duchamp ou le tour de la Peinture en huit mois », *Les Lettres Nouvelles,* n° 9, Paris 1959.

JOUFFROY (Alain). « Un défi au public et aux marchands », *Arts,* Paris 1959.

LEBEL (R.). *Sur Marcel Duchamp.* Paris, Londres, New York 1959, Cologne 1962. Paris et Londres Trianon Press, New York Grove Press, Cologne Dumont Schauberg avec un catalogue raisonné des œuvres de Duchamp.

WALDBERG (Patrick) « Marcel Duchamp » dans *Critique,* n° 149, Paris octobre 1959.

LEBEL (R.). « Une gifle à Paris », *XXe Siècle,* Paris n° 13, décembre 1959.

JEAN (Marcel) et MEZEI (Arpad). *Histoire de la peinture surréaliste,* Le Seuil, Paris 1959.

STAUFFER (Serge). *Dokumentation über Marcel Duchamp.* Kunstgewerbemuseum, Zurich 1960.

HAMILTON (Richard and George Heard). *The Bride stripped bare by her Bachelors, Even,* éd. Percy Lund Humphries. A typographic version. Londres 1960.

BRETON (A.) et DUCHAMP (M.). Catalogue de l'exposition internationale du surréalisme. Galerie D. Cordier, Paris 1959-1960.

BRETON (A.) et DUCHAMP (M.). *Surrealist intrusion in the enchanters' domain,* notices de Gérard Legrand, E. Jaguer, José Pierre, V. Bounoure, etc. D'Arcy Galleries. New York, 1960-1961.

STEEFEL Jr (Lawrence D.). « The Art of Marcel Duchamp », *Art Journal,* New York 1962-63.

LINDE (Ulf). *Marcel Duchamp.* Stockholm 1963, Galerie Burén.

HOPPS (Walter). *By or of Marcel Duchamp or Rrose Sélavy, a retrospective exhibition.* Pasadena Art Museum, 1963.

DWIGHT (Edward H.). Préface au catalogue de « 1913 Armory Show 50th. Anniversary Exhibition », Utica et New York, 1963.

SCHWARZ (Arturo). *Il reale assoluto.* Milan 1964, éd. Schwarz.

SCHWARZ (A.), HOPPS (W.) et LINDE (Ulf). *Marcel Duchamp : Ready-mades,* Milan 1964, éd. Schwarz.

DUCHAMP (M.). *Apropos of Myself.* Conférence au musée de Saint-Louis, USA 1964.

WALDBERG (Patrick). *Le surréalisme,* exposition Galerie Charpentier, Paris 1964.

JOUFFROY (Alain). *Une révolution du regard,* Paris 1964, Gallimard.

HAMILTON (Richard). *Not seen and/or Less seen by Marcel Duchamp/ Rrose Sélavy.* Mary Sisler Collection, New York 1965.

HESS (Th.B.). « J'accuse Marcel Duchamp », *Art News,* New York 1965.

TOMKINS (Calvin). *The Bride and the Bachelors.* New York 1965, Viking Press.

BRETON (A.). *Le surréalisme et la peinture,* édition augmentée, Paris 1965, Gallimard.

MASSOT (P. de). *Marcel Duchamp, Propos et souvenirs,* éd. Schwarz, Milan 1965.

HAMILTON (Richard). *The almost complete works of Marcel Duchamp,* catalogue de l'exposition à la Tate Gallery, Londres 1966.

DUCHAMP (M.). *A l'infinitif (Boîte blanche),* New York 1966, Cordier & Ekstrom.

TOMKINS (Calvin). *The World of Marcel Duchamp,* New York 1966, Time-Life edit.

HAHN (Otto) etc. Textes sur M. Duchamp par A. Breton, R. Lebel, B. O'Doherty, R. Hamilton, G.H. Hamilton, A. Watt, S.W. Taylor, T. Mussman, Ch. Finch, *Art and Artists,* n° 4, Londres 1966.

DUCHAMP (M.). *Hommage à Caïssa,* chez Cordier et Ekstrom, New York 1966.

PARINAUD (A.). « Duchamp raconte Breton », *Arts Loisirs,* Paris octobre 1966, reproduit dans *Hommage à A. Breton,* Schwarz, Milan 1967.

PAZ (Octavio). *Marcel Duchamp ou le château de la pureté,* Genève 1967, Givaudan.

DORIVAL (Bernard). Préface au catalogue de l'exposition des Duchamps. Rouen et Paris, musée national d'Art moderne, 1967.

CABANNE (Pierre). *Entretiens avec Marcel Duchamp.* Paris 1967, Belfond.

SCHWARZ (Arturo). *The Large Glass and Related Works,* Milan vol. I et II, 1967-1968, éd. Schwarz.

LEBEL (R.). « Marcel Duchamp maintenant et ici », *L'Œil* n° 149, Paris 1967.

HAMILTON (Richard). *The Bride stripped bare by her Bachelors even again, reconstruction of the Large Glass,* Newcastle upon Tyne, 1966-1967.

LEBEL (R.). *Marcel Duchamp,* 2e édition américaine augmentée avec un catalogue raisonné suivi d'une liste des répliques, New York 1967, Paragraphic Books.

PAZ (Octavio). Marcel Duchamp. *Livre-valise,* Mexico 1968, éd. Era.

LINDE (Ulf). *Duchamp et l'alchimie,* dans « The Machine », Museum of Modern Art, Exposition organisée par Pontus Hulten. New York 1968.

TAKIGUCHI (Shuzo). *To and From Marcel Duchamp.* Tokyo 1968, éd. Rrose Sélavy, Tokyo.

LEBEL (R.). « Dernière soirée avec Marcel Duchamp », *L'Œil,* Paris novembre 1968.

TAKIGUCHI (Shuzo). *A rapid requiem,* Tokyo 1968, sans mention d'éditeur.

D'HARNONCOURT (Anne) et HOPPS (W.). *Etant donnés..* Philadelphia Museum, 1969.

GRAY (Cleve). Marcel Duchamp. The Great Spectator. Hopps (W.). Chronological Notes. A conversation with Alexander Calder. Thoughts on Duchamp by Jasper Johns. The Large Glass by Nicolas Calas. The New Piece by William Copley. Interviews by Dorothy Norman and Colette Roberts. In Memory of a Friend by Hans Richter. Statement by Man Ray. *Art in America,* New York, juillet-août 1969.

SCHWARZ (Arturo). *The Complete Works of Marcel Duchamp,* avec un catalogue raisonné, Londres et New York 1969, édition revue, 1970 Abrams.

BENOIT (P.A.). *Hommage à Marcel Duchamp,* contributions de G. Buffet, A. Calder, R. Lebel, Man Ray, Pierre de Massot. Alès 1969, éd. P.A.B.

SCHWARZ (A.). *The Lovers,* illustré de gravures par Marcel Duchamp. Milan 1969, éd. Schwarz.

SCHUSTER (Jean). *Archives 57/68.* Paris 1969, Le Terrain Vague.

PAZ (Octavio). *Deux Transparents : M. Duchamp et Cl. Lévi-Strauss.* Paris 1970, Gallimard.

LEBEL (R.). « Surréalisme. Années américaines ». *Opus international,* Paris 1970.

KUTH (Katharina). *The Open Eye.* New York 1971, Harper and Row.

BURNHAM (Jack). « Marcel Duchamp ». *VH 101,* Paris 1972.

LEBEL (R.). *Marcel Duchamp.* Réédition allemande revue et augmentée. Cologne 1972, Dumont Schauberg.

MILLET (Catherine) et PLEYNET (Marcelin). « Le Fétiche Duchamp ». *Art Press,* Paris déc. 1972-janv. 1973.
TANCOCK (J.). « The oscillating influence of Marcel Duchamp », *Art News,* New York 1973.
CALVESI (Maurizio). *Marcel Duchamp, 11, rue Larrey.* L'Attico, Rome 1973.
DAVIS (Douglas). « Artist who killed Art ». *Newsweek,* New York, septembre 1973.
D'HARNONCOURT (Anne) et MCSHINE (Kynaston). Catalogue de l'exposition Marcel Duchamp. Philadelphie, New York, Chicago, 1973-1974.
D'HARNONCOURT (Anne) et MCSHINE (Kynaston). Ouvrage collectif publié à l'occasion de cette exposition avec des textes de M. Sanouillet, R. Hamilton, L.D. Steefel Jr., A. Schwarz, Davidantin, L.R. Lippard, R. Lebel, O. Paz, J. Tancock, etc. et avec un catalogue raisonné et une bibliographie par B. Karpel, New York, The Museum of Modern Art, 1973.
PIERRE (José). *Dictionnaire du surréalisme,* Paris 1973, F. Hazan.
GOLDING (John). *Duchamp. The Bride stripped Bare by her Bachelors, Even.* The Penguin Press. Londres 1973.
HELD (René). « Marcel Duchamp : l'imposteur malgré lui ou le grand canular et la surréalité », in *L'Œil du psychanalyste,* Paris 1973.
CHENIEUX (Jacqueline). *Patience et impatiences chez Duchamp,* Nouveau Commerce Paris, printemps 1973.
STAUFFER (Serge). *Marcel Duchamp. Ready-made.* Zurich 1973, Ed. Regenbogen-Verlag.
CAGE (John). « On Marcel Duchamp ». *Art in America,* New York, nov-déc. 1973.
LE LIONNAIS (F.). « Duchamp as a Chess Player », *Studio International,* Londres 1974.
JOUFFROY (Alain). « Marcel Duchamp », avec des textes de Man Ray, A. Schwarz, R. Cordier, J. Chalupecky, N. Calas, O. Paz, A. Roussel, Ben, A. Kaprow, G. Gassiot-Talabot, etc. Entretien d'Alain Jouffroy avec John Cage et Daniel Pommereulle. *Opus International,* Paris, mars 1974.
ALEXANDRIAN (S.). *Le surréalisme et le rêve.* Paris 1974, Gallimard.
CLAIR (Jean). « Marcel Duchamp » avec des textes de G. Lascault, M. Le Bot, B. Pingaut, R. Dadoun, A. Schwarz, J. Suquet, etc. *L'Arc,* Aix-en-Provence 1974.
SUQUET (Jean). *Miroir de la Mariée,* Paris 1974, Flammarion.
SANOUILLET (M.) avec PATERSON (E.). *Duchamp du signe.* Réédition augmentée, Paris 1975, Flammarion.

CLAIR (Jean). *Marcel Duchamp ou le grand fictif*, Paris 1975, Galilée.

SZEEMAN (Harald) et CLAIR (Jean). *Les Machines célibataires*. Catalogue de l'exposition Kunsthalle de Berne, avec des textes de M. Le Bot, M. Carrouges, G. Lascault, J.F. Lyotard, A. Schwarz, M. Serres, etc. Berne 1975. (L'exposition alla ensuite à Venise, Bruxelles, Düsseldorf, Paris, etc.).

BUTOR (Michel). « Reproduction interdite », dans *Critique*, mars 1975, Paris.

CALVESI (Maurizio). *Duchamp invisible*. Rome 1975, éd. Officina.

CARROUGES (M.). *Les Machines célibataires*. Edition augmentée. Paris 1976, Le Chêne.

SUQUET (Jean). *Le guéridon et la virgule*. Paris 1976, Christian Bourgois.

NAKAHARA (Yusuké). *Duchamp*. Tokyo 1976, éd. Shinchosha.

CALVESI (M.). « Su Marcel Duchamp ». *Framart Studio*, avec des textes de A. Izzo, F. Menna, A.B. Oliva, T. Trini et A. Schwarz, Naples, nov. 75-janv. 1976.

CLAIR (J.). « La fortune critique de Marcel Duchamp ». *Revue de l'Art*, Paris 1976.

WALDBERG (Patrick). *Les demeures d'Hypnos*. Paris 1976, éd. La Différence.

HULTEN (Pontus) et CLAIR (Jean). *L'Œuvre de Marcel Duchamp*. Exposition au Centre Pompidou. Quatre volumes. Paris, janvier 1977.

CAUMONT (Jacques) et GOUGH-COOPER (Jennifer). Chronologie.

CLAIR (Jean). Catalogue raisonné, sources et bibliographie.

CLAIR (Jean) et LINDE (Ulf), *Abécédaire*, avec des textes de P. Hulten. A. Schwarz, J. Chalupecky, Ulf Linde. O. Micha, F. Le Lionnais, J. Clair, J.F. Lyotard, C.F. Reutersẅärd, R. Lebel, T. de Duve, G. Raillard.

ROCHÉ (Henri-Pierre). *Victor/Marcel Duchamp*. Roman.

BUFFET (Gabrielle). *Rencontres avec Picabia, Apollinaire, Cravan, Duchamp, Arp, Calder*. Paris 1977, éd. P. Belfond.

STEEFEL (Lawrence D.Jr). *The position of Duchamp's Glass in the development of his art*. New York 1977, Garland Publisher.

PAZ (Octavio). *Marcel Duchamp. L'Apparence mise à nu*. Paris 1977, Gallimard.

HULTEN (Pontus). *Paris-New York*, avec des textes de R. Bordaz, E. Carter, H. Langlois, M. Girodias, J. Prouvé, D. Karshan, G. Buffet, R. Lebel, C. Lévi-Strauss, D. Hare, W. Copley, R. Motherwell, M. Pleynet, H. Rosenberg, H. Damisch, P. Restany, J.J. Lebel, Leo Castelli, D. Cordier, I. Sonnabend, H. Seckel, D. Abadie,

A. Pacquement, Billy Klüver, F. Teja Bach. Centre Pompidou, 1977.

LYOTARD (J.F.). *Les transformateurs Duchamp,* Paris 1977, Galilée.

CLAIR (Jean). *Duchamp et la photographie,* Paris 1977, éd du Chêne.

GHEERBRANT (Bernard). *Duchamp du trait.* Exposition à « *La Hune* ». Paris 1977.

WOHL (Hellmut). « Beyond The Large Glass : Notes on a Landscape drawing by Marcel Duchamp », *The Burlington Magazine.* Londres 1977.

ALEXANDRIAN (S.). *Marcel Duchamp,* Paris et New York 1977, Flammarion.

TONO (Yoshiaki). *Marcel Duchamp.* Tokyo 1977, éd. Bijutsu Shuppan-Sha.

ADES (Dawn), avec des textes de SYLVESTER (David) et COWLING (Elizabeth). *Dada and Surrealism reviewed.* Catalogue de l'exposition Hayward Gallery. Londres, janv.-mars 1978.

CALVESI (M.). *Essendo deti I-la fume 2-il sesso,* dans *Avanguardia di massa,* Feltrinelli, Milan 1978.

JEAN (Marcel). *Autobiographie du surréalisme.* Le Seuil. Paris 1978 (édition américaine New York 1980), Viking Press.

PIERRE (José). *Le surréalisme.* Paris 1978. F. Hazan.

CLAIR (Jean). « L'échiquier, les Modernes et la Quatrième Dimension ». *Revue de l'Art.* Paris 1978.

ARAKAWA et GINS (M.H.). *Le mécanisme du sens.* New York, Abrams, Paris, Maeght éd. 1979.

CLAIR (J.). *Duchamp. Colloque de Cerisy* (1977). Contributions de : J. Chalupecky, J. Chénieux, J. Clair, H. Damisch, J. Dee, T. de Duve, E. Formentelli, A. Gervais, G. Lascault, R. Micha, J. Suquet. Interventions de : G. Didi-Huberman, Ph. Dubois, J. Frey, M. Kunz, H. Lassalle, J. Levine, F. Parent, R. Payant, D. Régnier, F. Sullerot. Union Générale d'éditions, Paris 1979.

DAVIS (Ivor) « Reflections on the Large Glass », *Art History,* mars 1979.

CHALUPECKY (J.). « Art and Transcendence », *Flash Art,* Milan juin-juillet 1979.

NAUMANN (Francis M.). « Walter Conrad Arensberg », *Philadelphia Museum of Art Bulletin,* Spring 1980.

MATISSE (Paul). « Some more nonsense about Duchamp ». *Art in America,* New York 1980.

DUCHAMP (Marcel). *Notes.* Préface de Pontus Hulten. Présentation et traduction par Paul Matisse. Centre Pompidou, 1980.

LEBEL (R.). « Man Ray et Duchamp avant et après ». *Bulletin Artcurial,* Paris 1980.

PIERRE (José). *Tracts surréalistes.* 2 volumes, Paris 1980 et 1982, Le Terrain Vague.

CAUMONT (J.) et GOUGH-COOPER (J.). « La chute d'eau de Puidoux », dans *Rrosopopées.* Le Ver à Val, n°s 6-7, janvier 1981.

GERVAIS (André). « L'Infratexte », dans *La Nouvelle Barre du jour,* Montréal, mai 1981.

RUFF (Theo). « Der Salzhändler und seine Schriften », in *DU* n° 8, Zurich 1981.

DUCHAMP (Marcel). *Die Schriften. Notes* de Duchamp traduites en allemand par Serge Stauffer, tomes I et II, Zurich 1981-1983, Regenbogen Verlag.

FISCHER (Hervé). *L'Histoire de l'Art est terminée,* Paris 1981, Balland.

INOUE (H.), SHIBUSAWA (T.), D'HARNONCOURT (Anne), BUTOR (Michel), CAGE (John), TONO (Y.), etc. Catalogue de l'exposition Duchamp, Seibu Museum of Art Karuizawa et Tokyo, août-septembre 1981.

MARQUIS (Alice Goldfarb). *Marcel Duchamp : Eros, c'est la vie, Troy* (N.Y.), éd. Whitson 1981.

VILAR (Jean-François). *C'est toujours les autres qui meurent,* Paris 1982, Fayard.

NAUMANN (Francis M.). « Affectueusement, Marcel ». *Archives of American Art Journal,* New York 1982.

CHAVANNE (Blandine). *La pendule de profil,* exposition au musée Sainte-Croix, Poitiers, nov.-déc. 1982.

MARTIN (Jean-Hubert) et CAMFIELD (William A.). *Tabu-Dada : Jean Crotti et Suzanne Duchamp.* Catalogue de l'exposition Kunsthalle, Berne 1983.

CAUMONT (Jacques) et GOUGH-COOPER (Jennifer). *Yo Sermayer, Peinture d'ameublement,* Catalogue avec préface de J.H. Martin, exposition Kunsthalle Berne, 1983.

NAUMANN (Francis M.). « The Drawings of Beatrice Wood », *Arts Magazine,* New York 1983.

LEBEL (R.). *Du rébus et de l'infra-mince au courant d'air (ou d'art) du Japon, Cahiers du musée national d'Art moderne,* Centre Pompidou, Paris 1983.

TAVEL (H. Christoph von). *Ein « intimes » Denkmal für Marcel Duchamp im Berner Kunstmuseum,* dans *Von Angesicht zu Angesicht,* Berne 1983, Stämpfli.

ADCOCK (Craig E.). *Marcel Duchamp's Notes from the Large Glass. An N-Dimensional Analysis* (Révision d'une thèse de l'auteur), Ann Harbor Research Press 1983.

DUBOY (Philippe). « Le Corbusier (1887-1965) con sidéré, ment moderne copyright by Rrose Sélavy (1887-1968) ». *Art Press,* hors série n° 2 Paris 1983.

PIERRE (José). *L'univers surréaliste,* Paris 1983, éd. Somogy.

LEBEL (R.). *Marcel Duchamp et l'électricité en large,* catalogue de l'exposition « Electra », musée d'Art moderne de la Ville de Paris, déc. 1983-janv. 1984.

MOURE (Gloria). Catalogue de l'exposition Marcel Duchamp, avec des textes de Eulalia Serra, Ignasi de Sola-Morales, Anne D'Harnoncourt, John Cage, Dawn Ades, Yoshiaki Tono, Octavio Paz, M. Calvesi, G. Celant. Fondation Joan Miró, Barcelone, Caja de Pensiones, Madrid, Ludwig Museum, Cologne 1984.

BAILLY (J.Ch.). *Marcel Duchamp,* Paris 1984, F. Hazan.

DANIELS (D.), MALSCH (F.), POLY (S.). *Nehmen Sie Dada,* Exposition Kunstverein à Bonn, avec une étude spéciale sur les versions du *Porte-bouteilles* de Duchamp, 1984.

ARMAN (Yves). *Marcel Duchamp joue et gagne,* avec des textes de R. Lebel, A. Schwarz, W. Hopps et des citations de Duchamp. Exposition de multiples de ready-made, galerie Arman, New York, galerie Beaubourg, Paris 1984, et Genève, galerie Bonnier, 1985.

SAMALTANOS (Katia). *Apollinaire Catalyst for Primitivism Picabia and Duchamp,* Stockholm 1984.

NAUMANN (Francis M.). *The Mary and William Sisler collection,* catalogue, 1984 publié par le Museum of Modern Art, N.Y.

GERVAIS (André). « *La raie alitée d'effets* ». *Apropos of Marcel Duchamp,* Ed. Hurtebise Ville La Salle, Québec 1984.

DUVE (Thierry de). *Nominalisme pictural. Marcel Duchamp. La peinture et la modernité.* Paris, 1984, Ed. de Minuit.

DRECHSLER (Wolfgang). *Marcel Duchamp et le Temps,* dans le catalogue de l'exposition « L'Art et le Temps », Bruxelles 1984.

MURAY (Ph.). *La religion sexuelle de Marcel Duchamp.*

DENIZOT (R.). *Ainsi font, font font.*

LAGNADO (L.). « in absentia (M.D.) » de Regina Silveira. in *Art Press,* Paris, septembre 1984.

CABANNE (P.), TONO (Y.), LORQUIN (B.), IWASA (T.). « Les 3 Duchamps » exposition Galerie Tokoro, Tokyo, 2 novembre-15 décembre 1984.

BONK (Ecke). « Der moderne Künstler steht an der Reling eines Ubersee-Liners und hat in seinem Koffer einige Exemplare der neuesten Kunstzeitschriften » (Etude sur la Boîte-en-valise), *Tumult* N° 7, *Der Planet,* Berlin, janvier 1985.

DUVE (Thierry de). *Kant avec Duchamp,* séminaire au Collège International de Philosophie, Paris, du 4 mars au 15 mai 1985.

LASCAULT (G.), MURAY (Ph.), MILLOT (C.). Commentaires sur le livre de Thierry de Duve : « Nominalisme pictural », *Art Press*, Paris, avril 1985.

UITSE (Benoit). Texte et mise en scène de « La Mariée mise à nu par ses célibataires, même », représentée au Théâtre de l'Epicerie, Paris, mai 1985.

BERGERON (A.), COTE (Ph.), DUBE (J.). (même Marcel Duchamp). Espace Kata Logo. Montréal, 10 juin-7 juillet 1985.

SUQUET (Jean). *Aurore à Zéro*. (A paraître), Paris, 1985.

FILMOGRAPHIE

Entracte, 1924, film de René Clair, noir et blanc, muet, 22 minutes, 35 millimètres ; scénario : Picabia et René Clair ; images : J. Berliet ; musique originale : Erik Satie ; interprètes : Jean Borlin, Inge Fries, Francis Picabia, Man Ray, Marcel Duchamp, Erik Satie, Georges Auric ; production : Rolf de Maré.

Anémic Cinéma, 1925, film de Duchamp, noir et blanc, muet, 7 minutes, 35 millimètres. Avec Man Ray et Marc Allégret.

Dreams that Money Can Buy, 1944-1947, film de Hans Richter, couleur, sonore, 85 minutes, 16 millimètres, réalisé pour Art of this Century Films N.Y. ; interprètes : Fernand Léger, Man Ray, Marcel Duchamp, Alexander Calder, Max Ernst, Darius Milhaud, John Cage, Louis Appelbaum, Paul Bowles, David Diamond.

Interview filmée par James Johnson Sweeney, 1955, au Philadelphia Museum of Art. Production National Broadcasting Company.

8×8, 1955-1958, film de Hans Richter, noir et blanc, couleur, sonore, 88 minutes, 16 millimètres. Interprètes : Jean Arp, Marcel Duchamp, Yves Tanguy, Richard Huelsenbeck, Alexandre Calder, Max Ernst, Dorothea Tanning, Jacqueline Matisse, Julien Lévy, William Sandberg, Jean Cocteau, Achmed Ben Driss, José Sert, Frédérik Kiesler, Paul Wiener.

Dadascope, 1956-1961, film de Hans Richter, noir et blanc, sonore, 28 minutes, 16 millimètres. Interprètes : Raoul Hausmann, Jean Arp, Marcel Duchamp, Richard Huelsenbeck, Man Ray, Tristan Tzara, Kurt Schwitters, Philippe Soupault.

Duchamp, 1958, réalisateur inconnu, noir et blanc, 30 minutes, 16 millimètres ; producteur : N.B.C. ; distributeur : Encyclopaedia Britannica Film Inc.

Jeu d'échecs avec Marcel Duchamp, 1963, film de Jean-Marie Drot, double bande, 52 minutes, 16 millimètres ; projeté par la Radio-Télévision française le 8 juin 1964.

Interview filmée de Marcel Duchamp : 1965, N. et b., 16 mm, produit par la West Deutsche Rundfunk, 9 mn 22 s à l'occasion de la rétrospective Duchamp à Hanovre.

Rebel readymade, 1966, film de Tristram Powell ; production de la télévision britannique à l'occasion de la rétrospective à la Tate Gallery ; projeté à la BBC le 23 juin 1966.

Marcel Duchamp écoutant Varèse, vers 1966, extrait d'un film de la Radio-Télévision française non-monté.

Dialogues, 1966, télévisé entre William Coldstream, Richard Hamilton, R. Melville, etc.

Duchamp, 1966, film d'Adam Saulnier, blanc et noir, sonore, 5 min. 16 mm. Producteur TF1.

Marcel Duchamp parle de Breton et de sa mort, 1966, blanc et noir, sonore, 18 min. 16 mm. Producteur TF1.

Duchamp, 1967, film d'Adam Saulnier, blanc et noir, sonore, 3 min. 16 mm. Producteur TF1.

Les objets de Marcel Duchamp, 1967, blanc et noir, sonore, 10 min. 16 mm. Producteur ORTF.

Interview filmée avec Philippe Collin, 1967, Radio-Télévision française.

Grimaces, 1967, un film d'Erró, noir et blanc, 45 minutes, 16 millimètres ; Duchamp y apparaît.

Marcel Duchamp, 1971, film de Jacques Antoine, noir et blanc, 33 minutes, 16 millimètres, pour l'émission « Signe des temps » à la Radio-Télévision belge. Filmothèque de la R.T.B., réf. 6371/88b.

L'objet, 1971, film de Bastin, noir et blanc, 20 minutes, 16 millimètres, pour l'émission « Musée de Poche » à la Radio-Télévision belge. Filmothèque de la R.T.B., réf. 6371/121.

L'objet porte-bouteilles (Marcel Duchamp et autres artistes), 1975, film de J.M. Lendier, couleurs, 42 minutes, 16 millimètres, pour l'émission « Donner à voir » à la Radio-Télévision belge. Filmothèque de la R.T.B., réf. 7075/65.

Hommage à Duchamp, 1975-1976, vidéogramme de René Bauermeister, noir et blanc, sonore, 6 minutes 15 secondes, Sony demi-pouce nouvelles formes.

Entretien de Marcel Duchamp avec Octavio Paz en 1968, 1976, film de Denise Hare et Lewis Jacobs, couleurs 16 millimètres, sonore, 30 minutes.

Les plus fortes parties de Marcel Duchamp, 1977, film de Pierre Desfons, couleur, sonore, 26 minutes, 16 millimètres. Producteurs : Teri Wehn Damish et Antenne 2.

Le cas de Marcel Duchamp, 1981, film de David Rowan, couleur, 98 minutes, 16 mm.

Marcel Duchamp in his own words, 1982, film de Lewis Jacobs, couleur, sonore, 34 minutes, 16 mm. Producteur : Lewis Jacobs ; musique : Henry Brandt ; narrateur : Marcel Duchamp.

Achevé d'imprimer
sur les Presses Bretoliennes
27160 Breteuil-sur-Iton

N° d'éditeur : 822
Dépôt légal : septembre 1985 — N° d'imprimeur : 308